Priorize Deus

Devocionais diários para 366 dias

Priorize Deus

Devocionais diários para 366 dias

MICHEL SIMPLICIO

Editora Vida
Rua Conde de Sarzedas, 246 — Liberdade
CEP 01512-070 — São Paulo, SP
Tel.: 0 xx 11 2618 7000
atendimento@editoravida.com.br
www.editoravida.com.br
@editora_vida /editoravida

PRIORIZE DEUS

■

Exceto em caso de indicação em contrário, todas as citações bíblicas foram extraídas da *Nova Versão Internacional* (NVI)

Todas as citações bíblicas e de terceiros foram adaptadas segundo o Acordo Ortográfico da Língua Portuguesa, assinado em 1990, em vigor desde janeiro de 2009.

■

Os nomes das pessoas citadas na obra foram alterados nos casos em que poderia surgir alguma situação embaraçosa.

Todos os grifos são do autor, exceto os indicados.

Editora-chefe: Sarah Lucchini
Editor responsável: Maurício Zágari
Revisão de provas: Josemar de Souza Pinto
Coordenadora de design gráfico: Claudia Fatel Lino
Projeto gráfico: Marcelo Alves de Souza, Vanessa S. Marine e Willians Rentz
Diagramação: Marcelo Alves de Souza
Capa: Vinicius Lira

1ª edição: 2022
2ª edição: set. 2023
1ª reimp.: dez. 2023
2ª reimp.: jan. 2024

Dados Internacionais de Catalogação na Publicação (CIP)
(Câmara Brasileira do Livro, SP, Brasil)

Simplicio, Michel
Priorize Deus / Michel Simplicio. -- 2. ed. -- Guarulhos, SP : Editora Vida, 2023.

ISBN 978-65-5584-433-7
e-ISBN: 978-65-5584-434-4

1. Bíblia - Estudos 2. Devoção a Deus 3. Devoções diárias 4. Escrituras cristãs 5. Literatura devocional 6. Vida espiritual - Cristianismo I. Título.

23-166154 CDD-242.8

Índice para catálogo sistemático:

1. Devoção : Vida espiritual : Cristianismo 242.8
Aline Graziele Benitez - Bibliotecária - CRB-1/3129

Priorize Deus

Devocionais diários

De:

Para:

Introdução

Começar o dia com as Boas Novas é, sem dúvida, uma ótima decisão. Deus espera que o busquemos todos os dias, pois nos reserva algo especial a cada amanhecer. Porém, em nossos dias cheios de afazeres, a maioria das pessoas não costuma investir tempo a sós com o Senhor.

Isso acontece devido à falta de ensino, conhecimento, estímulo e, até mesmo, por negligência.

Priorize Deus é uma ferramenta poderosa que o ajudará a manter constância em uma rotina de intimidade com o Senhor. Este devocional foi escrito especialmente para que você cresça emocional e espiritualmente, vença os desafios diários da vida e cumpra o propósito para o qual foi criado por Deus.

Escrevi as reflexões desta obra para ajudar você a manter a regularidade nos seus momentos diários de intimidade com o Senhor. Cada devocional representará um avanço em sua jornada pessoal e íntima de crescimento espiritual.

Oro a Deus para que ele o acompanhe ao longo de cada leitura e fale poderosamente ao seu coração!

Bem-vindo ao *Priorize Deus!*

Nesta obra, embarcaremos juntos em uma jornada de profunda comunhão com Deus, ao longo de um ano inteiro. Aqui, você encontrará orientações práticas e inspiradoras para desenvolver uma rotina diária de conexão espiritual, trazendo o divino para o cerne de sua vida cotidiana.

Em meio às complexidades e aos desafios do mundo moderno, é fácil perder de vista o que é mais importante: a intimidade com o Criador. Diante dessa realidade, esta obra surge como um guia compassivo, oferecendo valiosas dicas e ferramentas para construir um relacionamento sólido com Deus, diariamente, ao longo de um ano completo.

Este livro é projetado para levar você além da simples leitura bíblica. É um convite para que você se aprofunde na Palavra de Deus, buscando compreender seus ensinamentos e aplicá-los em sua vida diária. Cada devocional é uma oportunidade para encontrar significado e propósito nas Escrituras, e para experimentar a presença de Deus de forma mais profunda.

A estrutura de *Priorize Deus* é concebida para facilitar sua jornada espiritual ao longo do ano. Cada devocional apresenta uma reflexão temática, com base em textos selecionados das Escrituras. Além disso, oferece dicas práticas sobre como conduzir sua devocional pessoal.

Para uma experiência verdadeiramente enriquecedora, encorajamos você a seguir algumas orientações simples:

Prepare o ambiente: reserve um local agradável para ter seu tempo com o Senhor. Se possível, defina sempre o mesmo horário em sua agenda, pois hábitos ajudam a desenvolver um novo estilo de vida.

Elimine as distrações: deixe de lado qualquer coisa que possa vir a tirar sua plena concentração. Atente-se somente à voz de Deus e permita-se ser ministrado em cada mensagem.

Faça anotações: separe um bloco de notas físico ou digital para registrar o que o Espírito Santo trouxer à tona no decorrer de suas leituras e reflexões. Não deixe de escrever quais atitudes você colocará em prática.

Oração, adoração e meditação na Palavra: a cada devocional, invista um tempo de oração a respeito do tema abordado. Lembre-se de adorar a Deus com suas palavras, confissões, sinceridade e louvor. Medite nas histórias bíblicas narradas e desfrute intimidade com o Senhor.

Interaja: nestas páginas, você encontrará frases, palavras e detalhes que poderão ser resposta de oração em sua vida. Preste atenção, e não deixe de responder com sinceridade às perguntas propostas.

Que este livro seja uma ferramenta valiosa para aprofundar seu relacionamento com Deus, fortalecendo sua fé e transformando sua vida diária. Estamos animados para acompanhá-lo nesta jornada espiritual, e oramos para que você experimente a alegria e a paz que vêm da comunhão com o Pai celestial. Vamos juntos embarcar nesta emocionante aventura espiritual que durará todo o ano, descobrindo novas perspectivas e experiências transformadoras em cada devocional. Que a graça de Deus esteja com você a cada passo do caminho!

DEFININDO PRIORIDADES

Definir a prioridade certa trará plenitude para sua vida. Veja o que Bíblia diz: “Mas buscai primeiro o Reino de Deus, e a sua justiça, e todas essas coisas vos serão acrescentadas” (Mateus 6.33, ARC).

Qual é a sua prioridade neste momento? Saiba que, quando priorizamos Deus, o próprio Senhor cuida das demais coisas de que precisamos.

Muitos não priorizam Deus e, mesmo assim, alcançam o sucesso, chegando até a obter grandes conquistas materiais, mas, em contrapartida, o vazio existencial também aumenta. Gênesis 11 conta que os homens planejaram construir algo muito grande — a torre de Babel —, só que sem a ajuda de Deus. Resultado? Houve confusão! Deus desceu e destruiu tudo. Com isso aprendemos que tudo aquilo que é construído sem ter Deus como base um dia cai ou é destruído.

Defina bem as suas prioridades, tenha Deus como base e creia que ele suprirá todas as suas carências, sejam elas emocionais, materiais, espirituais ou financeiras.

Priorize o relacionamento com o Senhor e permita que ele ocupe a primeira posição em sua vida, pois, desse modo, as demais coisas lhe serão acrescentadas.

“Quando priorizamos Deus, o próprio Senhor cuida das demais coisas de que precisamos.”

Você tem colocado Deus como prioridade na sua vida?

....

....

....

....

Plano de leitura:
(Gênesis 1—3)

Acesse o QR code para saber mais

DE QUE É FEITA A VIDA?

"A mudança que você deseja pode estar à distância de uma decisão."

Certa vez, me perguntaram: "Pastor, de que é feita a vida? Ela é feita de momentos?". Respondi: "É óbvio que não!". Em Deuteronômio 30.19, Deus disse assim: "Os céus e a terra tomo, hoje, por testemunhas contra ti, que te propus a vida e a morte, a bênção e a maldição; escolhe, pois, a vida, para que vivas, tu e a tua descendência" (ARA).

Nunca podemos definir uma história de vida baseada em momentos bons ou ruins. Certamente, a vida não é feita de momentos; ela é feita de decisões.

As decisões têm o poder de alterar todo o curso da existência humana. Sabemos exatamente para onde as nossas decisões nos conduziram, por isso precisamos aprender a decidir bem. Você precisa decidir, e há um Deus que quer ajudá-lo a fazer as melhores escolhas. Passe tempo na presença dele e medite na Palavra para que possa decidir com sabedoria.

Deus quer ajudá-lo a tomar as melhores decisões. Ele conhece todas as coisas e já preparou um futuro grandioso para você. Por isso, decida buscar Deus cada vez mais e permita que ele cuide do seu futuro. Desse modo, você terá a certeza de que o melhor lhe acontecerá!

Olhando para a sua vida hoje, responda: como você tem tomado suas decisões?

....

....

....

....

....

....

Plano de leitura:
(Gênesis 4—6)

Acesse o QR code para saber mais

CHEGOU A SUA VEZ

Você já teve a sensação de que as coisas em sua vida demoram a acontecer? Já teve a impressão de que parece que nunca chega a sua vez? Pois bem, só parece, porque, hoje, Deus marcou o dia para afirmar que chegou a sua vez.

A Palavra do Senhor conta a história de uma jovem chamada Ester (Hadassah, em hebraico). Ela havia sofrido demais e, aparentemente, o seu futuro estava fadado a ser um fracasso.

Ester tinha tudo para ser uma jovem depressiva, mas, ao saber que haveria um concurso de beleza e que o rei estava procurando uma jovem para se casar, decidiu se preparar. Apesar de sua vida ter sido uma tragédia até aquele momento, Ester tinha sido escolhida por Deus para libertar o seu povo. O tempo dela havia chegado, por isso a Bíblia diz: "*Chegando, pois, a vez de Ester*, filha de Abiail, tio de Mardoqueu (que a tomara por sua filha), para ir ao rei [...]" (Ester 2.15).

Prepare-se, pois isso pode acontecer também em sua vida. Celebre!

"Continue crendo e confiando que a sua vitória está chegando!"

O que você pode tirar de lição hoje sobre a história de Ester?

....

....

....

....

....

....

....

Plano de leitura:
(Gênesis 7—9)

Acesse o QR code para saber mais

APROVEITE AS OPORTUNIDADES

“Uma pessoa otimista aguarda as oportunidades; uma pessoa de fé as encontra.”

Você já desperdiçou uma oportunidade valiosa? Se sim, qual?

....

....

....

....

(Gênesis 10—12)

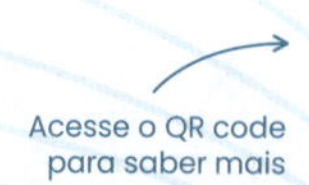

Há na Bíblia muitos exemplos de pessoas que aproveitaram bem as oportunidades, e há também o caso de pessoas que as desperdiçaram.

Certa vez, um cego que estava à beira do caminho ouviu que Jesus passaria por aquela região. Ele sabia que o Mestre não viria novamente por ali; então, começou a clamar cada vez mais alto, até que Jesus o ouviu e o curou (Marcos 10).

Outro exemplo de alguém que soube aproveitar bem a oportunidade é o de Zaqueu. Por ser de baixa estatura, ele subiu em uma árvore, porque soube que Jesus passaria por ali. Zaqueu também recebeu o milagre e, como recompensa, teve a presença do Salvador em sua casa (Lucas 19).

Jesus foi crucificado ao lado de dois ladrões, mas somente um deles soube agarrar a oportunidade (Lucas 23). Não faça como aquele homem que desperdiçou a grande chance de salvação!

A oportunidade é como uma janela de tempo que se abre. Por isso, precisamos estar atentos para não desperdiçá-la, pois pode ser que ela seja única.

TOME POSSE DAS PROMESSAS

Existem grandiosas promessas de Deus para nós. Esteja atento, pois chegou a hora de tomar posse delas: "Tomareis posse da terra e nela habitareis, porque vos dei esta terra como propriedade" (Números 33.53).

Não faça como os que começaram a reclamar e falar mal da terra — eles murmuraram e ficaram de fora. Tenho certeza de que você não quer ser como aquele povo, que duvidou e nunca pôde desfrutar das promessas.

Deus pode lhe mostrar algo grandioso, e se ele mostra é porque quer entregar a você. Tome posse das promessas, pois grandes bênçãos Deus já tem preparado para a sua vida!

Existem muitas promessas de Deus para você e para a sua família. São promessas espirituais e materiais, financeiras e ministeriais, relacionadas à sua saúde e aos seus negócios. Por isso, creia e tome posse delas! Não seja como aquele povo que ouviu, mas não se apoderou do que já era dele.

Deus está preparando algo grandioso para os seus. Chegou o tempo de cumprimento de grandes promessas — creia e tome posse, em nome de Jesus!

"A promessa de Deus é a maior garantia de que o seu futuro será abençoado."

Qual promessa você está esperando receber?

....

....

....

....

....

....

Plano de leitura:
(Gênesis 13—16)

Acesse o QR code para saber mais

VAI ACONTECER

"Pode ainda não parecer, mas algo grande está acontecendo."

Em qual área você está precisando de fé para não desistir hoje?

....

....

....

....

....

....

Plano de leitura:
(Gênesis 17—19)

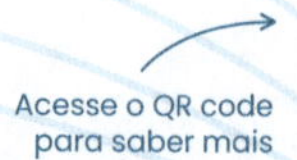

Acesse o QR code para saber mais

A Bíblia fala a respeito de Zacarias e Isabel, casal justo e irrepreensível diante de Deus, todavia sem filhos. Certa vez, Zacarias, ao exercer o sacerdócio, ouviu o anjo lhe dizer: "Não temas, sua oração foi ouvida". Em outras palavras: "Não temas, vai acontecer, chegou a hora!" (Lucas 1.5-25).

Creia que, por causa da integridade do seu coração e de tudo o que você tem plantado com fé e fidelidade, Deus ouviu a sua oração. Então, prepare-se, pois vai acontecer!

Essa é uma palavra profética para você, assim como foi para aquele casal, que durante muito tempo serviu a Deus e parecia que nada aconteceria. No tempo certo, nasceu João Batista e trouxe grande alegria para Zacarias e Isabel. Assim também será em sua vida: tudo o que Deus gerar em você alegrará não apenas o seu coração, mas o de todos os que estão ao seu redor.

Portanto, creia que tudo aquilo pelo que você tem orado em breve pode acontecer!

JESUS CRISTO AJUDARÁ VOCÊ

Você já se sentiu desamparado e sem ajuda de ninguém?

A Bíblia fala de um homem que estava nessa situação havia 38 anos e ninguém o ajudava. Ele não tinha forças para sair do lugar, por ser um paralítico; não tinha muito a fazer e talvez até pensasse que a sua vida terminaria daquele jeito.

O texto bíblico, porém, diz que Jesus desceu cerca de cinco andares até o lugar em que ele estava e o ajudou. Jesus levantou e curou aquele homem que estava sozinho e abandonado havia muito tempo (João 5.1-9).

Jesus Cristo ajudará você! Sua caminhada não é solitária. Hoje, você talvez se sinta desamparado, mas saiba que Deus está ao seu lado e nunca o deixou; ele sempre supriu cada uma das suas necessidades e o trouxe até aqui. Portanto, lembre-se de que Deus sempre cumpre o que promete, e ele está lhe dizendo: "Você não está sozinho!".

Deus tirou pessoas da sua vida para que haja o cumprimento do propósito dele. Aliás, se algumas pessoas ainda estivessem ao seu lado, talvez você não desse todo o crédito a Deus.

Jesus Cristo me ajudou e também vai ajudá-lo. Creia que você não está sozinho e que ele jamais deixará você!

"Jesus Cristo o ajudará a não desistir, pois grandes promessas vão se cumprir."

Você já percebeu Jesus o amparar em um momento em que se sentia sozinho?

....

....

....

....

Plano de leitura:
(Gênesis 20—22)

Acesse o QR code para saber mais

OLHANDO PARA A FRENTE

"Gratidão se exerce olhando para trás; expectativas são geradas quando olhamos para a frente."

Qual acontecimento do seu passado você precisa deixar para trás?

....

....

....

Plano de leitura:
(Gênesis 23—24)

Acesse o QR code para saber mais

Muitas pessoas vivem paralisadas porque estão olhando para trás. E não estou me referindo apenas a olhar para aquilo que deu errado, mas também para o que foi bom e que deu certo. Mesmo tendo sido bom, faz parte do passado. Muitas pessoas vivem paralisadas e não entendem que devem olhar para a frente, pois Deus lhes tem preparado algo muito maior.

Gênesis 19 conta a história da mulher de Ló. Havia uma promessa de livramento e uma advertência: "Não olhe para trás". Infelizmente, ela olhou, apegando-se ao passado, e se tornou uma estátua de sal; ela não viveu o que Deus tinha preparado.

Paulo escreveu: "[...] esquecendo-me das coisas que para trás ficam e avançando para as que diante de mim estão, prossigo para o alvo, para o prêmio da soberana vocação" (Filipenses 3.13,14, ARA).

Todo bom atleta não pode olhar para trás. Sabe por quê? Porque quem corre tem um objetivo, um alvo; e se olhar para trás, perde velocidade e a competição.

Do mesmo modo, por melhor ou pior que tenha sido seu passado, olhe para a frente. Deus tem coisas grandiosas preparadas para você.

GRATIDÃO

Muitas pessoas buscam aquilo que não possuem e se esquecem do que já receberam. A gratidão é o reconhecimento por algo ou por algum benefício recebido; por isso, Deus deseja que tenhamos um coração grato. Em 1 Tessalonicenses 5.18, está escrito: “Em tudo, dai graças, porque esta é a vontade de Deus” (ARA).

Jesus, certa vez, curou dez leprosos, mas apenas um voltou para agradecer e dar glória a Deus. Então, Jesus perguntou: “Não foram purificados todos os dez? Onde estão os outros nove?” (Lucas 17.17). Em outras palavras: onde estão aqueles que já receberam tantas bênçãos e não sabem agradecer? Onde estão aqueles que estão vivos, que podem respirar e glorificar a Deus?

Lembre-se de que a gratidão, além de expressar caráter, abre muitas portas de milagres e traz multiplicação. Perceba que antes da multiplicação dos pães e dos peixes, Jesus deu graças.

Deus vai multiplicar as coisas boas em sua vida, mas para isso você precisa aprender a agradecer. Portanto, seja grato, pois a gratidão abrirá portas para grandes milagres. Diga como o salmista: “Bendize, ó minha alma, ao SENHOR, e não te esqueças de nem um só de seus benefícios” (Salmos 103.2).

“A gratidão ativa a memória do coração.”

Por quais razões você é grato hoje?

....

....

....

....

....

....

....

....

Plano de leitura:
(GÊNESIS 25—27)

Acesse o QR code para saber mais

"NÃO NOS DEIXES CAIR EM TENTAÇÃO"

"Uma grande tentação precede uma grande manifestação."

Como você pode melhorar suas orações hoje para batalhar contra as tentações?

....

....

....

....

....

....

....

....

Plano de leitura:
(Gênesis 28—30)

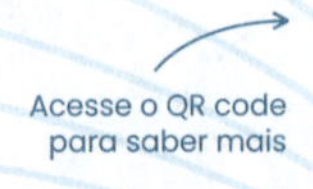

Acesse o QR code para saber mais

Na oração do Pai-nosso está contido um pedido: "Não nos deixes cair em tentação" (Mateus 6.13, ARA). Jesus ensinou a orar deste modo, porque já sabia que passaríamos por tentações; aliás, a Bíblia diz que o Diabo é conhecido como o tentador.

Quem não foi tentado em algum momento da sua vida?

As tentações fazem parte da existência humana, e o próprio Jesus foi tentado pelo Diabo no tempo em que esteve no deserto (Lucas 4).

Depois de ter jejuado quarenta dias, Jesus teve fome, e Satanás apareceu para tentá-lo. Assim é em nossa vida — nos momentos de maior fraqueza, o Inimigo vem para nos tentar. Por isso, a Bíblia diz: "Vigiai e orai, para que não entreis em tentação; o espírito, na verdade, está pronto, mas a carne é fraca" (Mateus 26.41, ARA).

O Inimigo conhece os nossos pontos fracos, por isso devemos sempre orar pedindo que Deus nos livre do mal e não nos deixe cair em tentação.

Com certeza, você será tentado a abandonar os sonhos e projetos que Deus colocou em seu coração. Não desista, mas continue firme e ore.

VALORIZE O PROCESSO

O processo antecede a promessa; por isso, valorize cada etapa do processo e lembre-se de que, antes de receberem as promessas, os homens escolhidos passaram por processos.

Vemos que isso aconteceu com Davi. Ele recebeu a promessa de que seria o rei da nação de Israel, todavia teve de esperar muitos anos e passar por um processo antes de ser rei. Ele foi perseguido e caluniado e teve de fugir e se esquivar das lanças de Saul. Mas tudo fazia parte do processo, porque Deus estava treinando e trabalhando o coração de Davi.

Moisés também ficou cerca de quarenta anos no deserto, ou seja, precisou passar pelo processo de Deus.

Deus está trabalhando na sua vida. Tenha calma e saiba que, antes de alcançar as promessas, você precisa passar pelo processo. É doloroso e, às vezes, traz perdas e decepções, mas tudo faz parte do nosso aperfeiçoamento.

Muitas pessoas fogem do processo e, por isso, não alcançam as promessas. Portanto, acalme o coração, aprenda a valorizar o processo e creia que Deus está agindo a seu favor.

"É suportando a dor do processo que alcançaremos as maiores promessas."

Você consegue ver a importância dos processos na sua vida?

....

....

....

....

....

Plano de leitura:
(Gênesis 31—32)

Acesse o QR code para saber mais

MANTENHA O FOCO

"Foco é saber dizer 'não' para tudo aquilo que o afasta do propósito."

Você já se viu sem foco na sua vida espiritual?

....

....

....

....

....

....

....

Plano de leitura:
(Gênesis 33—35)

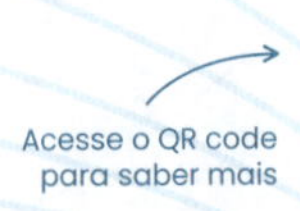

Certa vez, perguntaram-me o que é foco, e eu respondi: "Foco não é apenas dizer *sim* para um objetivo na vida, mas saber dizer *não* para tantas outras possibilidades que aparecem para nos impedir de atingir o nosso objetivo".

O apóstolo Paulo diz que avançava olhando para o alvo, para as coisas que estavam adiante dele (Filipenses 3.13,14).

Ter foco é saber que Deus tem algo preparado e assim seguir adiante, sem se distrair, porque o Inimigo sempre vai tentar desestabilizar a sua fé e fazê-lo perder o foco.

Não se distraia, porque o Inimigo quer tirar o seu foco para que você não chegue aos lugares que Deus já lhe preparou. Portanto, esteja vigilante.

A sua luta não está relacionada aos seres humanos, por isso não dê ouvidos a discussões ou provocações. Faça como Neemias, que foi um grande restaurador de Israel. Quando o inimigo quis distraí-lo para que parasse a reconstrução de Jerusalém, aquele homem respondeu que estava fazendo uma grande obra e não poderia parar (Neemias 6.3).

Mantenha o foco e siga firme.

CONFIE EM DEUS

Muitas vezes, a nossa fé é provada e a nossa confiança é testada; pode até ser que, neste momento, você esteja passando por um período de testes.

Certa vez, Jesus insistiu com os discípulos para que entrassem no barco e fossem adiante dele para o outro lado do mar da Galileia, enquanto ele despedia a multidão. Eles obedeceram, mas, no meio da trajetória, desabou uma tempestade. Jesus apareceu, e Pedro lhe disse: "Se és tu, Senhor, manda-me ir ter contigo por sobre as águas". Então, Jesus o chamou à confiança: "Vem" (Mateus 14.28,29, ARA).

Pedro saiu do barco, andou sobre as águas e foi em direção a Jesus. Imagino Pedro saindo, com um pé dentro e o outro fora do barco. Deve ter sido um momento difícil, em que ele precisava aprender a confiar.

Você pode andar sobre as águas, mas precisa depositar a sua confiança naquele que o chamou. É bem verdade que Pedro andou sobre as águas, mas depois teve medo.

Não caia nesse erro. Sempre que der um passo de fé, confie e creia na palavra que Deus já liberou. O medo paralisa, mas a fé impulsiona.

Confie em Deus e você também verá o extraordinário acontecer. Creia e andará sobre as águas.

"Confiar em Deus é fechar os olhos da dúvida e abrir os olhos da fé."

Você já se amedrontou em um momento em que precisava somente confiar em Deus?

Plano de leitura:
(Gênesis 36—37)

Acesse o QR code para saber mais

CREIA CONTRA A ESPERANÇA

"Ter fé é acreditar naquilo que hoje parece impossível."

Em qual área hoje você precisa crer no que não parece mais possível?

....

....

....

....

....

....

....

....

Plano de leitura:
(Gênesis 38—40)

Acesse o QR code para saber mais

A Palavra de Deus fala a respeito do patriarca Abraão e diz que ele creu contra a esperança, ou seja, ele não levou em conta o seu corpo já amortecido nem julgou que já era velho demais para receber o cumprimento da promessa de que seria pai de muitas nações.

O tempo havia passado, todavia Abraão continuava crendo. Ele creu contra a esperança, mesmo quando as circunstâncias diziam que não havia mais nenhuma possibilidade.

Precisamos entender que Deus promete e cumpre. Abraão sabia disso e continuou crendo, mesmo quando tudo não estava em conformidade com o que lhe havia sido prometido.

Pode ser que você esteja vivendo um cenário desfavorável. Talvez pareça que nada vai acontecer, que não dá mais tempo e que não tem mais jeito. Mas Deus está falando: creia contra a esperança.

As promessas são fiéis e verdadeiras e, assim como Abraão teve um filho na velhice e viveu as promessas de Deus, você também pode desfrutar do sobrenatural.

Não desista, apenas creia contra a esperança, pois quem fez a promessa é fiel para cumpri-la.

MAIS QUE VENCEDORES

O apóstolo Paulo afirma que, em Cristo, somos mais que vencedores (Romanos 8.37). Nascemos após triunfar sobre milhões de espermatozoides e, durante a vida, vencemos muitas batalhas. Todavia, o Inimigo quer que acreditemos que Deus nos pôs na Terra para sermos derrotados.

Isso é mentira!

Deus não o criou para você ser envergonhado. Esse momento que você está atravessando é apenas uma fase ruim. Portanto, não acredite nas mentiras do Inimigo.

Deus fez grandiosas promessas, e você nasceu para ser mais que vencedor. Pelo poder de Cristo, você pode vencer todas as suas batalhas! Pelo poder de Jesus, vai vencer o mundo, a carne e o Diabo e um dia estará para sempre com o Senhor na glória.

Tome posse da Palavra e das promessas: você é mais que vencedor, e Deus o escolheu antes de você nascer!

Por isso, não aceite nada que não seja o que a Palavra de Deus diz a seu respeito.

Você nasceu para ser mais que vencedor!

"Para ser um vencedor, é preciso superar a dor!"

Você tem vivido como um grande vencedor?

Plano de leitura:
(Gênesis 41—42)

Acesse o QR code para saber mais

ENXERGUE DEUS CORRETAMENTE

"Quem enxerga Deus da forma errada sempre tira conclusão precipitada."

Você tem investido tempo buscando conhecer Deus?

Plano de leitura:
(Gênesis 43—45)

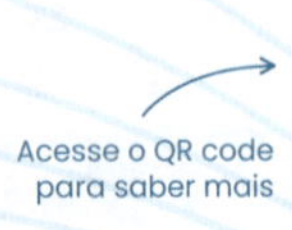
Acesse o QR code para saber mais

Ter uma visão correta de Deus fará que você dê frutos, prospere e chegue aos lugares que ele prometeu e preparou.

Jesus contou a parábola de um homem que, antes de uma viagem longa, entregou aos servos a administração de seus bens: "[...] a um deu cinco talentos, e a outro, dois, e a outro, um, a cada um segundo a sua capacidade [...]. O que recebera cinco talentos negociou com eles e granjeou outros cinco talentos. Da mesma sorte, o que recebera dois granjeou também outros dois. Mas o que recebera um foi, e cavou na terra, e escondeu o dinheiro do seu senhor" (Mateus 25.15-18, ARC).

Aquele que recebeu um talento e o enterrou disse que fez isso porque teve medo, pois seu senhor era severo. Tratava-se de uma conclusão pessoal do servo, não de uma verdade absoluta.

Deus é amor e quer que você o conheça. Ele é tão amoroso que perdoa as suas falhas e conhece as suas dificuldades.

Deus o ama a ponto de entregar o seu único Filho para morrer na cruz em seu lugar. Por isso, tenha uma visão correta de Deus. Ele não deseja mal a ninguém, e sua vontade é que todos sejam salvos e cheguem ao pleno conhecimento da verdade.

SONHOS RESTAURADOS

Deus semeou sonhos em seu coração que talvez tenham se perdido com o tempo porque você deixou de acreditar. Mas Deus pode restaurar todos eles!

Em João 18, lemos a respeito do servo do sumo sacerdote, chamado Malco, que estava presente na ocasião em que Jesus foi preso. É provável que aquele homem estivesse galgando um lugar de honra e prestígio. Se isso é verdade, ao desembainhar sua espada e cortar-lhe um pedaço da orelha, Pedro estava destruindo os sonhos dele, pois, naquela época, quem tivesse alguma deficiência não poderia servir ao sumo sacerdote.

Não sei em qual área da vida os golpes recebidos têm feito você se esquecer dos sonhos que Deus semeou no seu coração. Mas o interessante é que Jesus restaurou os sonhos daquele homem — e pode restaurar os seus. Lucas 22.51 diz: "E, respondendo Jesus, disse: Deixai-os; basta. E, tocando-lhe a orelha, o curou" (ARC).

Você pode ter recebido duros golpes e ter sido ferido, mas ainda é muito cedo para desistir. Deus tem grandiosas promessas para a sua vida. Acredite e não duvide: Jesus tem poder para restaurar cada um dos seus sonhos.

"Sonhos revelam o que você quer, mas atitudes determinam o que você conquista."

Quais sonhos estão esquecidos no seu coração que você gostaria que fossem restaurados?

....

....

....

....

Plano de leitura:
(Gênesis 46—47)

Acesse o QR code para saber mais

MANTENHA A DISCIPLINA

"A distância entre sonhos e suas conquistas está exatamente à distância da sua disciplina."

Você é uma pessoa disciplinada? Se não, como pode começar a desenvolver isso?

....

....

....

Plano de leitura:
(Gênesis 48—50)

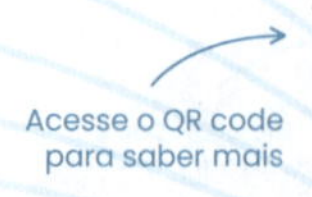

Acesse o QR code para saber mais

Seja disciplinado em todas as áreas da sua vida e isso o ajudará a obter êxito. Nas áreas em que você não consegue manter a disciplina, certamente não será bem-sucedido, pois ela anda de mãos dadas com a vitória.

A Bíblia fala de um homem chamado Daniel, que, mesmo depois de ter sido levado cativo para a Babilônia, manteve sua disciplina de oração. Orar três vezes ao dia fez que ele atingisse um patamar elevado.

A pessoa que mantém a disciplina de exercícios físicos adquire saúde diferenciada; a pessoa que mantém a disciplina de estudos se torna intelectualmente preparada. Logo, a disciplina é a chave que dá acesso a muitos lugares.

Ter disciplina espiritual é vital no relacionamento com Deus, pois precisamos dispor de tempo para falar com ele e ouvir a sua voz. Deus almeja falar conosco todos os dias — é assim desde o jardim do Éden. Seja disciplinado e fique mais tempo a sós com Deus, pois esse hábito fará com que você chegue a lugares altos.

O Senhor o está chamando para um novo tempo, e a disciplina espiritual é muito importante em sua vida de fé.

NÃO SE DISTRAIA

A distração tem sido um dos maiores inimigos do povo de Deus, mas ela não está relacionada somente a coisas ruins; até mesmo as boas podem nos distrair.

O grande problema da distração é que ela faz com que a gente perca muito tempo.

Quantas vezes você pega o celular e se distrai entrando em *sites* e redes sociais? É assim que a distração aos poucos o desvia do seu propósito.

Muitas pessoas estão distraídas e não percebem que o tempo está passando. Além disso, muitas vezes a distração tem o poder de nos tirar do centro da vontade de Deus. Veja o exemplo de Marta e Maria em Lucas 10.

Imagine só que grande oportunidade de estar aos pés do Mestre! Maria logo se lançou aos pés de Jesus e ficou desfrutando da presença dele, mas Marta estava distraída e não aproveitou a chance. O que tem feito com que você se distraia e não dê prioridade ao Senhor?

O tempo é precioso e, por isso, hoje, Deus está falando ao seu coração: "Não se distraia!".

Esteja atento às sinalizações e mantenha o foco. Para isso, busque a vontade de Deus — ela continua sendo boa, perfeita e agradável.

"O propósito da distração é roubar o seu tempo."

Quais são as distrações que estão no seu caminho hoje?

....

....

....

....

....

....

....

....

Plano de leitura:
(Êxodo 1—4)

Acesse o QR code para saber mais

FIQUE PERTO DO PAI

"Quanto mais longe de Deus você estiver, mais difíceis as coisas se tornam em sua vida."

Como você está hoje na sua relação com o Pai? Longe ou perto?

Se você teve o seu pai presente em sua infância, com certeza se recordará de que, quando ele estava por perto, você se sentia mais seguro. A verdade é que, quando o pai está próximo, o filho vence qualquer batalha e não tem medo de nada.

Estar perto do pai significa receber força, ânimo e coragem para vencer. Lucas 15 registra a conhecida parábola do filho pródigo. Assim que saiu de perto do pai, aquele rapaz começou a esbanjar e perdeu muitas coisas. Na casa do pai, o jovem tinha tudo, mas seu afastamento fez grande diferença e trouxe muito prejuízo.

Estar perto do Pai significa estar protegido, guardado e recebendo o que é necessário para o crescimento.

Estar longe do Pai é catastrófico, mesmo que apenas um momento. Por isso, não saia da presença de Deus. Fique sempre perto do Pai, tenha um relacionamento diário com ele e lembre-se de que o segredo de todo bom filho é nunca se distanciar do seu protetor.

Plano de leitura:
(Êxodo 5—7)

Acesse o QR code para saber mais

ESSA TEMPESTADE VAI PASSAR

Marcos 4.35 registra um episódio em que Jesus apareceu aos discípulos e disse: "Passemos para a outra margem" (ARA). Eles, então, despediram a multidão e seguiram de barco pelo mar da Galileia.

Entretanto, no meio do caminho, uma tempestade os pegou de surpresa. Como sabemos, nem toda tempestade consta na previsão do tempo. Imprevistos acontecem, e talvez por isso você esteja enfrentando uma tempestade em sua vida neste exato momento.

Lembre-se das promessas do Mestre. Primeiro, ele afirmou: "Vocês vão chegar do outro lado". Então, se Jesus lhe disse para embarcar em um projeto e, ainda assim, uma grande tempestade tem se levantado, não tenha medo. Mesmo que as ondas sejam fortes e causem impacto no barco da sua vida, não há razão para temer.

Não sei qual é a área da sua vida, mas sei que Jesus tem o poder de acalmar a tempestade: "E, levantando-se, ele repreendeu o vento e disse ao mar: Cala-te! Aquieta-te! E o vento cessou, e fez-se grande calmaria" (Marcos 4.39, A21).

Acalme o seu coração, pois o Senhor tem poder para acalmar a tempestade. Assim como aconteceu com os discípulos, acontecerá em sua vida: como Jesus está no barco, podemos ter certeza de que nada temos a temer.

"A certeza de que o barco não vai naufragar está no fato de que Jesus Cristo está nele."

Em que área da sua vida você precisa de uma intervenção de Jesus para vencer a tempestade?

....

....

....

....

....

Plano de leitura:
(Êxodo 8—10)

Acesse o QR code para saber mais

UM MOMENTO NÃO DEFINE SUA VIDA

"Seu estado atual não define seu estado desejado!"

Você se lembra de algum momento ruim da sua vida que Deus ressignificou?

....

....

....

....

....

....

....

....

Plano de leitura:
(Êxodo 11—13)

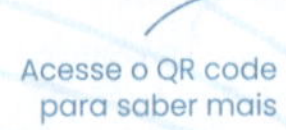

Em nossa caminhada, passaremos por momentos difíceis, de angústia e aflição. A estratégia do Inimigo é fazer da dificuldade um resumo para definir a nossa história.

No dia da crucificação, Jesus enfrentou o momento mais difícil de sua vida. Ele foi cruelmente torturado pelos soldados romanos, sentiu sede e desamparo. Muitas pessoas carregam na mente a imagem de um Cristo sofrido, machucado e cansado, mas isso ocorreu por um momento e não define toda a história do nosso Salvador.

Jesus foi crucificado, mas ao terceiro dia ressuscitou! O semblante do Cristo ressurreto não é mais de dor — ele venceu e foi coroado de glória!

Pode ser que você esteja passando por dificuldades financeiras, mas isso não significa que você é um endividado. Deus pode transformar a sua situação rapidamente! Por isso, levante a cabeça e lembre-se de que um momento ruim não define quem você é.

No mundo teremos aflições, mas devemos ter bom ânimo. Jesus venceu o mundo e com uma palavra pode mudar toda a sua vida. Não perca a fé e creia que, em breve, esse momento ruim que você está passando se transformará no seu maior testemunho.

NOVOS DESAFIOS

Deus o está preparando para novos desafios. Portanto, saiba que, quanto maior for o desafio, maior será o seu testemunho.

É interessante ver isso na história de Davi. A Bíblia relata que ele enfrentou um leão e um urso, mas depois teve de lutar contra Golias, o gigante (1 Samuel 17). Ou seja, os desafios são proporcionais ao tamanho da promessa.

Se você está enfrentando grandes desafios, é porque as promessas de Deus são grandiosas. Novos desafios surgirão, por isso tome cuidado, principalmente com a zona de conforto, nela ninguém cresce nem conquista.

Davi assumiu o reinado, mas só depois de enfrentar vários desafios. Tudo o que está acontecendo em sua vida é porque Deus quer levá-lo para outro nível. O Senhor nunca lhe dará uma luta maior do que a sua capacidade de vencer; além disso, com os novos desafios surgirão novas estratégias.

Não tenha medo do que está acontecendo: é Deus que o está levando a enfrentar um novo desafio que o conduzirá a uma grande promessa!

A mão do Senhor está estendida sobre a sua vida. Logo, em Cristo, você tem toda a força de que precisa para superar todo e qualquer obstáculo.

"O que não o desafia não o faz crescer."

Você se lembra de algum momento em que viu a mão de Deus o fortalecer?

....

....

....

....

....

....

....

....

....

Plano de leitura:
(Êxodo 14—16)

Acesse o QR code para saber mais

TEMPO DE RECONSTRUÇÃO

"Reconstrução é o desafio diário do cristão."

Quais áreas da sua vida precisam ser reconstruídas neste tempo?

Depois de enfrentarmos momentos difíceis, muitas áreas de nossa vida precisarão de reconstrução.

A Bíblia fala de um homem chamado Neemias, que era apenas um copeiro, mas foi escolhido por Deus para reconstruir as muralhas de Jerusalém, que estavam em escombros.

Em nossa vida, existem muitas áreas que precisam ser reconstruídas.

Lembro-me de certa vez em que visitei um país no Oriente Médio que estava devastado, pois havia atravessado uma guerra. Contudo, após passar por reconstrução, hoje é um país muito belo, que recebe muitos turistas. Isso aconteceu porque alguém simplesmente aplicou o poder da reconstrução.

Você também precisa reconstruir as áreas destruídas da sua vida. Não dá para viver no caos, em meio a escombros! Você tem de reconstruir a sua história. E isso parte de uma decisão sua.

Reconstruir é necessário, e o mesmo Deus que o abençoou para que você pudesse construir também vai ajudá-lo a reconstruir. Por isso, busque o Senhor e empenhe-se para viver uma nova história.

Lembre-se: é tempo de reconstrução!

Plano de leitura:
(Êxodo 17—20)

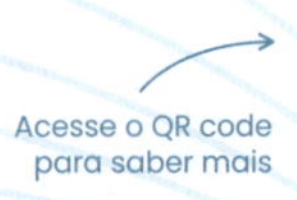

NÃO DESISTA

Muitas pessoas deixam de alcançar seus objetivos não porque fracassam, mas, sim, porque desistem. Desistir, porém, não é uma opção para o cristão.

Houve uma mulher chamada Ana cuja história é descrita em 1 Samuel 1. O Senhor havia cerrado a sua madre, mas ela começou a orar e a pedir insistentemente por um filho, até que Deus atendeu ao seu pedido.

Não desista de gerar o seu Samuel. É necessário ter a atitude de Ana para dar à luz o impossível. Talvez você se sinta tentado a desistir, porque já pensou e tentou muitas vezes, mas nada deu certo. Quando isso acontece, nossa tendência é desistir, mas Deus nos diz para persistir.

Imagine Jesus, na Via Dolorosa, com as pessoas chicoteando as suas costas, cuspindo em sua face e o xingando... E se ele tivesse desistido? Ele não o fez e, como resultado, você está aqui.

Siga o exemplo dele e não desista! Muitas pessoas serão beneficiadas e abençoadas simplesmente pelo fato de você não ter desistido. Você já está quase perto do final, aproximando-se da linha de chegada. Portanto, creia que logo você poderá ser premiado!

"Insistir, persistir e jamais desistir!"

Por qual promessa você tem esperado na linha de chegada da sua corrida?

Plano de leitura:
(Êxodo 21—23)

Acesse o QR code para saber mais

LIVRE-SE DA PREOCUPAÇÃO

"A preocupação deve levar você à ação, não à depressão!"

Você sabe deixar de lado a preocupação e descansar?

....

....

....

....

....

....

....

....

Plano de leitura:
(Êxodo 24—26)

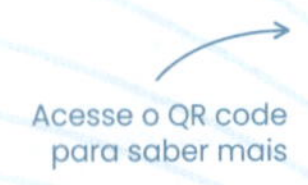

A preocupação de hoje não resolve os problemas de amanhã; pelo contrário, apenas rouba a nossa paz. Preocupar-se significa ter uma ideia fixa e antecipada, que tem o poder de perturbar o espírito a ponto de produzir sofrimento. Muitas pessoas vivem com estresse, depressão e ansiedade porque estão sempre preocupadas com coisas que já passaram ou que ainda acontecerão.

A preocupação também tem feito muitos se afastarem de Deus; na verdade, ela só vem denunciar que estamos passando pouco tempo na presença dele.

Certa vez, Paulo estava preso, aguardando seu julgamento. Foi naquela situação que ele escreveu a Carta aos Filipenses, dizendo: "Não andem ansiosos por coisa alguma, mas em tudo, pela oração e súplicas, e com ação de graças, apresentem seus pedidos a Deus" (Filipenses 4.6). Como alguém prestes a ser julgado e conduzido à morte pôde dizer aos que estavam do lado de fora da prisão para não se preocuparem? Não é extraordinário? Mas Paulo conhecia o segredo.

Ore e tenha temor a Deus — isso fará com que você se livre da preocupação. O próprio Senhor Jesus nos ensina a não nos preocuparmos com o dia de amanhã, e sim depositarmos nossa confiança em Deus.

FORÇA PARA CONTINUAR

Muitas vezes, sentimo-nos cansados durante as batalhas, passamos por momentos difíceis e parece que a nossa força se esvai. Isso também aconteceu na vida de um homem chamado Sansão.

A Bíblia relata que, com uma queixada de jumento, ele conseguiu matar cerca de mil homens. Imagine a força que ele tinha! Contudo, em certo momento, ele se cansou e pensou em desistir, mas: "Então, o SENHOR fendeu a caverna que estava em Leí; e saiu dela água, e bebeu; tendo Sansão bebido, recobrou alento e reviveu; e o seu espírito tornou, e reviveu; pelo que chamou o seu nome: A Fonte Do Que Clama, a qual está em Leí até ao dia de hoje" (Juízes 15.19, ARC).

Talvez Deus já tenha feito coisas grandiosas em sua vida e, com uma ferramenta pequena, você tenha conseguido muitas conquistas. Mas há momentos em que você se sente sem força para continuar, não é mesmo?

Saiba que Deus está renovando a sua força, porque você ainda terá muitas batalhas a travar. Continue firme na caminhada, pois ainda não é hora de parar. Assim como aconteceu com Sansão, você também terá suas forças reavivadas pelo Senhor. Portanto, não desista!

"Sua força determina sua conquista!"

Alguma área da sua vida está cansando você neste momento?

Plano de leitura:
(ÊXODO 27—29)

Acesse o QR code para saber mais

A ORAÇÃO QUE MUDOU A HISTÓRIA

"Seu grande milagre pode estar à distância de uma oração."

Você tem orado com fé?

....

....

....

....

....

....

....

Plano de leitura:
(Êxodo 30—32)

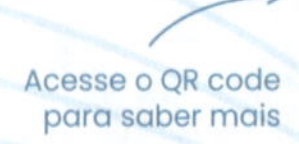

Você sabia que uma oração tem poder de mudar completamente a história de uma pessoa?

Foi isso que aconteceu com Jabez. Ele orou ao Senhor com muita determinação, e Deus o ouviu. A oração desse homem teve o poder de mudar a história de vida dele, da sua família e do seu povo.

A oração realizada dentro da vontade de Deus opera milagres!

Jabez sabia que Deus era o único que podia mudar a sua história, por isso orou assim: "Se me abençoares muitíssimo e meus termos amplificares, e a tua mão for comigo, e fizeres que do mal não seja aflito! [...] E Deus lhe concedeu o que lhe tinha pedido" (1 Crônicas 4.10, ARC).

Veja que oração poderosa! Jabez sabia que, se a mão do Senhor estivesse agindo a seu favor, ninguém conseguiria derrotá-lo. Por isso, pediu que Deus o livrasse de todo mal. Jabez foi o mais ilustre de seus irmãos, e isso aconteceu por causa da sua oração.

Eu o incentivo a buscar o Senhor, pois, assim como Jabez, você também pode orar e pedir que o Todo-Poderoso o abençoe muitíssimo.

Lembre-se sempre: Deus tem o poder de mudar a sua história, de anular qualquer sentença e de reverter qualquer situação!

CONQUISTE PELA FÉ

A fé fará você chegar aos lugares que Deus preparou para sua vida. A Bíblia fala a respeito dos heróis da fé (Hebreus 11), homens que venceram em razão da fé que tinham.

Posso dizer que tudo em nossa vida está relacionado à fé, pois é por meio dela que você pode conquistar o que almeja, viver as promessas e obter a vitória.

Em Gênesis, lemos que Abraão teve de sair do lugar onde ele estava para conquistar o que esperava. Em 2 Coríntios, o apóstolo Paulo afirma que não devemos caminhar por vista, e sim pela fé. Portanto, se você caminha só por aquilo que está vendo, a obra é sua, não de Deus; mas quando você crê na promessa e se move por fé, o Senhor começa a agir e a dirigir os seus passos.

Ande pela fé, e as portas se abrirão; clame pela misericórdia divina e creia que tudo vai dar certo. Deus é com você — essa é a maior garantia de que você vai receber grandes bênçãos!

Conquiste pela fé, viva pela fé, e Deus pode levá-lo a lugares altos. Sim, ele pode fazer por sua vida muito mais do que você pensa ou imagina!

"Se o medo bater na porta do seu coração, peça para a fé atender!"

Você tem vivido e tomado decisões pela fé ou pela incredulidade?

Plano de leitura:
(Êxodo 33—35)

Acesse o QR code para saber mais

A VITÓRIA ESTÁ CHEGANDO

"O cansaço revela que já está próxima a linha de chegada!"

Você está disposto a enfrentar a dor para receber a vitória?

....

....

....

....

....

....

Plano de leitura:
(Êxodo 36—38)

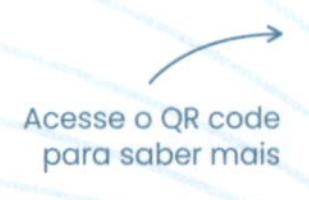

Acesse o QR code para saber mais

Muitas vezes, pensamos que Deus se esqueceu de nós, ficamos impacientes e achamos que não há mais solução. Mas ele tem uma palavra para os próximos dias: a vitória está chegando!

O salmista escreveu: "Entrega o teu caminho ao Senhor, confia nele, e o mais ele fará" (Salmos 37.5, ARA). Portanto, aprenda a esperar o tempo de Deus e entenda que na maioria das vezes é exatamente quando pensamos que não há mais jeito que a vitória chega.

Acontece assim com a mulher que está prestes a dar à luz. As contrações vão aumentando e, em consequência, as dores também se intensificam. Isso não significa que Deus se esqueceu de você, mas, sim, que a bênção de um filho está chegando.

Pode ser que você esteja passando por um período de muitas guerras e dor, mas isso nos dá esperanças de que um tempo de vitória está bem próximo.

Às vezes, as dores são muitas e pensamos que não vamos aguentar, mas Deus fala ao nosso coração: "Aguente firme! A vitória está chegando!".

E, assim como a mulher se esquece de toda a dor depois que dá à luz um filho, você também se esquecerá de todo sofrimento quando chegar o momento da alegria.

NÃO ENDUREÇA O CORAÇÃO

A Bíblia mostra o exemplo de um homem que ouviu a voz de Deus, mas endureceu o coração e por isso passou por situações muito difíceis. Isso acontece sempre que o Senhor fala e não atendemos ao seu chamado.

Em Êxodo 5, vemos que Deus disse ao faraó: "Deixe o meu povo ir". Aquele homem, porém, endureceu o coração e teve de experimentar as pragas.

Muitas pessoas estão convivendo com situações difíceis porque endureceram o coração para o chamado de Deus. Por isso, o convite dele é este: "Assim, pois, como diz o Espírito Santo: Hoje, se ouvirdes a sua voz, não endureçais o vosso coração [...]" (Hebreus 3.7, ARA)

Não endureça o coração como fez Jonas. Ele endureceu o coração e desceu tanto que acabou tragado pelo grande peixe, ou seja, quem endurece o coração e desobedece à voz de Deus desce ao fundo do mar da vida e lá passa por situações terríveis.

Deus está falando que você não precisa perder mais nada; obedeça à sua voz, e as perdas cessarão. Não endureça o coração e ore como o salmista: "Ensina-me a fazer a tua vontade; guie-me o teu bom Espírito por terra plana" (Salmos 143.10, ARC).

"Quem endurece o coração perde a direção."

Você já sentiu seu coração endurecido? Como ele está hoje?

....

....

....

....

....

....

....

....

....

Plano de leitura:
(Êxodo 39—40)

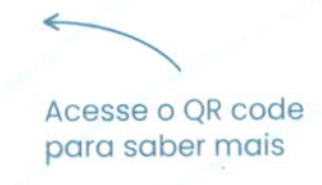

DEUS ABRIRÁ O CAMINHO

"O mar se abre para quem continua caminhando."

Já viu Deus abrir o caminho para você de maneira inesperada e milagrosa?

Plano de leitura:
(Levítico 1—4)

Acesse o QR code para saber mais

Quando o povo de Deus estava diante do mar Vermelho e não sabia o que fazer, Moisés orou, e o Senhor lhe disse: "Por que clamas a mim? Dize aos filhos de Israel que marchem" (Êxodo 14.15, ARC). Então, enquanto o povo de Israel marchava, Deus abriu um caminho no meio do mar.

A mesma coisa talvez aconteça em sua vida. Pode ser que, hoje, você não esteja vendo saída ou solução, mas lembre-se de que você serve a um Deus vivo, que abre caminho no meio do mar.

Ele chama as coisas que não existem como se já fossem; então, não pare — você não chegou a este ponto da história para morrer no deserto. Deus tem poder para realizar o impossível.

Continue caminhando, pois, enquanto você caminha, o Senhor age; enquanto você obedece, ele abre portas.

Prepare-se, porque nos próximos dias Deus pode preparar oportunidades que mudarão a sua vida. Ele não deixará que você seja envergonhado nem confundido. Por isso, apenas obedeça à Palavra de Deus e continue marchando.

A caminhada ainda é longa. Não pare, mas prossiga, e você também verá o livramento do Senhor. Deus abrirá caminho para você passar.

NÃO SE ESQUEÇA DE DEUS

Muitas vezes, passamos o dia preocupados em resolver os nossos problemas como se Deus não estivesse conosco. Há pessoas que, quando os filhos ficam doentes, a primeira coisa que fazem é procurar um médico. Outras agem assim em relação à vida financeira e, quando estão sem dinheiro, procuram logo um banco para pedir um empréstimo — ou seja, esquecem-se do Senhor.

Não aja dessa maneira. Lembre-se de que Deus se importa com você e quer ajudá-lo. Jesus prometeu: "Eis que eu estou convosco todos os dias, até a consumação dos séculos" (Mateus 28.20, ARC).

Seu Deus tem poder para mudar a história. Antes de tomar qualquer decisão, antes de procurar conselhos, fale com o Senhor; ele quer falar com você e se revelar plenamente!

A Bíblia diz: "Porque o meu povo fez duas maldades: a mim me deixaram, o manancial de águas vivas, e cavaram cisternas, cisternas rotas, que não retêm as águas" (Jeremias 2.13, ARC).

Não cometa o erro de viver como se Deus não existisse. Quando estiver com algum problema, não se esqueça de que somente o Senhor pode prover o que você precisa e lhe dar o escape, a solução e a salvação.

"Faça de Deus o seu chão e ninguém conseguirá derrubar você."

Você já experimentou falar com Deus para solucionar seus problemas e questões?

Plano de leitura:
(Levítico 5—7)

Acesse o QR code para saber mais

E DAÍ?

"Aquele que crê em Deus topa qualquer parada; quem não crê para em qualquer topada."

Qual gigante na sua vida você precisa enfrentar com coragem nesta semana?

Plano de leitura:
(Levítico 8—10)

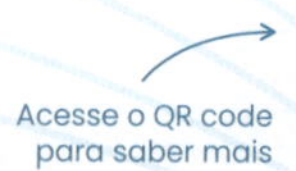

Tem gigantes, mas e daí?

Esse foi o pensamento de dois heróis da fé, Josué e Calebe. Eles viram que havia gigantes na terra que possuiriam, contudo não retrocederam como os demais. Eles disseram: "E daí? O importante é que o Senhor está conosco".

"Se o Senhor se agradar de nós, ele nos fará entrar nessa terra, onde há leite e mel com fartura, e a dará a nós. [...] E não tenham medo do povo da terra [...]. A proteção deles se foi, mas o Senhor está conosco. Não tenham medo deles!" (Números 14.8,9)

Josué e Calebe se agarraram de tal modo à palavra de Deus que nada os impediu de tomar posse da terra que o Senhor havia prometido.

Não sei qual gigante você está enfrentando, mas sei que o Senhor é poderoso. Se o gigante é uma enfermidade, e daí? Deus tem poder para curar!

Josué e Calebe não temeram nem retrocederam, porque não olharam para o tamanho do gigante. Faça o mesmo e entenda que o tamanho do desafio é proporcional ao tamanho da promessa. Os gigantes nada mais são do que a prova de que o seu testemunho será muito maior que as adversidades.

É HORA DE CONFIAR EM DEUS

A fé não se manifesta somente em tempos bons; logo, o momento de confiar em Deus é quando não está tudo bem, pois a fé se revela com mais ênfase nas ocasiões difíceis da nossa caminhada. Salmos 20.7 registra: “Alguns confiam em carros e outros em cavalos, mas nós confiamos no nome do SENHOR, o nosso Deus”.

Já está na hora de confiar em Deus. Não dá mais para viver triste e abatido, não dá mais para andar cabisbaixo. É hora de confiar em Deus!

Pode ser que você esteja enfrentando um momento complicado em sua caminhada de fé, mas é exatamente agora o momento de pôr a verdadeira fé em prática. É hora de confiar no Senhor, não em um diagnóstico contrário. Agora não é hora de ser tomado de tristeza, mas, sim, de depositar sua confiança em Deus.

Assim diz o salmista: “Entrega o teu caminho ao SENHOR, confia nele, e o mais ele fará” (Salmos 37.5, ARA).

Confiar em Deus é uma atitude dos nobres e dos vencedores. Portanto, confie nele, pois tudo vai dar certo! O Todo-Poderoso não o deixará desamparado; pelo contrário, ele sempre agirá a seu favor. Toda essa adversidade que você está enfrentando não passa de um momento ruim — continue confiando no Senhor.

“Deus estará presente, mesmo quando ninguém mais estiver.”

Você percebe Deus o chamar para viver confiante nele?

....

....

....

....

....

....

Acesse o QR code para saber mais

CULTIVE BONS HÁBITOS

"Você é o resultado dos seus hábitos."

Quais bons hábitos você precisa adquirir?

....

....

....

....

....

....

....

....

....

....

Plano de leitura:
(Levítico 13—15)

Acesse o QR code para saber mais

Os hábitos têm o poder de nos conduzir a uma vida bem-sucedida ou ao fracasso.

A Bíblia diz que, mesmo exilado, Daniel continuava orando três vezes por dia (Daniel 6.10-13). Portanto, lembre-se de que a sua vitória sempre será precedida por bons hábitos.

Certa vez, ouvi a história muito interessante de um homem que, quando ia trabalhar, tinha o hábito de espalhar boas sementes pelo caminho. Depois de alguns anos, havia se formado uma linda floresta pelo local por onde ele passava.

Muitas vezes, ignoramos que os hábitos têm o poder de mudar e influenciar tudo ao nosso redor. O hábito de tocar bem sua harpa conduziu Davi até o palácio real (1 Samuel 16).

Veja só o poder que existe por trás dos bons hábitos!

Aliás, convém ressaltar que os hábitos podem impulsionar ou destruir a vida de uma pessoa.

Portanto, adquira novos e bons hábitos! Lembre-se de que eles muitas vezes precedem as grandes vitórias e realizações.

VALES SE TRANSFORMAM EM FONTES

Salmos 84.5,6 diz: “Bem-aventurado o homem cuja força está em ti, em cujo coração se encontram os caminhos aplanados, o qual, passando pelo vale árido, faz dele um manancial” (ARA).

O povo estava a caminho do templo para adorar o Senhor, mas no meio do caminho havia um grande vale. Do mesmo modo, compreenda que, antes de chegar ao lugar desejado, é possível que você tenha de passar por locais indesejados. Entretanto, assim como a breve chuva sobre aquela região formava um oásis, mesmo no meio do vale Deus pode transformar qualquer situação.

Creia que situações aparentemente difíceis que você tem enfrentado em breve serão transformadas, e o vale ainda será uma fonte de bênção. Tudo aquilo que veio para acabar com a sua vida será o seu maior testemunho. Assim aconteceu com José: os irmãos tramavam contra a vida dele, mas Deus transformou o mal em bem.

Portanto, prepare-se, porque o Senhor está com você! Se ele permitiu essa situação é porque tem um propósito ainda maior para a sua vida. Não desanime, pois em breve esse vale árido pode se transformar em uma grande fonte de bênçãos.

“Para chegar a lugares desejados, é preciso passar por lugares indesejados.”

Em qual área da sua vida você gostaria de viver uma transformação?

Plano de leitura:
(Levítico 16—18)

Acesse o QR code para saber mais

LIVRE-SE DO FARDO PESADO

"Sem pesos desnecessários, a vida se torna mais leve."

Quais fardos desnecessários você tem carregado?

....

....

....

....

....

....

....

....

Plano de leitura:
(Levítico 19—20)

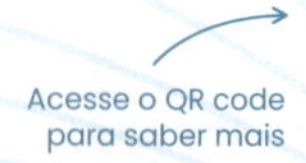

Muitas vezes, carregamos um peso desnecessário e nos sentimos estressados e com um fardo maior do que podemos levar. Por isso, o convite de Jesus é: "Venham a mim, todos os que estão cansados e sobrecarregados, e eu darei descanso a vocês. Tomem sobre vocês o meu jugo e aprendam de mim, pois sou manso e humilde de coração, e vocês encontrarão descanso para as suas almas. Pois o meu jugo é suave e o meu fardo é leve" (Mateus 11.28-30).

Lembre-se de que você carrega aquilo que Deus colocou sob sua responsabilidade, e isso não é um peso; pelo contrário, é um privilégio. Então, pare de querer abraçar o mundo inteiro e fazer todas as coisas. Não carregue peso desnecessário!

Andar com Jesus é ter um fardo leve, e fazer a obra do Senhor é algo prazeroso. Portanto, pare de fazer coisas que Deus não o chamou para fazer.

Davi certa vez quis construir uma casa para Deus, no entanto o Senhor disse que ele não tinha sido chamado para aquilo e que o seu filho Salomão é quem iria se encarregar daquela obra (2 Samuel 7).

Quer ter descanso? Então faça o que Deus o chamou para fazer.

NÃO PERCA A SUA PAZ

Isaías 26.3 diz: “Tu, SENHOR, guardarás em perfeita paz aquele cujo propósito está firme porque em ti confia”.

Há uma promessa de Deus para aqueles que confiam no Senhor. Por isso, não permita que pequenos problemas roubem a sua paz. Reflita e responda: você tem permitido que tribulações façam um grande estrago em sua vida?

Muitas vezes, coisas tão pequenas são como aquela última gota de água que cai e faz o copo transbordar, e isso acontece porque estamos cheios demais de problemas e longe da presença de Deus.

É hora de esvaziar o coração e passar mais tempo na presença do Senhor, para que a nossa alma sinta a paz que procede dele e excede todo o entendimento (Filipenses 4.7).

Deus conservará em perfeita paz aquele cujo coração está firme e confiante no Senhor. É hora de buscá-lo e confiar no seu agir. Ele o está chamando para esse relacionamento; não deixe que nada roube a sua paz.

Fique firme e confiante, pois Deus tem poder para preservar a sua paz!

“A paz é fruto da confiança em Deus.”

Você tem permitido que tribulações façam um grande estrago em sua vida?

Plano de leitura:
(LEVÍTICO 21—23)

Acesse o QR code para saber mais

VOLTAR NÃO É OPÇÃO

"Para trás, só se for para pegar impulso!"

De quais lugares ruins Deus já o tirou?

Precisamos seguir em frente sem olhar para trás, pois, na maioria das vezes, quem deixa a mala pronta um dia volta aos lugares de onde Deus já o havia tirado. Isso aconteceu com Pedro.

O apóstolo recebeu muitas promessas do Senhor, mas falhou quando negou conhecer Jesus. Então, entristecido, Pedro disse: "Vou pescar" (João 21.3). Ainda bem que Jesus o esperava na praia!

Muitas pessoas agem dessa maneira. Depois de uma decepção, tornam a práticas do passado e voltam aos lugares de onde Deus já as havia tirado.

Hoje, o Senhor está lhe dizendo que desistir não é a opção, que você não pode voltar atrás — a não ser para pegar impulso, assim como uma flecha que é puxada para trás antes de ser lançada ao alvo.

Pare de querer voltar aos lugares de onde Deus o tirou e comece a olhar para a frente. Não abra mão das promessas de Deus nem volte à velha vida, aos velhos hábitos e costumes. Deus nos tirou do Egito, e o nosso destino é a terra prometida.

Por isso, não retroceda, não volte atrás e não desista. Porque voltar simplesmente não é uma opção.

Plano de leitura:
(Levítico 24—25)

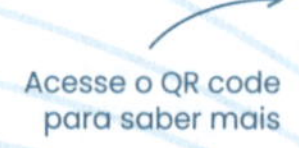

UM CORAÇÃO QUE PROMOVE

Quando olha para o homem, Deus não vê apenas a aparência; antes, olha o coração. Essa foi a afirmação do profeta Samuel ao pai de Davi quando Deus estava procurando um homem para pôr em posição de governo.

O Senhor não olhou as habilidades dos filhos de Jessé; ele olhou para o coração. Ou seja, foi o coração de Davi que o levou a ser rei de Israel. É por isso que Provérbios 4.23 diz: "Sobre tudo o que se deve guardar, guarda o coração, porque dele procedem as fontes da vida" (ARA).

Se uma pessoa consegue guardar e manter o coração íntegro, provavelmente será escolhida pelo Senhor para ocupar uma posição de destaque.

Deus quer promover pessoas, mas antes ele observa o coração, pois procura aqueles que lhe são fiéis. Pessoas infiéis traem, e pessoas com o coração ferido ferem. Já aquelas com um coração que agrada a Deus são abençoadas e abençoam os outros.

Deus olhou para Davi, enxergou um coração puro e, por isso, o promoveu. Assim também será em sua vida: você será abençoado se tiver um coração sintonizado com o do Senhor.

"Um coração puro será promovido; um coração impuro será removido."

Como está o seu coração? Ele está moldado de acordo com o padrão do mundo ou de acordo com o padrão de Deus?

Plano de leitura:
(Levítico 26—27)

Acesse o QR code para saber mais

AMPLIE A VISÃO

"A intensidade da sua ação é determinada pela amplitude da sua visão."

Você sonha alto?

....

....

....

....

....

....

....

Plano de leitura:
(Números 1—2)

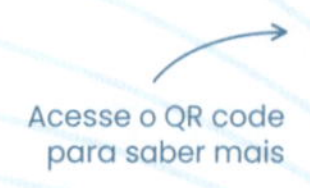

Certa vez, durante uma consulta, a oftalmologista disse que minha visão estava ficando limitada. Isso devido ao ambiente em que eu trabalhava, pois, segundo ela, quando não olhamos para longe, a nossa visão atrofia.

Naquele momento, eu sabia que Deus estava falando comigo acerca da importância de ampliar a visão e esquecer o passado, como diz o apóstolo Paulo: "Esquecendo-me das coisas que ficaram para trás e avançando para as que estão adiante" (Filipenses 3.13).

Gosto da ideia de que a amplitude da nossa visão determina o nosso nível de conquista. Desconheço o autor, todavia creio que é exatamente isso que acontece.

Por isso, hoje, Deus está lhe dizendo: "Amplie a visão! Sonhe! Faça planos e entregue-os nas minhas mãos para que tenham êxito".

Lembre-se de que o Senhor não mostra algo que não possa entregar. Portanto, amplie a sua visão, entregue seu caminho a Deus e descanse, crendo que tudo mais ele fará.

UM INIMIGO CHAMADO DESÂNIMO

Muitas pessoas acordam pela manhã e demoram para começar a rotina simplesmente porque estão desanimadas. O desânimo é um inimigo sutil que tem impedido muita gente de aproveitar o melhor da vida.

Por isso, a mensagem celestial a Josué foi: "Não se apavore nem desanime, pois o Senhor, o seu Deus, estará com você por onde você andar" (Josué 1.9).

Deus tem muitas promessas para a sua vida, mas se você for vencido pelo desânimo, não terá forças para alcançá-las. Por isso, o salmista diz: "Espera pelo Senhor, tem bom ânimo e fortifique-se o teu coração; espera, pois, pelo Senhor" (Salmos 27.14, ARA).

Muitas pessoas não sabem esperar em Deus e por causa do desânimo não conseguem ter atitude, ficam paralisadas, com medo e se escondem, como fez Elias. Por esse motivo, nosso Pai nos chama a vencer esse inimigo chamado desânimo. Creia que o Senhor tem trabalhado a seu favor e que a prova que você está enfrentando logo vai passar.

Portanto, não deixe o desânimo tirar o seu brilho. Tenha ânimo para tomar posse da vitória e das promessas que Deus tem para a sua vida.

"O desânimo e o fracasso andam de mãos dadas."

O que costuma gerar desânimo em seu coração?

Plano de leitura:
(Números 3—4)

Acesse o QR code para saber mais

NÃO DEIXE PARA DEPOIS

"Procrastinar é adiar a felicidade."

Você costuma procrastinar ações importantes?

Plano de leitura:
(Números 5—7)

Acesse o QR code para saber mais

O hábito de deixar as coisas para depois se chama procrastinação. Por causa disso, muitos projetos ficam para outro momento e, nesse sentido, quem procrastina não consegue cumprir o propósito de Deus no tempo dele.

A Bíblia conta a história de um homem muito rico que somente depois de morrer se deu conta de que não havia cumprido a sua missão. Contudo, era tarde demais para cuidar dos seus irmãos e das pessoas a quem ele queria bem (Lucas 16).

Não procrastine; pense que você não tem a vida inteira para agir. Não deixe para amanhã a realização dos projetos e sonhos que Deus pôs em seu coração. Agora é o melhor momento de pô-los em prática; não deixe para amanhã, pois pode ser tarde demais.

Muitas pessoas deixaram para depois o desejo de escrever um livro, fazer uma viagem ou investir e realizar um sonho e, quando se deram conta, já era tarde demais. Portanto, pare de procrastinar e de deixar para amanhã o que você pode fazer hoje. Comece logo; Deus o está chamando para uma ação agora.

Lembre-se de que um dos grandes inimigos do homem é a procrastinação, e deixar para depois pode ser muito tarde.

MENTE PROTEGIDA

Deus nos ensina que a nossa mente precisa estar sempre protegida. Muitas pessoas não sabem proteger a sua mente, por isso qualquer notícia ruim já faz que fiquem desanimadas. Tem gente que, quando o telefone toca, já fica apreensiva, sempre esperando que sejam más notícias.

Se você não souber proteger a sua mente, não poderá experimentar a perfeita vontade de Deus, pois a sua mentalidade determina a sua conquista (Romanos 12.2).

Muitos deixaram de entrar na terra prometida porque pensavam como escravos, e, ainda hoje, muitos não entram nos lugares que Deus tem preparado porque não aprenderam a proteger a mente. Pensam em coisas que não convêm e fora daquilo que Deus lhes reservou.

Aprenda a proteger a sua mente dos enganos, das mentiras e das *fake news*. Siga o conselho de Paulo: “Quanto ao mais, irmãos, tudo o que é verdadeiro, tudo o que é honesto, tudo o que é justo, tudo o que é puro, tudo o que é amável, tudo o que é de boa fama, se há alguma virtude, e se há algum louvor, nisso pensai” (Filipenses 4.8, ARC).

“Uma mente protegida não será atingida.”

Sua mente está protegida contra as mentiras deste mundo?

....

....

....

....

....

....

....

....

....

....

Plano de leitura:
(NÚMEROS 8—10)

Acesse o QR code para saber mais

ESTÁ NA HORA DE CRER

"Alimente sua fé, e os seus medos morrerão de fome."

Como você pode, hoje, exercitar mais a sua fé?

Certa vez, Jesus mandou os discípulos entrarem no barco para que passassem para o outro lado do mar da Galileia, mas, enquanto faziam a travessia, sobreveio um grande temporal. Aqueles homens ficaram com muito medo, enquanto Jesus dormia tranquilamente. Então, eles o despertaram, dizendo: "Mestre, não te importa que pereçamos?".

Jesus, acordando, repreendeu o vento e disse ao mar: "Acalma-te, emudece!". O vento se aquietou, e fez-se grande bonança. Então, disse-lhes: "Por que sois assim tímidos? Como é que não tendes fé?" (Marcos 4.37-40, ARA).

Talvez o barco da sua vida esteja sendo assolado pelas tempestades e você esteja na mesma situação que os discípulos; você já vivenciou muitos milagres, mas ainda tem medo e não usa a sua fé.

Se é o caso, pense bem e pare de alimentar o medo: está na hora de crer e pôr em prática tudo o que Jesus ensinou.

Traga à memória o que lhe dá esperança. Pense em quantos livramentos Deus já lhe deu e recorde do socorro que chegou na hora em que você mais precisava. O Senhor sempre esteve com você e não vai abandoná-lo. Está na hora de crer um pouco mais e de exercitar a sua fé.

Plano de leitura:
(Números 11—12)

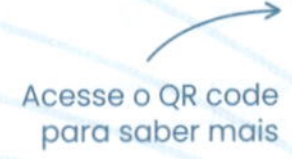

VOCÊ TEM LIVRE ACESSO

Quando Jesus morreu, o véu do templo que separava o homem de Deus foi rasgado. Isso significa que, hoje, por meio de Cristo, temos livre acesso à presença de Deus. É muito bom quando chegamos aos lugares e temos acesso irrestrito, não é?

Livre acesso significa ter ousadia para entrar no santuário, conforme menciona a Palavra: "Tendo, pois, irmãos, ousadia para entrar no Santuário, pelo sangue de Jesus, pelo novo e vivo caminho que ele nos consagrou, pelo véu, isto é, pela sua carne, e tendo um grande sacerdote sobre a casa de Deus, cheguemo-nos com verdadeiro coração, em inteira certeza de fé" (Hebreus 10.19-22, ARC).

Mateus 21.22 diz que tudo o que você pedir em oração, crendo, receberá. Jesus disse isso porque você tem acesso livre ao Pai e, por meio da oração, apenas acessa o que Deus já lhe deu.

Muitas vezes, não somos abençoados não por falta de acesso, mas porque nos sentimos indignos e impuros. No entanto, devemos nos lembrar de que não entramos na presença de Deus pelo que fizemos, e sim pelo que Jesus fez.

Portanto, seja ousado para entrar na presença de Deus. Pode entrar e falar com o Pai e tudo o que estiver de acordo com a vontade dele e você pedir, crendo, lhe será concedido.

"Deus lhe deu livre acesso; agora depende de você querer acessar."

Você entende o sacrifício de Jesus na cruz por você?

....

....

....

....

....

....

....

Acesse o QR code para saber mais

ESTÁ NA HORA DE LUTAR

"Quem abandona uma luta não poderá saborear o gosto da vitória."

Você se sente encorajado a persistir em sua luta?

Plano de leitura:
(Números 16—18)

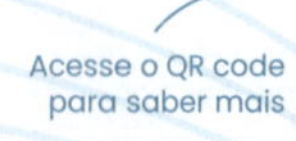

Acesse o QR code para saber mais

Às vezes, enfrentamos algumas perdas na vida e ficamos cabisbaixos, entristecidos e com vontade de desistir. Isso aconteceu na vida de Davi. Ele havia saído para uma batalha e, quando retornou, os inimigos tinham devastado a cidade, sequestrado sua família e saqueado os seus bens. Davi chorou muito, e os seus liderados falaram em apedrejá-lo. Que situação difícil!

Davi, porém, orou ao Senhor e lhe perguntou se deveria perseguir os inimigos. Deus respondeu: "Persiga-os; é certo que você os alcançará e conseguirá libertar os prisioneiros" (1 Samuel 30.8).

Veja que interessante: enquanto Davi estava chorando, nada aconteceu, mas, quando ele decidiu lutar, tudo foi restituído.

Pode ser que você esteja passando por uma adversidade. Afinal, muitas vezes somos surpreendidos pelas lutas da vida. Mas não podemos ficar chorando e lamentando.

É hora de lutar, pois se Deus permitiu essa luta, é porque ela tem um propósito bem-definido na construção da sua história.

Deus permitiu essa situação porque ele tem seus motivos. A sua luta de hoje pode se tornar o seu maior testemunho amanhã.

VIVA O SEU PROPÓSITO

Deus estabeleceu um propósito para cada pessoa aqui na Terra, e é por isso que você precisa começar a viver intensamente o seu propósito.

Você já recebeu dons, talentos e habilidades; Deus também lhe deu recursos para isso. Viva o seu propósito e lembre-se de que ele está relacionado com aquilo que você gosta de fazer. Deus plantou isso em seu coração para que você tenha alegria e viva intensamente o plano dele para você.

Tiago 4.14 diz: "Que é a sua vida? Vocês são como a neblina que aparece por um pouco de tempo e depois se dissipa". Nossa vida é breve, portanto viva o seu propósito hoje. Não há tempo para ficar olhando para trás. Aliás, para que possa viver o novo, você precisa se desapegar do velho.

Viva *intensamente* o seu propósito, pois Deus tem preparado novidade para os próximos dias. Viva *plenamente* o seu propósito, pois dentro dele há plenitude.

A vida é um presente de Deus, portanto não abra mão de realizar o propósito que ele traçou para sua jornada — pois essa é a vontade divina para você.

"O sucesso está relacionado à constância do propósito."

Você sabe qual é o seu propósito?

Acesse o QR code para saber mais

ABRA A PORTA PARA JESUS

"Você foi criado para ter um relacionamento com Deus."

A porta do seu coração está verdadeiramente aberta para Jesus?

....

....

....

....

....

....

....

....

Plano de leitura:
(Números 22—24)

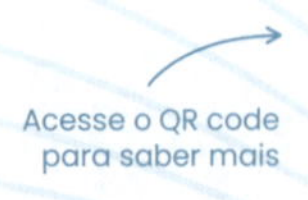

Apocalipse 3.20 diz: "Eis que estou à porta, e bato. Se alguém ouvir a minha voz e abrir a porta, entrarei e cearei com ele, e ele comigo". Durante muito tempo, pensei que essa mensagem era para os incrédulos, mas depois entendi que a carta era endereçada a uma igreja que fechou a porta e deixou Jesus do lado de fora. Lamentavelmente, mesmo se considerando cristãos, muitos têm deixado Deus de fora de sua vida.

Esse texto diz respeito à comunhão e ao relacionamento com Deus. Você pede conselhos a ele antes de tomar uma decisão? Você ainda busca o centro da vontade de Cristo e procura fazer aquilo que agrada ao Senhor?

Deus deseja ser o nosso Senhor e direcionar a nossa vida. Ele quer se relacionar comigo e com você, mas para isso é preciso abrir a porta do nosso coração. O meu desejo é que, a partir de hoje, você viva dias de intimidade e relacionamento com Deus. Deixe Jesus entrar e cear com você.

Quando Cristo entra, milagres podem acontecer e a paz começa a reinar, porque ele é o Príncipe da paz. Então, a única atitude que você precisa tomar é abrir a porta para que Jesus possa entrar!

VENCIDOS PELO CANSAÇO

Uma das estratégias do Inimigo é vencer pelo cansaço, ou seja, fazer que você se canse e entregue os pontos, porque uma pessoa cansada pensa em desistir.

Muitas pessoas estão cansadas do tempo da espera. É difícil esperar, e, às vezes, promessas ditas e não cumpridas entristecem o coração. Já outras pessoas estão cansadas da rotina; outras estão frustradas por não atingirem os objetivos — o tempo passa e parece que nada acontece.

Tudo isso nos deixa fadigados, mas há um convite de Deus: "Vinde a mim!". Você, que está cansado e sobrecarregado, aceite o convite.

Sansão ficou tão cansado que até pensou que morreria, mas Deus o visitou com poder e graça. Elias também se cansou, e Deus enviou um anjo.

Talvez você esteja cansado da situação que está vivenciando e pense em desistir. Mas é quando você está mais cansado que a linha de chegada se aproxima: não desista e creia que falta pouco para Deus mudar a sua história! Num instante ele pode se levantar e agir a seu favor! O exército de Deus, mesmo cansado, continua lutando e perseguindo o inimigo.

Você pode até se cansar; o que não pode é se deixar vencer.

"Se estiver cansado, aprenda a descansar, não a desistir!"

Quais situações o têm deixado mais cansado nos últimos dias? O que você poderia fazer para vencê-las?

Plano de leitura:
(Números 25—26)

Acesse o QR code para saber mais

NÃO PERCA A SUA IDENTIDADE

"Para vencer a mediocridade, é necessário conhecer sua verdadeira identidade."

Faça uma lista com cinco características da sua verdadeira identidade.

....

....

....

....

....

Plano de leitura:
(Números 27—30)

Acesse o QR code para saber mais

Uma das grandes estratégias do Inimigo é acabar com a sua identidade. A pessoa com a identidade em xeque não sabe qual caminho trilhar, até porque não entende mais quem de fato é, e qualquer crítica consegue desestabilizá-la.

Sua verdadeira identidade está relacionada ao que Deus o criou para ser e fazer. Você não nasceu para ser um derrotado, um perdedor, muito menos para que tudo desse errado em sua vida. Você é mais que vencedor em Cristo Jesus!

O Inimigo mente quando diz que você é um fracassado e que as coisas não vão dar certo. Já o Deus de toda verdade mostra a sua verdadeira identidade — ele o formou para glorificar o seu santo nome!

A sua identidade está em Cristo Jesus: aproprie-se dela agora mesmo, pois grandes são as promessas de Deus. Se ele chamou você é porque deseja usá-lo para que ele seja grandemente glorificado por meio de sua vida!

PROVADO PARA SER APROVADO

A aprovação de Deus muitas vezes vem depois de uma grande provação.

A vida de Davi, o grande rei de Israel, é um exemplo disso. Ele recebeu a profecia de que seria o rei, mas, antes que ela se cumprisse, foi duramente provado. O rei Saul chegou a arremessar uma lança contra Davi; depois ele foi caluniado e perseguido, mas tudo que aconteceu foi para prová-lo.

Talvez você esteja sendo provado, e Deus está permitindo isso para testar a sua fé. Então, suporte a provação e não desista!

Como diz o salmista, "o choro pode durar uma noite, mas a alegria vem pela manhã" (Salmos 30.5, NAA). Deus está trabalhando em você para depois trabalhar por seu intermédio!

Antes da bonança vem a tempestade. Foi assim com os discípulos, e conosco não é diferente. Felizmente, Deus não lhe dá uma provação maior do que você possa suportar. Permaneça firme, pois o mesmo Deus que permitiu essa situação lhe dará sabedoria e escape. Por isso, creia que os próximos dias podem trazer o cumprimento de promessas sobre sua vida.

"É melhor o confronto da mudança do que o conforto da mesmice!"

Qual foi a maior provação que você enfrentou? Quais lições aprendeu com ela?

Acesse o QR code para saber mais

NÃO TENTE ENTENDER AGORA

“Deus não lhe dá um fardo que você não possa carregar.”

De quais situações você não está conseguindo entender o propósito hoje? Como poderia acalmar seu coração em relação a isso?

....

....

....

....

....

....

Plano de leitura:
(Números 33—34)

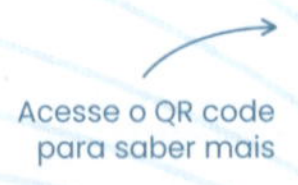

Muitas vezes, passamos por momentos difíceis e não entendemos o motivo de tamanha provação. Isso acontece na vida de todo grande homem de Deus, e provavelmente já aconteceu ou acontecerá com você também.

A Palavra do Senhor diz assim: “O que eu faço, não o sabes tu, agora, mas tu o saberás depois” (João 13.7, ARC).

Veja o exemplo de Daniel. Seu país foi invadido, e aquele profeta foi levado para longe, mas Deus tinha um grande propósito na vida dele. Talvez ele viesse a se frustrar se tentasse entender o motivo de toda aquela situação, porque o que Deus estava fazendo não era compreensível naquele momento, mas depois tudo seria esclarecido.

Não tente entender agora, apenas obedeça. Quando enfrentamos momentos difíceis, algumas perguntas começam a surgir: “Por que, Senhor?” ou “Por que o Senhor permitiu essa situação?”. Na verdade, deveríamos perguntar: “Para que, Senhor? Qual é o seu propósito?”.

Você não vai conseguir entender agora, mas tudo fará sentido depois. Não desista, mas continue firme na caminhada, assim como Daniel. Não negocie os seus princípios. Daqui a pouco, tudo fará sentido novamente!

CUIDADO COM QUEM VOCÊ OUVE

Muitas vezes, somos direcionados pelo que ouvimos. Elias, por exemplo, ouvia o direcionamento de Deus e, por isso, realizou grandes milagres.

A Bíblia conta a história de como Elias, debaixo do poder sobrenatural do Senhor, fez fogo cair do céu e a chuva parar durante um tempo. Tudo porque ele estava ouvindo a voz de Deus (1 Reis 18). Mas, certa vez, ele escutou a voz errada, a de Jezabel, uma mulher terrível, que profetizou contra ele dizendo que o mataria e fez que ele sentisse medo. O resultado foram medo e depressão.

A quem você tem ouvido? A voz de quem você dá atenção influencia o seu destino, como no exemplo de Elias. Quando ele ouviu a voz daquela mulher, temeu e se escondeu.

É por isso que precisamos escutar a voz de Deus todos os dias. Muitas vezes, não o ouvimos porque estamos distantes ou distraídos, mas hoje ele está falando; não tome nenhuma decisão precipitada. O Senhor vai lhe mostrar o caminho a seguir.

Assim como Elias fez sinais e viveu grandes promessas, tenha fé que você também viverá. Prepare-se!

"Aquilo que você ouve acrescenta ou rouba sua fé!"

Em qual área da sua vida você precisa pôr em prática sua fé?

....

....

....

....

....

....

....

....

Plano de leitura:
(Números 35—36)

Acesse o QR code para saber mais

CUMPRA SUA MISSÃO

"Alguém sem uma missão é alguém sem direção."

Qual é a sua missão?

Deus tem uma missão para todos nós. Cada ser humano foi dotado por ele de habilidades e aptidões, para que possa cumprir sua missão. O apóstolo Paulo escreveu: "Ninguém que milita se embaraça com negócios desta vida, a fim de agradar àquele que o alistou para a guerra" (2 Timóteo 2.4, ARC). Isso significa que você tem uma missão, e o Inimigo vai fazer de tudo para levá-lo a se distrair e não cumprir o seu propósito.

É bem verdade que, antes de toda e qualquer missão, existe uma provação. Jesus, antes de cumprir seu chamado, também foi provado, mas cumpriu sua missão de pregar o Evangelho e morrer por mim e você!

Há pessoas que precisam de você e estão aguardando o cumprimento da sua missão de falar-lhes do amor de Deus e assim conduzi-las das trevas para a luz. Existem lugares aos quais só você vai chegar, e o Senhor espera que você faça a obra dele.

Deixe Deus usar sua vida e faça como Paulo disse: "Combati o bom combate, acabei a carreira, guardei a fé. Desde agora, a coroa da justiça me está guardada" (2 Timóteo 4.7,8). Viva o seu propósito, pois enquanto você faz a obra do Senhor, ele cuida da sua vida.

Plano de leitura:
(Deuteronômio 1—2)

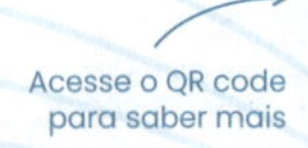

Acesse o QR code para saber mais

AS COISAS PODEM VOLTAR PARA O LUGAR

Quando as coisas estão fora do lugar, não encontramos o que estávamos procurando. A vida também é assim. Você já passou por situações em que pareceu que tudo tinha saído do lugar?

Muitas vezes, passamos por momentos em que parece que a vida está uma bagunça. O profeta Ezequiel foi chamado por Deus para um vale de ossos que estavam sequíssimos, e a Bíblia diz que tudo estava fora do lugar. Só que, quando ele começou a profetizar, os ossos foram voltando aos seus devidos lugares (Ezequiel 37).

Isso também pode acontecer na sua vida; basta você crer que o Senhor pode resolver essa situação e depositar tudo nas mãos dele. Tenha fé! Pode parecer que a sua vida está bagunçada, mas Deus o está convidando a tomar posição de profeta, não apenas ser um observador da vida.

Muitas pessoas ficam observando o momento difícil e conseguem até dar um diagnóstico, mas não têm a coragem de levantar a voz e afirmar que as coisas voltarão aos seus devidos lugares. É tempo de você se levantar e crer, sabendo que Deus ouvirá seu clamor.

Eu creio que, nos próximos dias, Deus vai agir, e as coisas voltarão ao seu devido lugar na sua vida.

"Nos próximos dias, as coisas podem voltar ao devido lugar na sua vida!"

O que está fora do lugar na sua vida e você precisa de uma intervenção de Deus?

....

....

....

....

....

....

Plano de leitura:
(Deuteronômio 3—4)

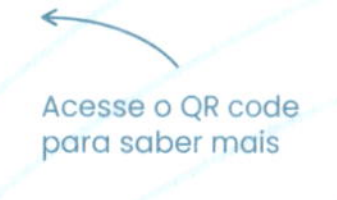

Acesse o QR code para saber mais

NADA É IMPOSSÍVEL PARA DEUS

"Deus será com você conforme a sua fé!"

Em qual área da vida sua fé está sendo provada?

....

....

....

....

....

....

....

....

....

....

Plano de leitura:
(Deuteronômio 5—7)

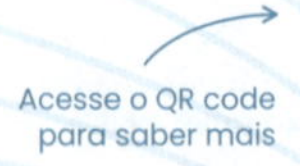

A Palavra de Deus nos assegura que o Senhor pode todas as coisas (Lucas 37.1). Talvez você esteja enfrentando um momento difícil, mas tudo é possível para o Todo-Poderoso!

A Bíblia nos mostra quão grandes coisas o Senhor realizou. A história de Lázaro é um exemplo (João 11). Ele já estava morto havia quatro dias, mas Jesus foi até o sepulcro e pediu que a pedra fosse removida. Muitas pessoas diziam "já cheira mal", mas bastou uma palavra de Jesus e aquele homem ressuscitou. Fico imaginando o milagre que aconteceu no corpo de Lázaro!

Pode ser que as situações da sua vida estejam complicadas há muito tempo e as pessoas estejam dizendo "já cheira mal", mas quero lhe dizer que para Deus nada é impossível. Ele pode fazer um milagre em qualquer área da sua vida, mesmo que pareça que não tenha mais jeito. Assim como aquele corpo teve de reagir à palavra de Jesus, não será diferente com você: em qualquer circunstância, você precisa obedecer à voz de Deus.

A questão não é se o Senhor tem poder, mas se nós temos fé, porque tudo é possível ao que crê! Mesmo que sua situação seja difícil, ponha sua fé em ação e creia, porque para Deus nada é impossível!

NÃO NEGOCIE SUA FÉ

Muitas vezes, passamos por momentos em que a nossa fé é posta à prova. Em Daniel 3, lemos que três jovens foram enviados para outro país. O rei daquela nação resolveu fazer uma grande estátua e exigiu que as pessoas se curvassem perante ela. Mas aqueles jovens se recusaram a fazê-lo. Diante de toda a pressão, eles tinham duas escolhas: negociar a sua fé para não serem lançados no fogo ou manter-se fiéis ao Senhor. Eles escolheram não negociar, mesmo que a fornalha fosse aquecida sete vezes mais.

Talvez você esteja sentindo a fornalha ser aquecida cada vez mais e veja sua situação se complicar, mas creia que o Deus que cuidou de você até aqui vai continuar guardando a sua vida.

Os homens que levaram os jovens para os lançarem na fornalha foram queimados pelas chamas, mas nada aconteceu aos três israelitas, porque Deus os livrou e honrou sua fé. Sadraque, Mesaque e Abede-Nego foram jogados na fornalha com as mãos atadas, mas o Quarto Homem apareceu e não permitiu que o fogo os queimasse.

Não negocie os seus princípios. Talvez você esteja com as mãos atadas, mas creia que o Quarto Homem da fornalha vai honrar sua fé e ajudá-lo a sair dessa situação.

"Ninguém pode derrotar aquele que nunca desiste!"

Você se esforça para ser fiel aos princípios de Deus?

....

....

....

....

....

....

....

....

Plano de leitura:
(Deuteronômio 8—10)

Acesse o QR code para saber mais

DEUS NÃO DESISTIU DE VOCÊ

"Deus vai ao seu encontro."

Você percebe a presença constante de Deus em sua vida?

....

....

....

....

....

....

....

....

....

....

....

....

Plano de leitura:
(Deuteronômio 11—13)

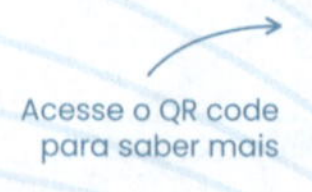

Muitas vezes, parece que Deus se esqueceu de nós e nos abandonou, não é mesmo? Mas, de repente, chega uma mensagem: o Senhor chama a nossa atenção e fala conosco. Deus sempre vem ao nosso encontro, porque ele não desiste de nós.

Certa vez, o profeta Elias, ao passar por uma crise existencial, entrou numa caverna e não queria mais falar com ninguém. Ele pensou que sua história terminaria. Até que Deus lhe disse: "Que fazes aqui, Elias?" (1 Reis 19.9, ARA).

Perceba que Deus não diz "Que fazes *aí*", porque isso indicaria distância de Elias. O uso do termo "aqui" nos permite concluir que Deus foi até o profeta, como se estivesse dizendo a ele: "Eu vim ao seu encontro para tirá-lo deste lugar, para falar com você e dizer que o seu propósito ainda não terminou. O que está fazendo aqui, Elias?".

Deus vai falar com você sempre que for necessário, a fim de conduzi-lo outra vez ao seu propósito. Ele não desistiu de sua vida e vai sempre lhe falar — por meio de pessoas, situações, mensagens ou de qualquer outra maneira que ele desejar, pois o Senhor o ama e deu o seu único Filho na cruz do Calvário para morrer em seu lugar.

CHEGOU A SUA VEZ DE CRER

Muitas vezes, ajudamos, aconselhamos e encorajamos pessoas, dizendo-lhes que não devem desistir e precisam continuar persistindo e acreditando. O interessante é que, quando somos nós que estamos vivenciando uma fase difícil, ficamos desanimados — e precisamos seguir o conselho que demos aos outros.

Jó 4 fala exatamente sobre isso. Os amigos de Jó lhe disseram: "Você ensinou a tantos; fortaleceu mãos fracas" (Jó 4.3). Eles estavam querendo dizer que Jó havia fortalecido e consolado muita gente durante sua vida, mas naquele momento difícil que estava vivendo ele não conseguia consolar a si próprio.

O patriarca precisou pôr em prática tudo aquilo que pregava quando chegou o momento em que Deus o provou. O Senhor faz isso conosco: ele nos prova naquilo que pregamos e cremos.

Talvez você esteja passando por esse momento de teste em sua vida. Mas quero lhe dizer: seja forte e não negocie a sua fé! Você precisa crer!

"O que você crê determina aonde você irá chegar!"

Quais atitudes você precisa tomar para estar firme na fé até que a promessa se cumpra?

....

....

....

Plano de leitura:
(Deuteronômio 14—18)

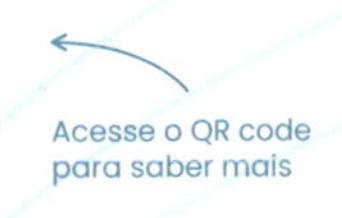

ATÉ AONDE VOCÊ DESEJA IR?

"Seu nível de combustível determina o percurso da sua viagem."

Com qual frequência você tem se abastecido para percorrer grandes distâncias?

....

....

....

....

....

....

Quando vamos fazer uma longa viagem de carro, precisamos encher o tanque, pois a quantidade de combustível que carregamos revela a distância que podemos percorrer. Assim também é na nossa caminhada pessoal. A forma como você abastece o seu tanque, seja ele emocional, seja espiritual, revela aonde você quer chegar.

Muitas pessoas almejam percorrer longas distâncias com pouco "combustível", mas não é assim que funciona. Todos os dias, você precisa se abastecer da presença de Deus. Os desafios são grandes, mas, se você deseja trilhar longos caminhos, é melhor encher o tanque da sua vida. Você precisa dedicar mais tempo a Deus, para que também ele lhe dê estratégia e sabedoria.

Quando foi que você passou um tempo na presença de Deus, permitindo que ele reabastecesse o seu interior, que falasse ao seu coração? Muitas vezes, estamos agitados e não damos uma pausa para abastecer. É por isso que não conseguimos fazer longas viagens, porque o tanque está vazio.

É tempo de deixar a presença do Senhor encher o seu coração e se alimentar da sua Palavra.

Plano de leitura:
(Deuteronômio 19—22)

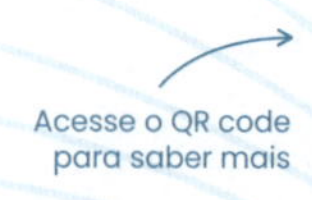

PERMANEÇA FIRME

Em sua Palavra, Deus sempre nos incentiva a permanecer firmes diante das circunstâncias e situações da vida. Tiago 4.7 nos orienta: "Resistam ao Diabo, e ele fugirá de vocês". Esse texto fala sobre permanecer firme e lutar com perseverança.

A Bíblia conta a história da luta dos amalequitas contra o povo de Deus. Moisés precisou ficar com as mãos levantadas para que houvesse vitória, ou seja, ele teve de permanecer firme, com as mãos estendidas, durante toda a batalha. Firmeza e perseverança são fundamentais para triunfar.

Muitas vezes, o Inimigo tenta vencer pelo cansaço, trazendo desânimo. Então, para obter vitória, você vai precisar se manter firme.

Na guerra de Moisés contra os amalequitas, Deus deu vitória a Moisés, mas depois de um bom tempo lutando. Logo, nem sempre a vitória chega rápido. Às vezes, é preciso ficar com as mãos erguidas em oração, clamando ao Senhor por um bom tempo, para que a vitória se concretize.

Permaneça firme e constante, com a postura de um vencedor, pois é importante crer que a vitória está chegando em sua vida.

"Seja firme nas suas escolhas, sobretudo quando decidir vencer."

Como você poderia agir hoje para se manter firme para vencer amanhã?

Plano de leitura:
(DEUTERONÔMIO 23—25)

Acesse o QR code para saber mais

DÊ O SEU MELHOR

"Dê o seu melhor hoje e, no dia seguinte, repita a estratégia."

Quais as suas características mais excelentes?

....

....

....

....

....

....

....

Plano de leitura:
(Deuteronômio 26—28)

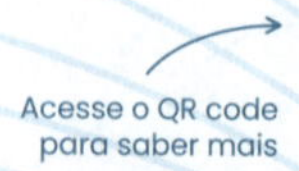

Sempre faça o possível e dê o seu melhor. Temos visto muitas pessoas atingirem um patamar elevado, alcançando sucesso na vida, porque se empenham ao máximo. Elas se recusam a realizar o que precisam fazer de qualquer jeito.

A Palavra de Deus recomenda: "Tudo quanto te vier à mão para fazer, faze-o, conforme as tuas forças" (Eclesiastes 9.10, ARA). O sábio Salomão nos ensina aqui algo precioso: se for para fazer, não faça de qualquer jeito, dê o seu melhor!

Deus falou ao pastor de uma igreja, dizendo: "Você não é frio, nem quente [...]. porque você é morno [...], estou a ponto de vomitá-lo da minha boca" (Apocalipse 3.15,16). O interessante é que aquela igreja tinha obras, mas não eram excelentes; tinha frutos, mas não eram suficientes. Porque, talvez, as ações fossem feitas de qualquer jeito.

A Bíblia afirma que quem faz bem o seu trabalho em pouco tempo tem o valor reconhecido e será chamado para trabalhar para pessoas importantes (Provérbios 22.29).

Portanto, se Deus o pôs em determinado lugar, dê o seu melhor. Desenvolva esse hábito, e tenho plena convicção de que Deus vai abençoá-lo muito. A diferença está na excelência.

DESÇA DO MURO

Muitas pessoas precisam tomar uma decisão, mas não têm coragem; parece que estão em cima do muro. O problema de estar nessa posição é que não agrada a nenhum lado. Não podemos servir a dois senhores — temos de decidir agradar e servir somente a Deus! Portanto, desça do muro! Na verdade, quem está nessa posição já se decidiu pelo lado do Maligno.

Certa vez, a nação de Israel estava indecisa, e o profeta Elias disse: "Até quando coxeareis entre dois pensamentos? Se o SENHOR é Deus, segui-o; se é Baal, segui-o. Porém o povo nada lhe respondeu" (1 Reis 18.21, ARA).

Você precisa decidir de qual lado quer ficar: se quer seguir e servir ao Senhor ou não. Por isso, a palavra hoje é: desça do muro!

Nesse contexto, tem muita gente que vive em cima do muro, não toma uma decisão na vida profissional, não se posiciona no ministério, não se envolve com nada. A quem você decide servir? Quem é o Senhor em sua vida? Desça do muro e lembre-se de que não conquistamos nada coxeando entre dois pensamentos, pois essa é uma posição de indecisão, não de vitória e conquistas.

"A indecisão o impede de ser um campeão."

Qual situação da sua vida exige, hoje, que você desça do muro?

....

....

....

....

....

....

....

....

Plano de leitura:
(DEUTERONÔMIO 29—31)

Acesse o QR code para saber mais

O SEGREDO É FICAR EM SILÊNCIO

"Nem toda guerra se vence com argumentos."

Em que áreas da sua vida você precisa apenas se calar e orar?

....

....

....

....

....

....

....

....

Plano de leitura:
(Deuteronômio 32—34)

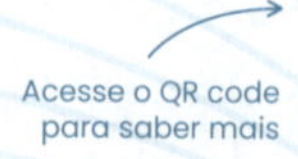

Conta-se a história de um homem que havia perdido um relógio caríssimo e ninguém no escritório conseguia encontrá-lo, até que um senhor pediu que todos saíssem da sala e ali, em silêncio, logo pôde ouvir o tique-taque dos ponteiros — e o relógio foi encontrado.

Muitas vezes, precisamos ficar em silêncio para ouvir a voz de Deus e encontrar o que procuramos.

O Senhor tinha dado uma estratégia para o povo de Israel antes de conquistar Jericó. O povo deveria marchar ao redor daquela muralha em silêncio.

Já reparou que existem muitos cursos de oratória que ensinam como falar em público, mas não existem cursos que ensinam a ficar em silêncio? Isso é um problema sério. Em especial, quando vemos, como Isaías 30.15 diz, que: "Em vos converterdes e em sossegardes, está a vossa salvação; na tranquilidade e na confiança, a vossa força, mas não o quisestes" (ARA).

Sim, em estar calado está a força. Estar tranquilo e em silêncio é poderoso, por isso Deus está dando a você uma chave para os próximos dias ao lhe dizer que nem toda guerra se vence com argumentos — às vezes, ficar em silêncio é a melhor estratégia.

NÃO SEJA PESSIMISTA

Devemos viver pela fé e ser otimistas; afinal, enxergar a vida com pessimismo não é a melhor forma de viver. Pessoas pessimistas enxergam as circunstâncias com probabilidades de tristeza e incertezas e, desse modo, nunca tomam boas decisões.

Pessimistas estão sempre com medo de dar um passo a mais. Por isso, deixam de aproveitar muitas oportunidades. Livre-se do pessimismo, porque isso o impede de desfrutar das coisas boas que Deus preparou para a sua vida.

Provérbios 4.18 diz que "a vereda dos justos é como a luz da aurora, que vai brilhando mais e mais até ser dia perfeito" (ARA), ou seja, estamos em desenvolvimento e assim podemos nos aperfeiçoar para sermos mais otimistas e menos pessimistas.

Portanto, não seja pessimista. Viva pela fé e saiba que fé não é otimismo, mas crer no impossível, para receber aquilo que Deus tem preparado.

"Sempre que Deus tira algo da sua vida, ele está preparando algo melhor."

Como você costuma enxergar as situações da sua vida?

....

....

....

....

Plano de leitura:
(Josué 1—4)

Acesse o QR code para saber mais

TEMPO DE AVANÇAR

"Quem reclama não sai do lugar."

A reclamação é um problema na sua vida?

Deus deseja que nos próximos dias você experimente um grande avanço. Assim como ele prometeu aos israelitas quando saíram do Egito que avançariam e conquistariam uma terra muito boa, deleitosa, que manava leite e mel, Deus fala conosco a respeito de avançar e prosperar.

Devemos nos lembrar de que durante quarenta anos o povo ficou andando em círculos no deserto. Sabe por quê? Porque começou a murmurar, isto é, a reclamar.

Portanto, se você quer avançar, pare de reclamar. Quem reclama não sai do lugar. Antes, observe se você tem trabalhado e se dedicado bastante, e, ainda assim, apesar do seu empenho, a sua vida não sai do lugar. Pode ser que você esteja deixando de cumprir o princípio de não murmurar.

É hora de avançar! Então, esteja muito atento, porque as palavras que saem dos seus lábios são sentenças que podem fazê-lo conquistar ou perecer.

Pare de murmurar e avance, pois Deus está com você!

Plano de leitura:
(Josué 5—8)

Acesse o QR code para saber mais

UM NÍVEL MAIS PROFUNDO

Muitas vezes, embora você já conheça Deus e faça suas orações, talvez sinta que não alcançou um nível mais profundo de conhecimento e revelação.

O profeta Ezequiel precisava passar por águas e, cada vez que ele avançava, Deus pedia para um anjo medir mais alguns metros. As águas inicialmente davam nos tornozelos, depois nos joelhos, e chegou um ponto em que ele já não podia mais atravessar o rio (Ezequiel 47). Isso mostra que, a cada tempo, Deus tem uma revelação diferente para a nossa vida.

Pode ser que tudo o que você viveu até aqui tenha sido no raso, mas, hoje, Deus o chama para que você mergulhe em um nível mais profundo, aquele em que sua vida será verdadeiramente conduzida pelo Senhor. Mergulhe nas águas do Espírito e busque um nível de relacionamento mais profundo com ele. Deus o chama, mas é você quem tem de decidir se mergulha nessas águas.

O Senhor quer conduzir sua vida. O próprio Deus quer se revelar a você. Por isso, aceite o convite. É hora de viver um nível mais profundo de relacionamento com o Senhor.

"Quanto mais fundo em Deus estivermos, menos ouviremos a incredulidade."

Em que nível se encontra o seu relacionamento com Deus?

....

....

....

....

....

....

....

Plano de leitura:
(Josué 9—11)

Acesse o QR code para saber mais

JESUS CRISTO: A VERDADEIRA LIBERTAÇÃO

"Quem se dobra diante de Jesus estará de pé diante dos problemas."

Você precisa de algum tipo de libertação?

....

....

....

....

....

....

....

Plano de leitura:
(Josué 12—14)

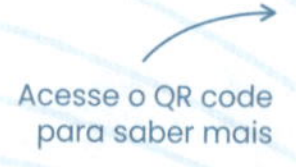

Acesse o QR code para saber mais

Muitas pessoas estão presas e não conseguem sair do lugar. Elas repetem sempre os mesmos erros e caem constantemente nos mesmos pecados. São pessoas presas a vícios e iniquidades. Elas precisam conhecer Jesus, pois só ele traz a verdadeira libertação.

A Bíblia narra a história de um homem que vivia no cemitério (Marcos 5). Veja como o Inimigo descaracteriza as pessoas. Cemitérios não foram construídos para serem habitados pelos vivos. A vida deve ser desfrutada em abundância. Entretanto, quando uma pessoa está presa por laços malignos, ela foge dos padrões naturais que Deus estabeleceu.

Contudo, certo dia, quando Jesus atravessou o mar e chegou à província dos gadarenos, tão logo desceu do barco foi abordado por aquele homem, que correu ao seu encontro. O Mestre libertou o cidadão, que se tornou um testemunho vivo da glória de Deus naquele lugar.

A mesma coisa pode acontecer com você: corra e se prostre diante do Senhor Jesus, reconhecendo que, sem ele, você não é nada. Reconheça: você precisa dele em sua vida. Afinal, só em Cristo há verdadeira libertação!

ETAPAS DE UM ESCOLHIDO

Toda pessoa enfrentará muitas etapas na vida. As fases que enfrentamos variam de pessoa para pessoa, mas gostaria de mencionar três delas:

A primeira é a da rejeição. Isso acontece porque muitas pessoas só são aceitas após terem sido rejeitadas. Jesus foi rejeitado e humilhado; nós também seremos. Mas Deus nos conhece e nos protege!

Outra etapa é a da aceitação. Essa fase é melhor, porque, muitas vezes, quem antes nos rejeitava passará a nos aceitar ao ver a nossa conduta. Logo, se estiver na fase da rejeição, não desista do seu propósito: permaneça firme e conserve seus princípios.

Há, ainda, uma etapa maravilhosa chamada admiração, isto é, primeiro o rejeitam, depois o aceitam e por último o admiram e se inspiram na sua história.

Você enfrentará muitas fases na vida. Portanto, mantenha a fé e a postura, pois o seu testemunho será muito lindo. No final, quando as pessoas vierem elogiá-lo e mostrar admiração por você, dê toda a glória a Deus, pois, assim, todos verão quem ele é em sua vida.

"Primeiro, o rejeitarão; depois, o aceitarão; e, por último, o admirarão."

Em qual dessas etapas você está na sua vida?

....

....

....

....

....

....

....

Acesse o QR code para saber mais

FIEL ATÉ O FIM

"Haverá recompensa para sua fidelidade."

Você tem se mantido fiel ao Senhor?

O grande desafio em nossa relação com Deus não é ter momentos de fidelidade ao longo da vida, mas permanecer fiel até o fim. O Senhor diz: "Sê fiel até à morte, e dar-te-ei a coroa da vida" (Apocalipse 2.10, ARA). E ainda: "Aquele, porém, que perseverar até ao fim, esse será salvo" (Mateus 24.13, ARA).

Como vemos, há uma promessa para quem perseverar e se mantiver fiel até o fim. Isso é possível, mas é desafiador, já que vivemos dias difíceis, um período de apostasia em que muitos abandonam a verdadeira fé.

Muitos têm perdido o fervor espiritual; começaram até bem a caminhada na fé, mas depois infelizmente desistiram e deixaram de perseverar no caminho de Deus.

Não se desvie, não abandone a sua fidelidade por causa de um acontecimento isolado ou adverso. Seja fiel até o fim e você receberá a coroa da vida — essa é a promessa de Deus.

Vá à igreja, não deixe de congregar, mantenha os bons princípios e lembre-se de que é necessário ser fiel até o fim.

Portanto, construa o seu legado de fidelidade para que as próximas gerações conheçam o Senhor.

Plano de leitura:
(Josué 17—19)

Acesse o QR code para saber mais

CRESCENDO POR MEIO DOS DESAFIOS

Muitas vezes, nós nos deparamos com desafios que parecem colocar um ponto-final em nossa história. No entanto, é por meio desses desafios que crescemos; é através deles que Deus nos impulsiona para um novo patamar.

Portanto, esteja preparado, pois Deus pode levá-lo a lugares mais altos, e os desafios que surgirão podem ser proporcionais à magnitude das promessas que ele tem para você.

A Bíblia relata a história de um dos maiores desafios enfrentados por Davi ao confrontar Golias. Da mesma forma, em nossa vida, também encontramos desafios que, se não forem encarados, continuarão nos assombrando.

Quando Davi decidiu enfrentar Golias, parecia que aquele desafio representava o fim de sua história. No entanto, aquela batalha marcou apenas o início de um novo tempo de vitórias em sua vida.

O mesmo acontecerá com você. Deus permitiu essa situação para que você avance para o próximo nível. Portanto, não encare esse desafio como algo que veio para destruí-lo. Olhe para a promessa, pois esse desafio poderá se tornar responsável por um grande crescimento em sua vida.

Receba esta palavra de Deus para os próximos dias: continue crescendo por meio dos desafios.

"Deus permite grandes batalhas para grandes guerreiros."

Quais armas espirituais você precisa utilizar para vencer as batalhas que está enfrentando hoje?

....

....

....

....

....

Plano de leitura:
(Josué 20—22)

Acesse o QR code para saber mais

LUTAS QUE NÃO VALE A PENA LUTAR

"Existem lutas que não vale a pena lutar."

Você sabe escolher bem as suas lutas?

Plano de leitura:
(Josué 23—24)

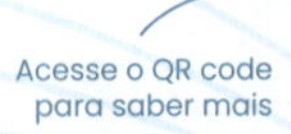

Acesse o QR code para saber mais

Você precisa ter discernimento para entender que Deus não deseja que entre em todas as batalhas, pois nem toda luta é boa. Provérbios 26.17 diz: "Quem se mete em questão alheia é como aquele que toma pelas orelhas um cão que passa".

Entenda que existem lutas que Deus preparou para os outros; logo, não vale a pena se envolver com elas. Paulo certa vez disse: "Combati o bom combate, acabei a carreira, guardei a fé" (2 Timóteo 4.7).

O apóstolo estava dizendo que combateu bem as suas lutas, por isso sua missão estava completa. Assim como ele fez, escolha bem as suas lutas, para não se arrepender depois. Peça a Deus discernimento e esteja atento quando elas surgirem.

Pergunte ao Senhor se vale a pena entrar em certos combates. Peça muita sabedoria e estratégias para enfrentar somente as lutas nas quais Deus quer que você se envolva.

Não vá ao encontro de embates alheios; não se envolva na causa dos outros, pois isso só traz confusão. Quem se mete em questões que não lhe dizem respeito age como se estivesse pegando um cão pela orelha — isso não será bom nem trará vitórias para a sua vida.

SEU TESTEMUNHO ALEGRARÁ MUITOS

A Bíblia relata que Zacarias e sua esposa, Isabel, desejavam muito ter um filho, mas eles já eram avançados em idade. Além disso, Isabel era estéril.

Durante muito tempo, esse casal esperou a chegada de um filho. Até parecia que Deus tinha se esquecido deles, mas, certo dia, o anjo do Senhor apareceu e disse: "Não tenha medo, Zacarias, porque a sua oração foi ouvida. Isabel, sua esposa, dará à luz um filho, a quem você dará o nome de João. Você ficará alegre e feliz, e muitos ficarão contentes com o nascimento dele" (Lucas 1.13,14, NAA).

Quem sabe essa não é uma palavra de Deus para a sua vida também? Afinal, aquilo que nascerá de você pode vir a alegrar muitas pessoas. Pode até parecer que está demorando, mas o Senhor ouviu sua oração e, quando o seu milagre for gerado, muitos se alegrarão.

Lembre-se de que coisas grandes levam tempo para ser geradas. Por isso, permaneça na presença de Deus, continue orando e creia que algo grandioso será gerado em sua vida. Tenha a certeza de que, por meio do que o Senhor fará, muitos se alegrarão, por ver o cumprimento da promessa divina.

"Coisas grandes levam tempo para ser geradas."

Você acredita que seu milagre pode trazer alegria para outras pessoas?

....

....

....

....

....

....

....

....

Acesse o QR code para saber mais

PREPARANDO UM FUTURO GLORIOSO

"Sua semeadura de hoje determinará a colheita de amanhã."

Quais coisas boas você tem plantado em sua vida?

....

....

....

....

....

....

....

Plano de leitura:
(Juízes 4—7)

Acesse o QR code para saber mais

As Escrituras dizem que tudo o que o homem semear, isso também ceifará (Gálatas 6.7). A lei da semeadura é uma das regras espirituais infalíveis citadas na Bíblia. Contudo, muitas vezes estamos tão preocupados em colher que esquecemos de plantar.

Se você deseja ter um futuro glorioso e desfrutar das promessas de Deus, precisa escolher e semear boas sementes em todos os níveis da sua vida. Por exemplo, semeie boas amizades para ser socialmente próspero; aprenda a lidar bem com o dinheiro, fazer boas compras e realizar bons investimentos para colher uma vida financeiramente boa. Lembre-se ainda de que, para ser espiritualmente saudável, você precisa investir mais em seu relacionamento com Deus.

É a sua semeadura, hoje, que determinará a colheita de amanhã , debaixo da vontade de Deus. A semeadura é opcional, mas a colheita é obrigatória; então, escolha as boas sementes e comece logo a semear.

Grandes árvores precisam de tempo para crescer e frutificar. Por isso, semeie o bem, tenha paciência e não viva com uma mentalidade imediatista. Esse é o caminho para desfrutar do futuro que Deus está preparando para a sua vida.

FAÇA A DIFERENÇA

Em nossos dias, as pessoas têm a forte tendência de querer copiar tudo o que outras fazem: imitam o estilo de vida, o modo de vestir, a cor do cabelo e muitas outras coisas.

Poucos são aqueles que têm coragem de ser e de fazer a diferença.

Na Bíblia, vemos que a nação de Israel foi chamada para ser diferente das demais, tanto que era uma teocracia, isto é, o próprio Deus governava seu povo.

No entanto, os israelitas não queriam fazer a diferença, mas desejavam ser iguais a outras nações e começaram a pedir a Deus que lhes desse um rei, o que não foi nada bom. O povo ficou dividido, e começaram tempos difíceis e guerras que poderiam ter sido evitadas se o povo tivesse aceitado ser governado somente por Deus.

Você foi chamado para fazer a diferença. Você é único, e o seu estilo de vida deve ser diferente. Seja diferenciado, e o seu testemunho será impactante!

Creio que Deus está levantando uma geração para fazer a diferença neste mundo. Isso começa com santidade e um estilo de vida que agrada a Deus. Portanto, faça a diferença sendo diferente.

"Só faz a diferença quem tem coragem de ser diferente."

Qual característica sua o difere dos demais?

....

....

....

....

....

....

....

....

Plano de leitura:
(Juízes 8—9)

Acesse o QR code para saber mais

LIVRE-SE DA COMPARAÇÃO

"*Nunca pare para se comparar.*"

Como você poderia agir para não cair na cilada da comparação?

....

....

....

....

....

....

....

....

....

Plano de leitura:
(Juízes 10—12)

Acesse o QR code para saber mais

Comparação, de acordo com os dicionários, é a ação de analisar o que difere ou se assemelha. Comparar-se aos outros nunca foi uma atitude bíblica. Na verdade, toda vez que nos comparamos a outras pessoas, cometemos dois erros: o da superioridade ou o da inferioridade.

Esses dois extremos são muito perigosos. Na história de Abel e Caim, dois dos filhos de Adão e Eva, houve morte em razão da comparação entre a maneira como Deus recebeu o sacrifício de cada irmão.

Atualmente, muitas pessoas também estão morrendo ou matando, simplesmente por estarem se comparando com os outros. Portanto, pare de olhar para a vida alheia e de querer ter os mesmos resultados que outras pessoas.

Viva o seu propósito e procure agradar a Deus. Livre-se da comparação e ofereça sempre o seu melhor, pois isso pode levá-lo a um patamar mais elevado.

DISCERNINDO O TEMPO

Ter discernimento do tempo vai ajudá-lo na tomada de decisões e influenciará positivamente o seu comportamento.

A Bíblia diz que tudo tem o seu tempo determinado e que há tempo para todo propósito debaixo do céu (Eclesiastes 3).

Por isso, é necessário discernir o tempo. Se você está vivendo um período de guerra, não adianta chorar, pois é tempo de batalhar. Lágrimas não vencem batalhas. No entanto, se está vivendo um momento de alegria, é preciso desfrutá-lo.

Ter discernimento é fundamental, pois muitas pessoas estão passando por um tempo de guerra, mas, em vez de lutar, ficam sentadas em frente à TV.

Se é tempo de guerrear, você precisa vestir roupas adequadas para enfrentar e vencer essas batalhas.

Não sei qual é o tempo que você está enfrentando, mas sei que Deus é fiel, e Jesus prometeu que estaria conosco todos os dias até a consumação dos séculos (Mateus 28.20).

Portanto, independentemente da situação que você esteja vivendo, saiba discernir o tempo e lembre-se de que Deus está com você.

"Discernir uma estação é estar preparado para toda ocasião."

Pensar no tempo das coisas lhe causa ansiedade ou o anima para o futuro?

Plano de leitura:
(Juízes 13—16)

Acesse o QR code para saber mais

AGRADANDO A DEUS

"Agradar a Deus deve ser o objetivo de todo cristão."

Você sabe como agradar a Deus?

Uma das grandes verdades que aprendi em minha vida é que, quando agradamos a Deus, não importa a quem estejamos desagradando. Por outro lado, quando desagradamos ao Senhor, não importa a quem estejamos agradando.

Dessa forma, agradar a Deus deve ser o objetivo de todo cristão, pois, quando lhe agradamos, as coisas começam a acontecer de forma positiva.

A Bíblia afirma que Deus é um escudo e que ele não negará bem algum àqueles que andam corretamente (Salmos 84.11). O salmista também declara: "Agrada-te do SENHOR, e ele satisfará os desejos do teu coração" (Salmos 37.4, ARA). Portanto, antes de tudo, procure agradar ao Senhor.

Noé decidiu agradar a Deus e encontrou graça aos olhos do Senhor. Tanto é que Deus lhe concedeu o projeto de construção da arca, um projeto tão grandioso que ficou registrado nos anais da história.

Busque a Deus em primeiro lugar e, em seguida, reflita se a sua atitude irá agradar a ele ou não. Esse é o caminho para que ele cumpra a sua vontade em nossa vida.

Plano de leitura:
(JUÍZES 17—18)

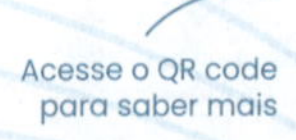

LEMBRE-SE DO QUE DEUS JÁ FEZ

Temos a forte tendência de nos esquecer de tudo o que Deus já realizou de bom em nossa vida, como se fôssemos acometidos de amnésia. A amnésia é uma condição médica em que a pessoa perde a capacidade de se lembrar de informações do passado. Isso não pode acontecer com você. Por isso, eu o incentivo a se lembrar de tudo o que Deus já fez.

Em Salmos 103.2, o salmista diz assim: "Bendize, ó minha alma, ao SENHOR, e não te esqueças de nem um só de seus benefícios" (ARA). Isso quer dizer que você deve agradecer e trazer à memória o que dá esperança. Comece a se lembrar de tudo o que Deus já fez por você no passado, agradeça por tudo que ele está fazendo no presente e seja grato por tudo o que ele ainda fará.

Creia que, da mesma maneira que Deus o abençoou naquela situação em que aparentemente você não tinha saída, ele pode abençoá-lo de novo. Não desanime! E nunca se esqueça do que Deus já fez por você. Ele fez e fará coisas maravilhosas em sua vida!

Renda graças ao Senhor, pois o mesmo Deus que realizou maravilhas no passado faz o mesmo no presente e está cuidando do seu futuro. Então, lembre-se de Deus em tudo e creia que o melhor ainda está por vir.

"O antídoto contra a tristeza chama-se gratidão."

Anote cinco coisas boas que Deus já fez por você.

....

....

....

....

....

....

....

....

Plano de leitura:
(JUÍZES 19—21)

Acesse o QR code para saber mais

NÃO ESPERE VER PARA CRER

"Na vida, ou você crê para ver, ou vê para crer."

Você tem fé?

....

....

....

....

....

....

....

....

....

....

....

Plano de leitura:
(Rute 1—4)

Acesse o QR code para saber mais

A Bíblia relata que alguns discípulos testemunharam a ressurreição de Cristo e contaram a Tomé, mas ele não acreditou. No entanto, alguns dias depois, Jesus apareceu a Tomé e, ao vê-lo e tocá-lo, ele finalmente creu. Mas o Senhor ressaltou: "Porque me viste, Tomé, creste; bem-aventurados os que não viram e creram!" (João 20.29, ARC).

O tempo passou, mas muitas pessoas ainda agem como Tomé, ou seja, necessitam de evidências visíveis para acreditar. Tomé é um exemplo de pessoas que esperam ver antes de tomar decisões. Não espere ver para agir, não espere ver para crer, pois é pela fé que se pode contemplar a ação de Deus.

A Bíblia nos apresenta muitos exemplos de pessoas que creram sem ver, como o caso de Moisés. Quando ele e o povo estavam diante do mar Vermelho, o Senhor lhe ordenou: "Diga aos filhos de Israel que marchem!" (Êxodo 14.15, NAA).

Moisés não estava vendo, mas acreditou que o Senhor os livraria. Se Moisés esperasse ver o mar se abrir antes de atravessá-lo, certamente teria sido derrotado. Não espere ver: tenha fé, creia e verá a glória de Deus!

UMA NOVA ESTAÇÃO CHEGOU

Se você está enfrentando muitas dificuldades, precisa crer que: chegou uma nova fase, uma nova estação. Creia que Deus trará renovo sobre a sua vida, assim como acontece com uma árvore que passa pelo inverno e suas folhas caem. Muitas vezes, ela até fica seca, mas depois o Senhor traz uma nova estação e as folhas começam a brotar novamente.

É isso que Deus pode fazer em sua vida!

Conforme falou Daniel, Deus é poderoso para mudar o tempo e as estações: "Seja bendito o nome de Deus, de eternidade a eternidade, porque dele é a sabedoria e o poder; é ele que muda os tempos e as estações, remove reis e estabelece reis; ele dá sabedoria aos sábios e entendimento aos inteligentes" (Daniel 2.20,21, ARA).

Portanto, independentemente do que você esteja enfrentando, mantenha a calma e aguente firme o processo, crendo que uma nova estação chegou!

Deus mudou a história de muitas pessoas por meio de uma palavra e, de igual modo, mudará a sua história; virá um tempo de alegria em sua vida, como diz a Palavra: "Veja! O inverno passou; acabaram-se as chuvas e já se foram. Aparecem flores na terra, e chegou o tempo de cantar" (Cântico dos Cânticos 2.11,12).

"Deus é poderoso para mudar o tempo e as estações."

Quais atitudes você precisa ter para começar a viver uma nova estação?

Plano de leitura:
(1 Samuel 1—4)

Acesse o QR code para saber mais

PALAVRAS QUE CURAM

"Use hoje suas palavras para curar alguém."

Suas palavras são de vida ou de morte para as pessoas ao seu redor?

....

....

....

....

....

....

....

....

....

Plano de leitura:
(1 Samuel 5—7)

Acesse o QR code para saber mais

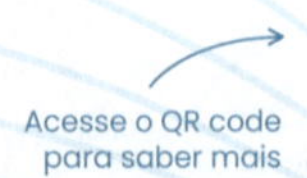

As palavras têm o poder de curar, de levantar quem está caído e também de trazer vida. Portanto, mesmo que você esteja vivendo um cenário de morte, use seus lábios para profetizar em nome de Jesus, declarando vida.

Existem muitas pessoas feridas por causa das circunstâncias adversas da vida, por causa de sonhos que foram abortados, mas, como uma terra que está sedenta pela água, essas pessoas esperam ouvir palavras que curam. Deus deseja usar os seus lábios como um remédio, como um instrumento de cura para abençoar muitas pessoas.

Provérbios 12.18 diz: "Há palavras que ferem como espada, mas a língua do sábio traz a cura". Portanto, libere sempre uma palavra de cura e de bênção sobre a vida das pessoas. O salmista já deu o exemplo, ao dizer: "O meu coração ferve com palavras boas; falo do que tenho feito no tocante ao rei" (Salmos 45.1, ARC).

Seja um testemunho vivo do que o Senhor tem feito, fale palavras boas, palavras que sejam como um remédio para curar a alma daqueles que estão feridos, aflitos e que não conhecem Deus.

PREPARE-SE HOJE E VENÇA AMANHÃ

A vitória pertence a todo aquele que está preparado, pois uma pessoa bem-preparada consegue executar com mais facilidade as suas ações. Por isso, a Palavra de Deus diz: "Se o machado está cego e sua lâmina não foi afiada, é preciso golpear com mais força; agir com sabedoria assegura o sucesso" (Eclesiastes 10.10).

Pessoas preparadas estão sempre com o seu machado afiado. Para viver algo extraordinário e ter sucesso, uma etapa importante é a preparação.

Josué, certa vez, disse ao povo: "Santificai-vos, porque amanhã o SENHOR fará maravilhas no meio de vós" (Josué 3.5, ARA). Veja que interessante: mesmo Deus sendo poderoso para introduzir o povo de Israel na terra que havia prometido, ele realçou a importância do preparo, dizendo que primeiro o povo precisava se santificar para tomar posse da promessa.

É tempo de se preparar hoje para vencer amanhã. Por isso, invista mais tempo em sua preparação, leia bons livros, faça cursos na área em que você trabalha, pois, agindo assim, você se preparará e terá mais chances de obter a vitória.

"A intensidade da preparação de hoje determina o sucesso de amanhã."

Como você tem se preparado para os lugares que deseja alcançar amanhã?

Acesse o QR code para saber mais

AME O SEU PRÓXIMO

"O amor é a principal característica de um discípulo de Jesus Cristo."

Como você pode amar melhor o seu próximo hoje?

Plano de leitura:
(1 Samuel 11—14)

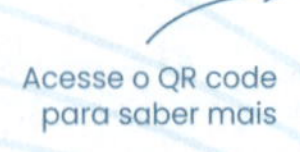

O principal mandamento é amar ao Senhor e depois amar o próximo. A Bíblia nos ensina a amar a Deus e a viver para exalar seu amor por meio das nossas ações e do nosso testemunho.

Neste contexto, vemos que Jesus, certa vez, reuniu os seus discípulos e disse: "Um novo mandamento vos dou: que vos ameis uns aos outros; como eu vos amei a vós, que também vós uns aos outros vos ameis. Nisto todos conhecerão que sois meus discípulos, se vos amardes uns aos outros" (João 13.34,35, ARC).

Quem ama o próximo agrada a Deus, mas quem odeia o seu irmão é mentiroso e aborrece a Deus. Conforme escreveu João: "Se alguém disser: Amo a Deus, e odiar a seu irmão, é mentiroso; pois aquele que não ama a seu irmão, a quem vê, não pode amar a Deus, a quem não vê" (1 João 4.20, ARA).

Devemos amar o próximo e mostrar o verdadeiro amor de Deus por meio das nossas atitudes. Deste modo, não apenas fale de amor, mas viva o amor e ame o seu próximo como a você mesmo.

VENCENDO AS TEMPESTADES

Muitas vezes, enfrentamos grandes tempestades em nossa vida. Elas são sinônimo de um tempo difícil e de adversidade.

O Novo Testamento relata que os discípulos estavam enfrentando uma grande tempestade e, diante daquela situação, sentiram muito medo, porque as ondas eram tão fortes que a água chegava a cair dentro do barco (Marcos 4).

O interessante é que, mesmo diante do desespero, eles não se lembraram das palavras de Jesus, que lhes disse que eles chegariam do outro lado do mar. Jesus, porém, se levantou e repreendeu o vento, e a tempestade se acalmou; tudo voltou ao normal, e houve bonança novamente. O mesmo pode ocorrer na sua vida.

Pode ser que você tenha enfrentado uma tempestade tão intensa que o fez esquecer tudo aquilo que Jesus disse e fez em sua vida, mas agora é hora de lembrar que você não está sozinho.

Deus está com você, e, se foi Jesus Cristo que o colocou nesse barco, você não precisa ter medo: ele não vai afundar. Por isso, não desista nem se desespere; o Senhor está no controle de tudo e tem poder de ordenar que o mar se acalme.

"Esteja preparado: nem toda tempestade consta na previsão do tempo."

Quais atitudes o ajudam a descansar em meio à tempestade?

....

....

....

....

....

Acesse o QR code para saber mais

ELE NOS AMOU PRIMEIRO

"Ele acreditou em você quando ninguém acreditava e o amou quando ninguém mais o amava."

Você se lembra de quando sentiu o amor de Deus por você pela primeira vez?

....

....

....

Plano de leitura:
(1 Samuel 18—20)

Acesse o QR code para saber mais

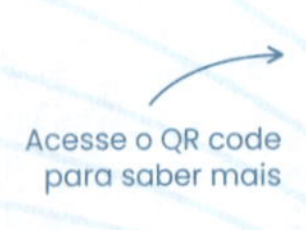

Frequentemente, temos dificuldade de compreender a dimensão do amor de Deus e para entender o que Jesus fez por nós. Ele nos amou tanto, a ponto de entregar a própria vida.

Agora, responda: quem teria coragem de morrer para salvar alguém que não merecia salvação e que havia cometido muitos erros e pecados?

Deus entregou o seu único Filho para morrer por nós; o Senhor nos amou primeiro e se entregou por nós. Contudo, quando passamos por momentos difíceis, achamos que o Onisciente se esqueceu de nós.

Imagine o próprio Deus entregando o único Filho por nossos pecados, isso sem pedir nada em troca. Você acha mesmo que ele se esqueceria de você?

Cristo tem um propósito muito grande em sua vida. Ele o ama e tem cuidado de você. Jesus o tem guardado e protegido dos perigos. Você não faz ideia de quantos livramentos tem recebido, e só o fato de estar vivo até hoje mostra quanto Deus tem cuidado de você e guardado a sua vida.

Portanto, independentemente das circunstâncias, lembre-se sempre de que ele o amou primeiro.

PROTEJA A SUA ESSÊNCIA

Eclesiastes 10.1 diz que se uma mosca cai no perfume, estraga todo o seu aroma. Se pensarmos um pouco, podemos constatar que são pequenas coisas que fazem com que a nossa essência seja alterada. E se aquela mosca caiu dentro do perfume, foi simplesmente porque ele estava desprotegido.

Por isso, se você permitiu que algo ruim caísse dentro do seu coração — talvez um triste comentário ou uma palavra que alguém disse —, isso fez sua essência ser alterada.

Esse tipo de situação acontece com muitas pessoas que, outrora, eram extrovertidas e passaram a ser introvertidas, tornaram-se frias e calculistas, não sorriem mais com facilidade e se fecharam, simplesmente por causa de uma mosquinha que caiu dentro do seu perfume.

Portanto, proteja a sua essência, tome muito cuidado e não abra o coração para qualquer pessoa. Lembre-se de que qualquer mosquinha pode estragar a sua essência. Você foi criado para ser o bom perfume de Cristo; portanto, não deixe nada nem ninguém estragar a sua essência.

"Não abra seu coração para quem nunca lhe estendeu a mão."

Você sabe com quem compartilhar e com quem não compartilhar sobre sua vida?

....

....

....

....

....

....

Plano de leitura:
(1 Samuel 21—24)

Acesse o QR code para saber mais

VENCENDO OS TESTES DA VIDA

"Desafio é tudo aquilo que precisa ser superado!"

Como você poderia adquirir mais resistência diante dos testes da vida?

....

....

....

....

....

....

....

Plano de leitura:
(1 Samuel 25—27)

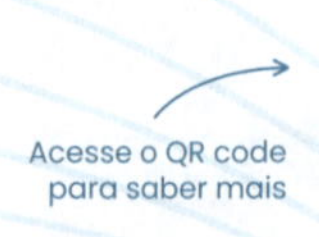

A vida é um grande desafio, e não é fácil viver. A Bíblia conta a história de um homem chamado Jó. Ele foi testado em várias áreas de sua vida, começando pela familiar. É extremamente difícil quando as pessoas que amamos sofrem ou se vão. Jó perdeu seus filhos, e com certeza deve ter sido um teste muito árduo.

O segundo teste de Jó foi em suas finanças. Passar por momentos financeiros difíceis também não é algo simples. Jó perdeu tudo o que possuía — imagine perder seus recursos e seu dinheiro, não poder mais comprar, pagar as contas nem cumprir compromissos.

A terceira área em que Jó foi provado foi a da saúde. Lidar com problemas de saúde é terrível, principalmente quando os amigos se afastam. Aliás, este foi o último teste que Jó enfrentou: o relacionamento com os seus amigos.

O interessante é que, em meio às provas, Jó permaneceu fiel e disse: "Ainda que ele me mate, nele esperarei; contudo, os meus caminhos defenderei diante dele" (Jó 13.15, ARC).

Faça como Jó: vença os testes da vida sem reclamar. Creia que Deus se levantará a seu favor e mudará a sua sorte.

COLOQUE TUDO NAS MÃOS DE JESUS

O Novo Testamento conta uma história muito interessante em que Jesus multiplicou cinco pães e dois peixes que um rapaz havia colocado à sua disposição para alimentar uma grande multidão (João 6).

Muitos questionaram como seria possível alimentar tantas pessoas com tão pouco. Isso ainda acontece em nossos dias. Muitas vezes, ficamos tão preocupados com a demanda que não olhamos para quem pode suprir todas as coisas.

O menino que entregou os poucos pães e peixes nas mãos de Jesus nos ensina algo muito valioso: quando colocamos tudo nas mãos da pessoa certa, os problemas se dissolvem e as circunstâncias mudam! Portanto, ponha tudo nas mãos de Jesus!

Pode ser que você esteja preocupado com alguma coisa, mas isso é porque ela ainda está em suas mãos. Tudo o que você precisa fazer é colocá-la nas mãos de Jesus. Ele providenciará a multiplicação e trará a solução!

O que você tem é pouco, tendo em vista tudo de que precisa, mas nas mãos de Jesus será suficiente para que o milagre aconteça. Creia e você se surpreenderá com o que Jesus fará com o que você confiou e entregou a ele.

"Os problemas se dissolvem nas mãos da pessoa certa."

Quais problemas você precisa entregar hoje nas mãos de Jesus?

....

....

....

....

....

....

....

....

Plano de leitura:
(1 Samuel 28—31)

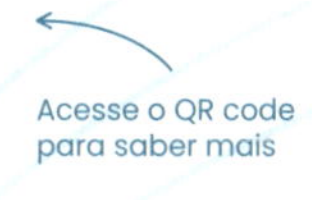

APRENDENDO A ESPERAR

"*Tudo que nasce antes do tempo precisa lutar muito para sobreviver.*"

Quais sentimentos a espera tem produzido em você?

....

....

....

....

....

....

....

Plano de leitura:
(2 Samuel 1—4)

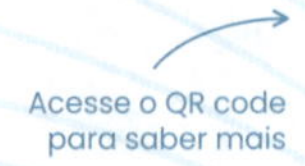

É fato que vivemos em uma sociedade apressada, em que quase ninguém mais tem paciência para nada. Todos querem acelerar os processos, ou seja, é uma geração imediatista, que não sabe esperar.

O problema é que no mundo espiritual não existe a possibilidade de acelerar otempo.

Por isso, precisamos aprender a esperar o tempo de Deus. Conforme diz o salmista: "Esperei com paciência no Senhor, e ele se inclinou para mim, e ouviu o meu clamor" (Salmos 40.1, ARC).

Aprenda a esperar e entenda que a sua pressa não vai apressar Deus. Ele não age conforme sua impaciência; por isso, existem circunstâncias que você está enfrentando que servem para que você aprenda a esperar o tempo do Senhor.

Saiba que tudo que nasce antes do tempo precisa lutar muito para sobreviver. Então, aprenda a esperar o tempo certo, o tempo determinado por Deus, pois se ainda não aconteceu é porque não chegou o momento.

Ore e aprenda a esperar, pois Deus já lhe deu tudo aquilo de que você precisa para cumprir o seu propósito.

QUAL SERÁ O SEU LEGADO?

Estamos neste mundo de passagem; nossa vida é breve. Por isso, precisamos escrever uma linda história e construir o nosso legado. Legado é tudo aquilo que deixamos *nas* pessoas, não o que deixamos *para* elas.

Apesar de importante, poucos se preocupam em deixar um legado, ou seja, em fazer algo que marque positivamente a vida das pessoas.

Temos de fazer a diferença e construir um legado de fé, conquistas e um caráter íntegro para inspirar e impactar as próximas gerações.

A Bíblia fala a respeito de um homem chamado Jeorão. Ele reinou sobre Judá durante muitos anos, mas morreu sem deixar saudades. Isto é, ele partiu e não deixou nenhum legado (2 Crônicas 21).

Hoje, você é convidado a construir um legado; portanto, viva de modo que a sua fé e o seu comportamento sirvam de testemunho para transformar a vida de muitas pessoas.

Ponha em prática os projetos que Deus colocou no seu coração, execute as ideias maravilhosas, use seus dons e talentos para marcar a sua geração e para construir o seu legado.

"Seu legado vai impactar as próximas gerações."

O que você precisa fazer hoje a fim de construir um legado para a próxima geração?

....

....

....

....

....

....

....

....

Plano de leitura:
(2 Samuel 5—7)

Acesse o QR code para saber mais

MUDANÇAS NECESSÁRIAS

"Você não alcançará o máximo do seu potencial até que faça do seu melhor um hábito."

Quais hábitos precisam ser transformados na sua vida?

....

....

....

....

Plano de leitura:
(2 Samuel 8—10)

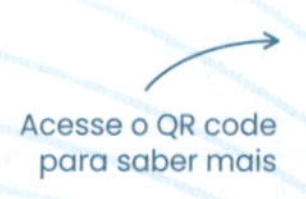

As mudanças fazem parte da nossa vida e são necessárias. Em 1 Coríntios 13.11, o apóstolo Paulo escreveu: "Quando eu era menino, falava como menino, pensava como menino e raciocinava como menino. Quando me tornei homem, deixei para trás as coisas de menino".

Esse texto nos mostra que precisamos entender que as mudanças são necessárias para o nosso amadurecimento, e, para viver um novo tempo, talvez você tenha de mudar muitas coisas em sua vida. Isso não é fácil, pois toda mudança gera certo desconforto.

No entanto, se você deseja alcançar as bênçãos e as promessas que Deus já liberou sobre a sua vida, entenda que mudanças são necessárias.

Muitas vezes, é necessário nos afastarmos de pessoas que limitam a nossa visão; é necessário abandonar ou mudar alguns hábitos para que possamos chegar aos lugares que Deus preparou para nós.

Portanto, prepare-se. É chegado um tempo de mudanças difíceis, mas necessárias, para que você alcance tudo o que Deus prometeu para sua vida.

AMIGOS DE VERDADE

Ter amigos de verdade é um grande presente de Deus! O valor de uma amizade verdadeira é incalculável. Por isso, a Bíblia afirma: "O homem que tem muitos amigos pode congratular-se, mas há amigo mais chegado do que um irmão" (Provérbios 18.24, ARC). Portanto, tenha em mente que uma amizade verdadeira pode promover boas conexões e levá-lo a lugares aos quais você jamais imaginou que chegaria.

O Novo Testamento relata a história de um paralítico que recebeu cura sobrenatural porque foi conduzido pelos seus amigos até Jesus (Lucas 5). O Antigo Testamento também mostra uma mulher que estava em dificuldade e foi até o profeta, mas veja que interessante: ela só tinha um pouquinho de azeite na botija. Então, o profeta mandou que ela pedisse vasilhas emprestadas aos seus vizinhos, e, assim, o azeite se multiplicou (2 Reis 4). Imagine se ela não tivesse a quem pedir as vasilhas? Não haveria o milagre da multiplicação!

Aprendemos com essas duas histórias que são os amigos de verdade que nos ajudam a alcançar o milagre. Amigos de verdade são aqueles que, dentro do propósito de Deus, podem destravar o nosso futuro e fazer com que tenhamos acesso às promessas divinas.

"Os amigos de verdade nos ajudam a alcançar o milagre."

Quem são os seus amigos de verdade?

....

....

....

....

....

....

....

Plano de leitura:
(2 Samuel 11—14)

Acesse o QR code para saber mais

TORNANDO-SE UMA PESSOA MELHOR

"*Pessoas melhores a cada dia melhoram pessoas a cada dia. Pessoas piores a cada dia pioram pessoas todos os dias.*"

Quais mudanças você percebe que Deus já fez em sua vida?

....

....

....

Plano de leitura:
(2 Samuel 15—17)

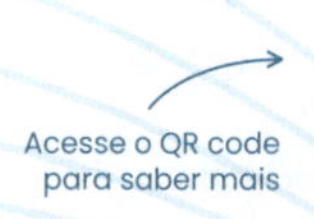

Você pode ser uma pessoa melhor a cada dia, mas para isso deve desenvolver um relacionamento diário com o Senhor. Nesse sentido, a Bíblia diz: "A vereda dos justos é como a luz da aurora, que vai brilhando mais e mais até ser dia perfeito" (Provérbios 4.18, ARA). Talvez você não tenha notado as mudanças em sua vida, mas, se estiver andando nos caminhos do Senhor, com certeza você mudou muito.

Hoje, posso dizer que o Espírito de Deus fez uma grande obra em minha vida, pois, ao olhar para trás, vejo quantos erros eu cometia e agora não cometo mais. Não sou perfeito, mas estou sendo aperfeiçoado pelo Senhor todos os dias.

É somente na presença de Deus que nos tornaremos pessoas cada vez melhores. Você já deve ter notado que tem gente que não muda com o passar do tempo. Isso é muito triste, principalmente quando aqueles que encontramos fazem esse tipo de declaração a nosso respeito.

Nesse contexto, compreenda que é somente pelo Espírito Santo, por meio do fruto desse relacionamento com Deus, que nos tornamos pessoas melhores dia após dia.

TEMPO DE RENOVO

Para vivenciarmos as promessas divinas, muitas vezes é fundamental que haja um renovo em nossa vida. Afinal, renovar significa tornar novo, melhorar e substituir por algo superior. Nesse sentido, podemos dizer que tudo aquilo que não se renova acaba perecendo, ou seja, o renovo é essencial para a preservação da vida.

Consciente disso, Deus nos fez uma promessa: "Mas os que esperam no SENHOR renovarão as suas forças e subirão com asas como águias; correrão e não se cansarão; caminharão e não se fatigarão" (Isaías 40.31, ARC).

Creia que é tempo de renovo; assim, Deus deseja renovar as suas energias. Ainda há muito a ser realizado, e você pode ir ainda mais longe. Creia que é tempo de renovo, e que o seu propósito está apenas começando.

Tudo o que você precisa é estar na presença do Senhor e aguardar nele, pois a promessa de renovo é apenas para aqueles que esperam em Deus.

Portanto, não desista. Compreenda que, ao esperar no Senhor, uma promessa de renovação tem potencial de se cumprir em sua vida.

"Tudo que não se renova morre."

Você se sente pronto para viver um novo tempo com Deus?

....

....

....

....

....

....

....

....

....

....

Plano de leitura:
(2 SAMUEL 18—19)

Acesse o QR code para saber mais

NÃO PARE DIANTE DE UM FRACASSO

"Seu maior fracasso se transformará em seu maior testemunho."

Você já viu um tempo ruim na sua vida ser transformado em bênção por Deus?

....

....

....

....

....

....

Plano de leitura:
(2 Samuel 20—22)

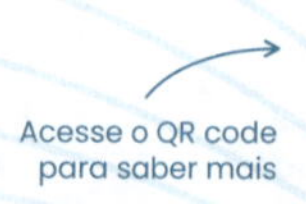

Muitas pessoas ficam paralisadas quando fracassam ou quando algo não dá certo; então, abandonam seus projetos e desistem dos seus sonhos. Por isso, meu conselho é: não pare diante de um fracasso.

A Bíblia relata que, certa vez, Davi e seus soldados encontraram a cidade destruída pelo fogo e viram que suas mulheres e seus filhos tinham sido levados como prisioneiros. Diante daquele tão grande fracasso, Davi ficou entristecido e chorou muito. Mas, ao orar, o Senhor o fortaleceu, dizendo: "Persiga-os; é certo que você os alcançará e conseguirá libertar os prisioneiros" (1 Samuel 30.8).

O Senhor estava dizendo a Davi: "Levante-se! Pois certamente perseguirá os seus inimigos e trará de volta o que é seu!". É dessa forma que devemos reagir! Não podemos ficar lamentando e chorando por causa do fracasso; é preciso reagir e crer que Deus nos dará a vitória.

Precisamos acreditar que o Senhor transforma o fracasso em triunfo, ele troca as vestes de tristeza por vestes de alegria e, em vez de um espírito angustiado, nos dá forças para reagir e vencer os fracassos da vida (Isaías 61.3).

NOVA MENTALIDADE

Quando o povo de Israel saiu do Egito, infelizmente manteve a mentalidade de escravo por muito tempo e, por causa disso, não tomou posse da promessa.

Precisamos ter uma nova mentalidade e saber que escravos não conquistam, não avançam e não desfrutam das promessas divinas. Somente pessoas livres avançam e conquistam. Jesus nos libertou; foi para a liberdade que ele nos chamou!

Quem tem mentalidade de escravo murmura e acaba morrendo no deserto por causa dessa forma de pensar. Por isso, o apóstolo Paulo escreveu: “E não se queixem, como alguns deles se queixaram e foram mortos pelo anjo destruidor” (1 Coríntios 10.10).

Pare de reclamar! Tenha a mente de um conquistador e creia que Jesus veio para lhe dar vida em abundância! Tenha uma nova mentalidade e entenda que em Cristo você já é mais que vencedor. Dessa forma, mesmo quando tudo der errado, pare de murmurar e de dizer que é difícil, pois essa é a mentalidade de um escravo. Pessoas livres agradecem porque creem que “todas as coisas cooperam para o bem daqueles que amam a Deus” (Romanos 8.28, ARA).

“Um projeto grande não cabe em uma mente pequena!”

Sua mentalidade está renovada com sua vida nova em Jesus?

....

....

....

....

....

....

....

Plano de leitura:
(2 Samuel 23—24)

Acesse o QR code para saber mais

EXERCITANDO O PERDÃO

"Aquele que não é capaz de perdoar será incapaz de amar."

Quem você precisa perdoar?

....

....

....

....

....

....

....

Plano de leitura:
(1 Reis 1—2)

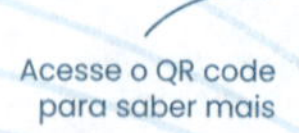

O perdão é uma das principais qualidades de um cristão. Nesse sentido, há uma passagem bíblica que afirma: "Perdoei-te toda aquela dívida, porque me suplicaste. Não devias tu, igualmente, ter compaixão do teu companheiro, como eu também tive misericórdia de ti?" (Mateus 18.33, ARC).

Recebemos o perdão de Deus e, da mesma forma, devemos perdoar o nosso semelhante, colocando em prática o que oramos no Pai-nosso: "Perdoa as nossas ofensas como também nós perdoamos as pessoas que nos ofenderam" (Mateus 6.12, NTLH).

Portanto, se alguém fez ou disse algo que não agradou a você, libere perdão, pois quem não perdoa está sempre amarrado. Além disso, os demônios se alimentam das mágoas e da falta de perdão.

A Palavra diz: "Bem-aventurados os limpos de coração, porque verão a Deus" (Mateus 5.8, ARA). Somente quem aprende a perdoar tem um coração limpo. Além disso, o perdão não é fruto de um sentimento, mas, sim, de uma decisão.

Portanto, exercite o perdão e livre-se de qualquer mágoa, rancor ou ressentimento. Lembre-se de que só está plenamente dentro da vontade de Deus quem aprende a perdoar.

BEM-AVENTURADOS OS POBRES DE ESPÍRITO

Quando Jesus proferiu essa frase, ele chocou aquela geração, pois o seu discurso ia além da realidade conhecida. Mas ele não estava se referindo especificamente aos pobres no sentido financeiro; antes, àqueles que são humildes de coração.

Em outras palavras, ele estava se dirigindo a todos aqueles que reconhecem sua necessidade de Deus para alcançar a felicidade. Portanto, o pobre de espírito é aquele que reconhece que é impossível viver ou sobreviver sem depender do Senhor. Afinal, é somente por meio de Jesus que podemos ser verdadeiramente bem-aventurados!

No entanto, mesmo nos dias atuais, ainda vemos pessoas que se apoiam em suas riquezas, acreditando que a felicidade pode ser alcançada por meio de bens materiais e estabilidade financeira. No entanto, isso é um engano, pois verdadeiramente feliz e rico é aquele que depende de Deus!

Portanto, tenha humildade, seja um pobre de espírito e renda-se ao Senhor, pois essa é a receita da verdadeira felicidade! Como nos ensina a Palavra: "Pois conheceis a graça de nosso Senhor Jesus Cristo, que, sendo rico, se fez pobre por amor de vós, para que, pela sua pobreza, vos tornásseis ricos" (2 Coríntios 8.9, ARA).

"Verdadeira felicidade é depender de Deus."

Liste cinco coisas que você precisa para ser feliz, porém não se esqueça de que, se Deus não estiver em primeiro lugar, algo está errado.

....

....

....

....

....

....

Plano de leitura:
(1 Reis 3—5)

Acesse o QR code para saber mais

DEUS TEM PLANOS PARA VOCÊ

"Deus pode destruir planos para que os seus planos não destruam você."

Você consegue visualizar com bons olhos o futuro que Deus tem para você?

Plano de leitura:
(1 Reis 6—7)

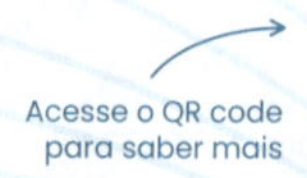

Acesse o QR code para saber mais

A Bíblia apresenta uma afirmação que ele fez para o povo de Judá em época de grande sofrimento: "Pois eu bem sei que planos tenho a vosso respeito, diz o Senhor; planos de prosperidade e não de mal, para vos dar um futuro e uma esperança" (Jeremias 29.11, A21). Aquele episódio nos mostra que os planos de Deus frequentemente são bem maiores e melhores do que podemos imaginar.

Davi com certeza não planejou ser o rei de Israel. Acredito que Moisés também não tinha como objetivo ser o grande libertador de Israel. Tampouco Paulo tinha antecipado que se tornaria o apóstolo dos gentios. De igual modo, Deus tem planos grandiosos para a sua vida e vai surpreendê-lo, mas, para que isso aconteça, é preciso alinhar seus planos com os de Deus para que tudo dê certo.

Eu sou a prova viva disso, pois jamais imaginei ter uma família como a que tenho, nem sonhei com tantas bênçãos como as que tenho recebido. Por isso, posso afirmar que realmente os planos de Deus são melhores que os meus.

Tudo o que o Senhor planeja leva à paz e à esperança. Portanto, não desista, apenas creia que ele tem planos grandiosos para você também.

PLANEJADO PARA DAR CERTO

Acredito que Deus planejou e projetou algo maravilhoso sobre a sua vida, pois o salmo 139 diz: "Os teus olhos me viram a substância ainda informe, e no teu livro foram escritos todos os meus dias, cada um deles escrito e determinado, quando nem um deles havia ainda" (v. 16, ARA).

Essa palavra revela uma verdade absoluta e nos assegura que não fomos concebidos pela vontade humana, mas, sim, pela de Deus (João 1.13). Mesmo que seus pais não tenham desejado o seu nascimento ou o tenham rejeitado, você foi planejado por Deus

Talvez você tenha enfrentado muitas situações em que tudo parecia dar errado em sua vida e é possível que você não compreenda os planos de Deus, mas creia que, no final, tudo se encaixará e fará sentido.

Se você observar a vida de Moisés, desde o seu início até o seu fim, verá que tudo o que aconteceu tinha um propósito. Assim também será em sua vida, pois os planos de Deus nunca falham, e você foi projetado para ter sucesso.

"*Não aconteceu ainda, mas vai acontecer.*"

Você já se sentiu sem entender para onde as coisas da sua vida estavam caminhando?

....

....

....

....

....

....

....

....

Plano de leitura:
(1 Reis 8—9)

Acesse o QR code para saber mais

QUEM ESCONDE NÃO PROSPERA

"Não imponha limites a um Deus que é ilimitado."

Você entende a importância da confissão de pecados?

....

....

....

....

....

....

....

....

Plano de leitura:
(1 Reis 10—11)

Acesse o QR code para saber mais

Em Provérbios 28.13, está escrito: "Quem esconde os seus pecados não prospera, mas quem os confessa e os abandona encontra misericórdia". Aqueles que tentam esconder seus pecados impedem que a bênção de Deus se manifeste em sua vida, ou seja, não prosperam.

A Bíblia relata a história de Acã, que fazia parte do exército de Israel. Deus havia ordenado que, depois de vencer os inimigos, ninguém deveria tomar nada dos despojos. No entanto, Acã desobedeceu; ele viu uma capa babilônica, prata e ouro, cobiçou-os e os escondeu entre seus pertences. Como resultado, o exército de Israel foi derrotado e caiu nas mãos de seus inimigos. A desgraça só cessou quando o mal foi removido do meio deles (Josué 7).

Deus ama você com amor paternal, o que inclui disciplina. Por isso, é importante que você se mantenha sempre fiel, para que a bênção de Deus se manifeste.

Com humildade, confesse seus pecados e peça perdão ao Senhor, pois aquele que confessa e deixa alcançará misericórdia. Deus deseja que você desfrute plenamente das grandes promessas que ele tem para sua vida.

DESPERTE DO SONO

O apóstolo Paulo, certa vez, escreveu uma carta, dizendo: "Desperta, ó tu que dormes, levanta-te dentre os mortos e Cristo resplandecerá sobre ti" (Efésios 5.14).

Ele disse isso porque havia dentro daquela igreja muitas pessoas que estavam dormindo enquanto as coisas estavam acontecendo, ou seja, muitos estavam perdendo tempo e dormindo um profundo sono espiritual.

Precisamos despertar para prosperar! Por isso, Salomão disse: "Ó preguiçoso, até quando ficarás deitado? Quando te levantarás do teu sono? Um pouco para dormir, um pouco para tosquenejar; um pouco para encruzar os braços em repouso, assim sobrevirá a tua pobreza como um ladrão, e a tua necessidade como um homem armado" (Provérbios 6.9-11, ARA).

Com isso, compreendemos que pessoas que dormem demais não têm tempo para realizar nada; quem dorme demais não avança, não conquista.

Nunca permita que seu sono seja maior que seus sonhos. Desperte, pois é hora de avançar e de tomar posse das bênçãos.

Por isso, Deus está nos despertando! Levante-se, pois grandes coisas Deus tem prometido e preparado para você.

"*Nunca permita que seu sono seja maior que seus sonhos.*"

O que mais tem feito você se distrair nos últimos dias?

....

....

....

....

....

....

....

Acesse o QR code para saber mais

DÊ O PRIMEIRO PASSO

"Hoje, é dia de dar mais um passo em direção à promessa."

Qual é o passo que você precisa dar hoje?

....

....

....

....

....

....

....

....

Plano de leitura:
(1 Reis 14—17)

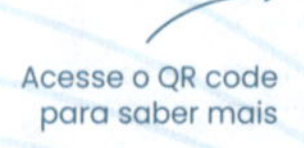

Antes de toda caminhada, é necessário dar o primeiro passo. Muitas pessoas querem chegar lá, mas nunca o fazem, simplesmente porque não têm coragem de dar o primeiro passo.

Deus fez grandes promessas e chamou Abraão, dizendo: "Sai da tua terra, da tua parentela e da casa de teu pai e vai para a terra que eu te mostrarei" (Gênesis 12.1, ARA).

Acredito que tenha sido uma decisão difícil, pois Abraão precisou dar o primeiro passo rumo ao desconhecido. Então, fico pensando em quantas vezes devemos decidir qual rumo seguir, mas, presos na indecisão, não nos movemos para lugar nenhum, ou seja, não damos o primeiro passo.

Você precisa agir como Abraão: dar um passo e sair do lugar onde está para seguir em direção à promessa. Mesmo que ela pareça distante, creia que Deus está à sua espera.

Portanto, dê o passo inicial e persevere até o fim, para que possa alcançar os lugares que Deus prometeu e preparou para sua vida. Dê o primeiro passo e acredite que hoje é o início de um novo tempo em sua vida!

OS VERDADEIROS ADORADORES

Jesus disse, conforme registrado em João 4.23: "A hora vem, e agora é, em que os verdadeiros adoradores adorarão o Pai em espírito e em verdade; porque o Pai procura a tais que assim o adorem" (ARC). Ora, se Deus está à procura de verdadeiros adoradores, é porque existem os falsos adoradores, isto é, aqueles que adoram a Deus por aquilo que ele pode oferecer, não pelo que ele é!

Vemos no rei Davi o exemplo de verdadeiro adorador. A Bíblia diz que, quando trouxeram a arca do Senhor de volta a Jerusalém, Davi saltava com todas as suas forças diante do Senhor. Mas quando Mical, olhando pela janela, viu a arca do Senhor chegando e o modo como Davi dançava, ela o desprezou em seu coração (2 Samuel 6).

Até hoje é assim que funciona: o verdadeiro adorador denuncia quem é o falso. Pois os falsos não suportam a verdadeira adoração, enquanto o adorador de verdade não se importa com o que as pessoas falam, uma vez que ele não se move por críticas nem por elogios, mas, sim, por amor a Deus.

É por isso que o Pai procura os verdadeiros adoradores que o amem de todo o coração e de todas as suas forças.

"Coisas frágeis não resistem ao tempo."

Como você enxerga a verdadeira adoração?

....

....

....

....

....

....

....

....

....

....

Plano de leitura:
(1 Reis 18—20)

Acesse o QR code para saber mais

ÁRVORE QUE DÁ FRUTOS

"Deixe os seus frutos falarem por você."

Quais são seus principais frutos ao longo da caminhada?

....

....

....

....

....

....

....

....

....

Plano de leitura:
(1 Reis 21—22)

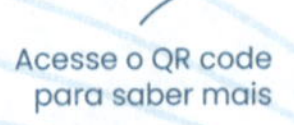

Sabemos que é da vontade de Deus que venhamos a dar frutos, conforme disse Jesus no Evangelho de João: "Todo ramo que, estando em mim, não dá fruto, ele corta; e todo que dá fruto ele poda, para que dê mais fruto ainda" (João 15.2).

O propósito de Deus é que nós frutifiquemos!

Por isso, acredite que está chegando o tempo de frutificar e que todas as sementes que você semeou há muito tempo agora gerarão muitos frutos. Portanto, não fique triste porque Deus está tirando algumas pessoas de sua vida. Isso está acontecendo porque ele está limpando e podando a árvore que você é, ou seja, ele está retirando tudo o que o afasta dele.

Pode parecer que algumas coisas saíram do lugar, mas, na verdade, é Deus preparando tudo para um novo tempo em sua vida. Você é uma árvore escolhida para dar muitos frutos.

Acredite que está chegando o tempo de frutificação, ou seja, creia que você é uma árvore que frutifica e que seus frutos glorificarão o nome do Senhor.

LIDANDO COM A FRUSTRAÇÃO

Você já reparou como é difícil lidar com a frustração?

É difícil lidar com esse sentimento que geralmente surge quando uma expectativa não é atendida. Além disso, por causa da frustração, muitas pessoas param no caminho ou voltam para os lugares de onde Deus as tirou.

Lucas 24.13-35 conta a história de dois discípulos que estavam a caminho de Emaús. Eles estavam voltando de Jerusalém porque haviam se frustrado com os recentes acontecimentos e estavam tristes. Não se lembraram das palavras de Jesus nem o reconheceram quando ele se pôs a caminhar e a falar com eles.

Pessoas frustradas ficam entristecidas e, quando as coisas não saem como imaginam, são as primeiras a retroceder. Toda frustração causa retrocesso e tristeza.

É por isso que precisamos de Jesus; somente ele pode nos ajudar a vencer as frustrações do dia a dia. Jesus caminha ao seu lado, assim como fez com aqueles homens.

Portanto, aprenda a lidar com a frustração e não retroceda, não volte aos lugares de onde Deus o tirou. Permaneça no centro da vontade do Senhor e acredite que ele tem planos para sua vida.

"A frustração não fará você perder a direção."

As frustrações têm mantido você preso a algo?

Plano de leitura:
(2 Reis 1—4)

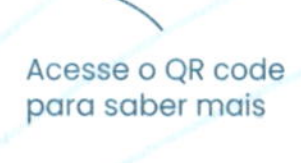

QUEM É VOCÊ NO VALE?

"*Profetizar é verbalizar a sua fé!*"

Você consegue profetizar vitória no meio do vale pelo qual está passando?

Uma história bíblica muito conhecida fala sobre um vale de ossos secos para onde Deus levou o profeta Ezequiel. De repente, o Senhor perguntou a ele: "Filho do homem, acaso, poderão reviver estes ossos? Respondi: SENHOR Deus, tu o sabes. Disse-me ele: Profetiza a estes ossos e dize-lhes: Ossos secos, ouvi a palavra do SENHOR. Assim diz o SENHOR Deus a estes ossos: Eis que farei entrar o espírito em vós, e vivereis" (Ezequiel 37.3-5, ARA).

Qual seria a sua atitude? O que você responderia? Quem é você no vale?

Muitas pessoas, quando estão no vale e recebem diagnósticos de uma situação difícil, ficam paralisadas e não fazem nada. Deus, porém, nos ensina que devemos ser profetas no meio do vale, que devemos profetizar a palavra dele.

Portanto, abra a sua boca e, tal como um profeta, siga as ordens do Senhor e clame a ele. Deus é poderoso para mudar qualquer situação e trazer vida onde há morte.

Faça como o profeta e proclame a palavra divina, acreditando que, enquanto você profetiza, assim como os ossos se juntaram, as coisas voltarão ao seu devido lugar pelo poder de Deus.

Plano de leitura:
(2 Reis 5—7)

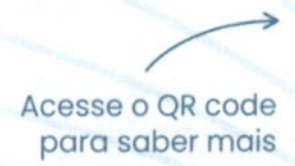

Acesse o QR code para saber mais

DEUS VAI ENCONTRAR VOCÊ

O salmista escreveu: "Para onde me irei do teu Espírito ou para onde fugirei da tua face? Se subir ao céu, lá tu estás; se fizer no Seol a minha cama, eis que tu ali estás também; se tomar as asas da alva, se habitar nas extremidades do mar, até ali a tua mão me guiará e a tua destra me susterá. Se disser: decerto que as trevas me encobrirão; então a noite será luz à roda de mim" (Salmos 139.7-11, ARC).

Não há como fugir do Senhor, pois, ainda que subamos ao mais alto monte ou à mais profunda cova, até ali o Senhor vai ao nosso encontro. Vemos isso claramente em alguns episódios da história de Elias. Ele passou por um momento tão difícil que fugiu para o deserto e pediu a morte, então se escondeu debaixo de um pé de zimbro e depois entrou em uma caverna. Mas, após tantas tentativas de se esconder, Deus foi ao encontro do profeta e disse: "Que fazes aqui, Elias?" (1 Reis 19.9, ARC).

Deus encontrou Elias na caverna, foi ao encontro de Jonas no ventre do grande peixe e achou Moisés no deserto. Hoje, ele vem ao nosso encontro. Portanto, o que proponho é que, assim como eu, você se renda aos pés de Jesus.

"Deus não desistiu de você."

Já esteve em alguma situação em que tentou se esconder de Deus?

....

....

....

....

....

....

....

....

....

....

....

Plano de leitura:
(2 Reis 8—10)

Acesse o QR code para saber mais

DESPERTE O DOM QUE HÁ EM VOCÊ

"Seus talentos podem fazer a diferença na vida de muitas pessoas."

Quais dons e talentos você precisa despertar?

Plano de leitura:
(2 Reis 11—14)

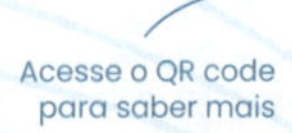

Acesse o QR code para saber mais

Muitas vezes, ignoramos os dons e talentos que recebemos de Deus, por isso os utilizamos pouco ou os deixamos adormecidos. É por isso que o apóstolo Paulo, ao escrever a Timóteo, diz: "Por essa razão, lembro-te de que despertes o dom de Deus que há em ti mediante a imposição das minhas mãos" (2 Timóteo 1.6, A21).

Deus também deseja que você desperte o seu dom e o deixe fluir para impactar esta geração. Portanto, não deixe seu dom adormecer. Não pense que você é o dono desses talentos; você é apenas um mordomo. Por isso, não faça como muitas pessoas que colocam os dons no peito como medalhas para se gloriarem. Os dons e talentos são ferramentas que vão nos auxiliar na obra de Deus e devem servir às pessoas.

Não negligencie nenhum dos seus dons, desperte-os, pois cada dom é para um tempo específico. Nesse sentido, nunca precisamos tanto da manifestação dos dons concedidos pelo Espírito Santo como em nossos dias.

Seu dom pode fazer a diferença na vida de muitas pessoas. É tempo de despertar o dom que está em você para servir, não para ser servido.

CUIDE BEM DOS SEUS

É fundamental agradar o coração de Deus. Nesse sentido, a Bíblia conta muitas histórias de homens que tiveram grande êxito porque cuidaram bem dos seus, ou seja, das pessoas da própria casa.

Um exemplo muito conhecido é o de Noé: ele construiu a arca, e toda a sua família foi salva. É esse cuidado que devemos adotar. Precisamos construir um relacionamento com Deus de modo a entregar a ele a nossa família.

A Palavra diz: "Mas, se alguém não tem cuidado dos seus e principalmente dos da sua família, negou a fé e é pior do que o infiel" (1 Timóteo 5.8, ARC). Portanto, precisamos honrar as pessoas que estão conosco no momento da dificuldade, cuidar da nossa família e não negligenciar os irmãos da fé.

Invista tempo de qualidade com o seu cônjuge e seus filhos e mantenha um diálogo saudável no lar. Lembre-se de que, quando Adão se afastou de Eva, a serpente se aproximou, ou seja, quando o homem se cala, o Inimigo fala e engana.

Portanto, cuide bem dos seus e não permita que o Diabo lhe roube a bênção de ter um lar próspero e abençoado.

"Presente não substitui presença."

O que você poderia fazer para melhorar o relacionamento com a sua família?

....

....

....

....

....

....

....

....

....

Plano de leitura:
(2 Reis 15—17)

SEJA GENEROSO

"A generosidade atrai a prosperidade."

Qual foi o seu maior ato de generosidade?

....

....

....

....

....

....

....

....

....

....

Plano de leitura:
(2 Reis 18—19)

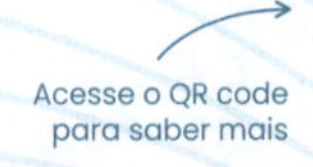

Você já percebeu que muitas pessoas generosas são prósperas?

Isso acontece porque a generosidade agrada o coração de Deus, conforme diz a Palavra: "Há quem dê generosamente, e vê aumentar suas riquezas; outros retêm o que deveriam dar, e caem na pobreza. O generoso prosperará; quem dá alívio aos outros, alívio receberá" (Provérbios 11.24,25).

Desse modo, vemos que ser generoso é fundamental para agradar a Deus.

O Novo Testamento relata a generosidade de um menino que entregou os poucos pães e peixes que carregava consigo, e isso foi o suficiente para abençoar pessoas que talvez ele nem conhecesse (João 6).

A generosidade abre as portas para grandes bênçãos; ela pode preceder a manifestação grandiosa e gloriosa do Senhor. E lembre-se de que isso não está relacionado apenas ao dinheiro. Portanto, pratique a generosidade, tenha um coração generoso e assim acredito que Deus se agradará de sua vida.

Com certeza, a boa mão do Senhor estará estendida sobre você.

"VÓS SOIS O SAL DA TERRA"

Jesus disse aos seus discípulos: "Vós sois o sal da terra; e, se o sal for insípido, com que se há de salgar? Para nada mais presta senão para se lançar fora e ser pisado pelos homens" (Mateus 5.13, ARC). O que será que ele estava querendo dizer com a expressão "sal da terra"?

O sal está fortemente ligado ao sabor e à conservação. Desse modo, ao dizer que somos o "sal da terra", Cristo estava mostrando que, quando vivemos de acordo com a essência que Deus nos deu, a nossa sociedade não entra em decomposição moral, pois aqueles que são o "sal" ajudam a preservar os princípios de Deus.

Por isso, compreenda que se o Senhor o colocou em certos ambientes é porque ele o quer ali, para que não haja deterioração, mas, sim, sabor.

Você já experimentou comer alimentos sem sal? Assim é a nossa vida: sem sal, ela não tem sentido, perde o gosto. Portanto, não seja insípido, não se contamine, mantenha-se puro e seja o "sal da terra" nos ambientes onde o Senhor o colocou.

"O sal só faz a diferença fora do saleiro."

Você faz a diferença nos ambientes fora da igreja que frequenta?

Plano de leitura:
(2 Reis 20—23)

Acesse o QR code para saber mais

SEJA UM RIO, NÃO UMA REPRESA

"Deus tem poder para multiplicar tudo o que você estiver disposto a dividir."

O que você tem nas mãos que pode ser compartilhado com as pessoas?

....

....

....

....

Plano de leitura:
(2 Reis 24—25)

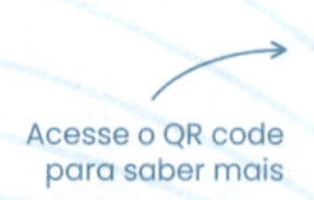

Hoje, quero fazer um paralelo entre um rio e uma represa.

Por onde passa, o rio leva vida. Em Israel, está o chamado mar Morto, que tem esse nome porque nele não há vida. Entre outras características, ele tem alto grau de salinidade e apenas recebe as águas do rio Jordão, mas não deságua em nenhum outro rio.

Ao mencionar que você precisa ser como um rio, não como uma represa, isso significa que você é chamado para abençoar, para fazer a diferença na vida das pessoas. Portanto, compartilhe o seu conhecimento, pois o pouco que você sabe pode ser suficiente para tirar alguém de um lugar difícil e mudar a história dessa pessoa. Deus deseja fluir por meio de sua vida, assim como disse Jesus: "Quem crer em mim, como diz a Escritura, do seu interior fluirão rios de água viva" (João 7.38, ARA).

Use aquilo que você tem e passe o seu conhecimento adiante. Seja um instrumento de Deus e não retenha a mensagem que ele colocou em seu coração; compartilhe para abençoar o maior número de pessoas em sequidão, e assim, pelo fluir da presença do Senhor em sua vida, muita gente será transformada.

OUÇA A VOZ DO ESPÍRITO SANTO

O Espírito Santo tem falado conosco com frequência, mas nem sempre o ouvimos. Na maioria das vezes, é por estarmos tão distraídos a ponto de não perceber ou não conseguir discernir a voz de Deus.

Hebreus 3.7,8 diz: “Portanto, como diz o Espírito Santo, se ouvirdes hoje a sua voz, não endureçais o vosso coração, como na provocação, no dia da tentação no deserto” (ARC). Isso mostra que Deus deseja falar com você por intermédio do Espírito Santo; portanto, não endureça o seu coração.

Certa vez, orei por uma pessoa que estava em estado de saúde muito crítico, com metástase, e chorava muito, pois o médico havia dito que ela teria poucos dias de vida. No entanto, ao impor as mãos naquela pessoa, o Espírito de Deus me disse: “Diga que vou curá-la, e em três dias ela sairá deste leito hospitalar!”.

Fiquei atordoado, mas o Espírito Santo falou tão forte ao meu coração que entreguei a mensagem. Depois de algum tempo, aquela pessoa testemunhou que a palavra havia se cumprido.

O Senhor é fiel; se ele está falando, creia. Aprenda a ouvir a voz do Espírito Santo, crendo que ele deseja derramar muitas bênçãos em sua vida.

“Deus sempre estará certo, mesmo que tudo esteja errado.”

Você sabe reconhecer a voz do Espírito Santo quando ele fala com você?

Plano de leitura:
(1 Crônicas 1—2)

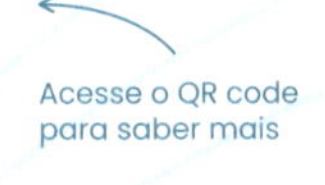

Acesse o QR code para saber mais

A ORAÇÃO É A CHAVE

"A sua vitória está à distância de uma oração."

Quais são sua rotina e frequência de oração?

....

....

....

....

....

....

....

....

Plano de leitura:
(1 Crônicas 3—5)

Acesse o QR code para saber mais

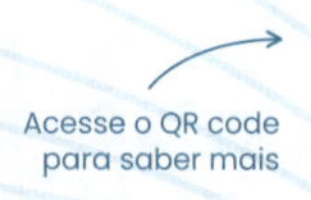

Muitas vezes, passamos por situações difíceis em que as portas estão fechadas há muito tempo e não sabemos como agir. Nessas e em todas as ocasiões, a oração é a chave para mudar qualquer circunstância.

O Novo Testamento registra que "o rei Herodes estendeu as mãos sobre alguns da igreja, para os maltratar; e matou à espada Tiago, irmão de João. E, vendo que isso agradara aos judeus, continuou, mandando prender também a Pedro" (Atos 12.1-3, ARC).

Pedro estava em uma situação da qual não havia como se desvencilhar. Mas a igreja fazia contínua oração a Deus por ele. Graças à chave que é a oração, as portas da prisão foram literalmente abertas. Deus enviou um anjo até onde ele estava e o libertou.

Paulo e Silas também estavam presos e, por volta da meia-noite, oravam e cantavam louvores a Deus. De repente, houve um terremoto e as portas da prisão se abriram (Atos 16).

Entenda que a oração é a chave que abre todas as portas. Ore e creia que Deus pode enviar um anjo para trazer o escape necessário. Ore um pouco mais, pois talvez a sua vitória esteja apenas à distância de uma oração.

ENCONTROS QUE MUDAM A HISTÓRIA

Durante a jornada da vida, deparamos com inúmeras pessoas, porém existem encontros que deixam uma marca indelével em nossa história.

Foi exatamente isso que ocorreu com Jacó. Em determinado momento, ele vivenciou um encontro que transformou completamente sua trajetória e, a partir daquele instante, jamais seria o mesmo. Anteriormente, ele se debatia com questões mal resolvidas, recorria à trapaça e ao engano, agindo e pensando conforme sua vontade. Mas, após seu encontro com Deus no vau do rio Jaboque, quando o anjo do Senhor tocou em sua coxa e o fez caminhar de maneira diferente, sua vida tomou um novo rumo (Gênesis 32).

É imprescindível que você tenha um encontro com Deus o mais rápido possível!

Os momentos que passamos a sós com o Senhor têm o poder de transformar completamente nossa história! Afinal, aqueles que se relacionam com ele jamais são os mesmos.

Talvez você esteja trilhando um caminho semelhante ao de Jacó, tentando vencer suas batalhas sozinho. Mas lembre-se de que, sem Deus, não temos nenhuma chance de vencer. Após receber uma nova identidade, Jacó deixou para trás a vida de enganos e se tornou Israel, o príncipe de Deus. Um encontro com Deus muda tudo.

"Quem tem um encontro com Deus jamais conseguirá andar como antes."

Você reconhece as mudanças que aconteceram na sua vida desde o seu primeiro encontro com Deus?

....

....

....

Plano de leitura:
(1 Crônicas 6)

Acesse o QR code para saber mais

SERVIR SEM SER VISTO

"Deus não o chamou para passar um sermão em alguém, mas para ser mão para alguém."

Identifique três pessoas que você poderia ajudar e servir nos próximos dias.

....

....

....

Plano de leitura:
(1 Crônicas 7—9)

Acesse o QR code para saber mais

Nos dias atuais, muitas pessoas almejam se tornar influenciadoras, buscando elevar seus nomes para serem reconhecidas como autoridades. No entanto, no Reino de Deus, há um princípio diferente: aquele que deseja ser o maior deve ser o menor, ou seja, deve servir sem almejar o reconhecimento (Lucas 22.24-27).

Em 2 Reis 5, a Bíblia relata a história de uma menina que, mesmo sendo cativa, se tornou instrumento de cura nas mãos de Deus para seu senhor. Ela disse à sua senhora que se o seu amo se encontrasse com o profeta que estava em Samaria, ele seria curado da lepra.

Desconhecemos o nome dessa menina, assim como não sabemos o nome do menino que entregou os cinco pães e os dois peixes a Jesus, possibilitando o milagre da multiplicação, ou ainda o nome do jovem que avisou Jesus sobre a doença de Lázaro. Todos esses personagens permaneceram anônimos, porém causaram impacto na vida do próximo.

Aprenda, então, que o mais importante é cumprir seu propósito, servir sem buscar destaque, glorificar o nome de Deus e ter seu nome escrito no livro da vida.

Portanto, sirva sem almejar reconhecimento, pois Deus tem uma grande recompensa reservada para você.

O LADRÃO DA ALEGRIA

Jesus afirmou que algumas das características do ladrão são roubar, matar e destruir (João 10). Assim, o Inimigo age como ladrão da alegria e vem nos assaltar, isto é, nos entristecer e roubar nosso sorriso. Ele vem sorrateiramente, e muitas pessoas não percebem. Só depois de algum tempo, sentem falta daquela alegria que tinham ao acordar, de estar perto das pessoas amadas e, sobretudo, da alegria de viver.

Por isso, embora muitas pessoas tenham acumulado patrimônio, também há um grande acúmulo de tristeza. Muitas famílias foram destruídas não pela falta de dinheiro, mas porque perderam a alegria de se sentarem à mesa para fazer as refeições e porque o Diabo roubou a alegria de irem à casa do Senhor.

Porém, saiba que Jesus veio para desfazer as obras do Diabo. Vigie e não deixe o ladrão da alegria roubar o que Deus lhe deu. O ladrão veio para roubar sua alegria, mas Cristo tem poder para restituí-la. Ele veio para lhe dar vida e vida em abundância.

"Não deixe o ladrão da alegria roubar o que Deus lhe deu."

Quais são os seus cinco maiores motivos de alegria hoje?

....

....

....

....

....

....

....

Acesse o QR code para saber mais

O PODER DO CLAMOR

"A oração precede grandes conquistas."

Por qual aspecto da sua vida você precisa orar nesta semana?

Plano de leitura:
(1 Crônicas 12—15)

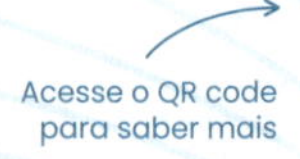

Acesse o QR code para saber mais

O clamor é uma chave poderosa que abre muitas portas e destrava o futuro.

Pessoas que dependem de Deus não se paralisam, mas avançam e chegam a lugares que outras jamais conseguiram.

A Bíblia fala do poder da oração de Daniel, pois, mesmo sendo cativo, ele determinou em seu coração não se contaminar com os costumes daquele lugar (Daniel 1) e manter-se fiel em oração. Como resultado, ele foi engrandecido e se tornou governador: "Então, o rei engrandeceu a Daniel, e lhe deu muitos e grandes presentes, e o pôs por governador de toda a província de Babilônia" (Daniel 2.48, ARA).

O poder da oração é muito grande. Por isso, precisamos decidir firmemente orar segundo a vontade de Deus. Clame e acredite que existem projetos que só vão acontecer se você estiver determinado a cumprir a vontade do Senhor.

Veja o exemplo de Daniel: Deus o honrou, e assim é até hoje. Portanto, ore segundo a vontade do Senhor e creia que ele vai abençoá-lo como abençoou a Daniel.

SEJA UM VASO DE HONRA

Todo aquele que conhece o Senhor deve se afastar da iniquidade e fazer a vontade de Deus, pois foi chamado para ser vaso de honra: "De sorte que, se alguém se purificar destas coisas, será vaso para honra, santificado e idôneo para uso do Senhor e preparado para toda boa obra" (2 Timóteo 2.19-21, ARC).

Há também em Jeremias a alegoria do vaso quebrado nas mãos do oleiro (Jeremias 18). Isso significa que o Senhor o escolheu, e quando você se coloca nas mãos dele, sua vida é transformada: você se torna um vaso novo, um vaso de honra. Nós somos como barro, mas, nas mãos do oleiro, o Senhor vai nos moldando, e um novo vaso vai ganhando forma.

O Senhor tem o poder de trabalhar e transformar sua vida, mas cabe perguntar: você tem coragem de aceitar que o oleiro quebre, amasse e molde sua vida? Você se põe como vaso nas mãos do Senhor e se permite passar pelo processo, que envolve tirar as bolhas de ar, as pedrinhas e as impurezas, mas também passar pelo forno? — tudo isso para que você seja um vaso de honra nas mãos de Deus e sua vida sirva como testemunho para transformar muitos outros.

"Vasos de honra sempre serão colocados em local de destaque."

Em quais áreas da sua vida você precisa ser tratado pelo Senhor?

....

....

....

....

....

....

Acesse o QR code para saber mais

NÃO ABRA MÃO DA SUA FAMÍLIA

"Por meio da sua vida, muitos da sua família conhecerão Jesus Cristo."

A família é um projeto de Deus. O casamento está diretamente relacionado à família, uma vez que, em Apocalipse, a narrativa da igreja culmina com o encontro do noivo e da noiva, simbolizando o casamento que marca o início de uma nova família no céu.

O Senhor ama o seu povo e estabeleceu a instituição familiar. Portanto, não abra mão da sua família, como infelizmente muitos têm feito. Assim como Josué, declare: "Eu e a minha casa serviremos ao SENHOR!" (Josué 24.15, ARC). Enquanto o povo estava em dúvida e dividido, Josué já havia decidido construir uma história de fidelidade e, por isso, afirmou que ele e sua família serviriam a Deus. Da mesma forma, Noé também pensou em sua família ao construir a arca.

Faça como Josué e Noé: valorize sua família e cuide dela, pois seu lar é um projeto de Deus. Ore e não abra mão da sua família por nada. O fracasso nessa área não compensa qualquer sucesso que possa ser alcançado em outros aspectos da vida. É por isso que o Senhor está falando ao seu coração, para que você lute e não abandone sua família.

Por quem da sua família você precisa interceder hoje?

....

....

....

....

....

Plano de leitura:
(1 Crônicas 19—21)

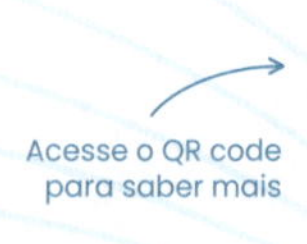

TEMPO DE BUSCAR A DEUS

A Palavra de Deus, por meio de Isaías, nos diz: “Buscai ao SENHOR enquanto se pode achar, invocai-o enquanto está perto” (Isaías 55.6, ARC). É interessante observar que o profeta clamava para que o povo entendesse que aquele era o momento oportuno de buscar a Deus, pois chegaria um dia em que não haveria mais tempo.

Buscar significa ir ao encontro de algo ou alguém, e é exatamente isso que precisamos fazer em relação a Deus: ir ao encontro do Senhor, pois este é o tempo de buscá-lo.

Você pode buscar a Deus por meio da oração, da meditação em sua Palavra, da adoração. O convite é para que você utilize todos os recursos disponíveis e busque ao Senhor enquanto é possível encontrá-lo.

Portanto, sugiro que você dedique mais tempo ao Senhor, buscando-o enquanto ele está perto. Procure frequentar ambientes onde a presença de Deus se manifesta e onde sua vontade é feita.

É tempo de buscar a Deus, pois, ao agir assim, você agradará o coração do nosso amado Senhor.

“Existe tempo para tudo, menos para perder tempo.”

Qual estratégia você precisa utilizar para melhorar seu tempo com Deus?

....

....

....

....

....

....

....

....

Plano de leitura:
(1 CRÔNICAS 22—25)

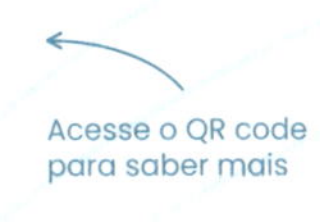

NÃO DEIXE A CHAMA APAGAR

"Oração é a lenha que alimenta o fogo da presença de Deus."

Como você pode se encher mais do Espírito Santo hoje?

....

....

....

....

....

....

....

Plano de leitura:
(1 Crônicas 26—29)

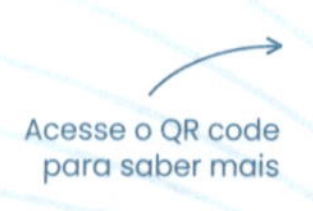

Lembro-me da minha infância, quando meus pais faziam fogueiras. Eu ficava olhando as brasas em chamas, mas, de tempos em tempos, aquela fogueira precisava ser alimentada. É assim também em nossa vida. Tudo que não é alimentado acaba morrendo, enquanto tudo que é alimentado cresce!

Portanto, não permita que a chama se apague. Faça como as virgens prudentes e tenha sempre azeite em sua lâmpada (Mateus 5). Na nossa vida espiritual, é necessário alimentar diariamente a chama e o azeite, por meio da oração e busca a Deus.

A metáfora da fogueira e a parábola das dez virgens falam exatamente sobre a importância de não deixar a chama se apagar. Com a correria do dia a dia, muitas vezes não temos tempo para estar na presença de Deus, para orar e dedicar um tempo à adoração. No entanto, antes que o amor e a fé esfriem, o Senhor está nos chamando e convidando a avivar a chama.

Muitos agem como as virgens insensatas da parábola de Jesus e não enchem suas lâmpadas de azeite, resultando na gradual extinção da chama. Deus deseja nos levar a um nível mais elevado e, por isso, nos convida a nos encher cada vez mais do Espírito Santo.

NÃO HÁ TEMPO A PERDER

A vida passa muito rápido, e, quando olhamos para trás, percebemos que o tempo já se foi e não volta mais. É por isso que Deus nos alerta sobre a importância de remir o tempo, como está escrito: "Portanto, vede prudentemente como andais, não como néscios, mas como sábios, remindo o tempo, porquanto os dias são maus. Pelo que não sejais insensatos, mas entendei qual seja a vontade do Senhor" (Efésios 5.15,16, ARC).

O apóstolo Paulo também nos orienta a correr e não desperdiçar o tempo: "Deixemos todo embaraço e o pecado que tão de perto nos rodeia e corramos, com paciência, a carreira que nos está proposta, olhando para Jesus, autor e consumador da fé (Hebreus 12.1,2, ARC).

Os dias são maus e não podemos perder tempo; a colheita é abundante, mas os trabalhadores são poucos. Portanto, siga a orientação que Jesus, certa vez, deu aos seus discípulos (Lucas 10): vá rapidamente e não cumprimente ninguém pelo caminho. Você não pode se deixar distrair; seu propósito é grandioso, e sua missão é de extrema importância.

Não há tempo a perder.

"A distração é a maior inimiga da sua vitória."

Você sabe dizer quais são as distrações ao seu redor?

....

....

....

....

....

....

....

....

....

....

Plano de leitura:
(2 Crônicas 1—4)

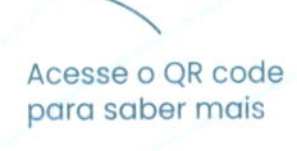

A ESCOLA DA VIDA

"Na escola da vida, você passa pela prova para aprender as lições."

Quais erros na sua vida lhe proporcionaram ensinamentos valiosos?

....

....

....

....

....

....

Plano de leitura:
(2 Crônicas 5—7)

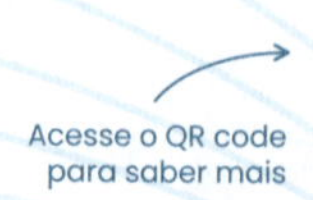

Com frequência, aborrecemo-nos ao realizar algo que não sai conforme o planejado. Isso é normal; afinal, a vida é uma grande escola e precisamos aprender algumas lições.

Portanto, olhe o lado positivo de tudo e siga o exemplo do empresário Thomas Edison. Certa vez, perguntaram a ele se estava frustrado por ter fracassado tantas vezes, e sua resposta demonstrou que, apesar de ter falhado inúmeras vezes, ele tirou lições positivas dessas experiências: "Eu não falhei. Apenas descobri dez mil maneiras que não funcionam".

A grande escola da vida nos ensina, mas precisamos aprender com nossos erros. Se algo deu errado, você aprendeu como agir corretamente; se foi traído, aprendeu que nem todos podem ser confiáveis. Não fique se lamentando; apenas erga a cabeça e diga: "Aprendi uma importante lição!".

Na escola da vida, devemos tirar lições positivas de tudo, mesmo quando falhamos. Você é alguém que Deus escolheu para ter sucesso, mas é óbvio que, antes de tudo dar certo, você terá cometido muitos erros. Não desista, respire fundo e continue, com a convicção de que Deus está cuidando de você.

ZONA DE CONFORTO: UM LUGAR PERIGOSO

Deus quer nos levar ao cumprimento de sua vontade. Para isso, frequentemente precisamos sair de nossa zona de conforto.

Foi por isso que o Senhor mandou Abraão sair de sua terra e de sua parentela. Se aquele homem tivesse permanecido no lugar confortável e não tivesse obedecido a Deus, ele não teria escrito uma linda história de fé e realização.

As promessas do nosso Pai sempre nos levam ao confronto, não à comodidade. Portanto, se Deus o confronta e pede que saia de sua zona de conforto, é porque ele tem um propósito para você.

Davi também jamais se tornaria rei se não tivesse enfrentado Golias e se não tivesse deixado de pastorear as ovelhas de sua família. Portanto, lembre-se de que, quando Deus pede que você saia de algum lugar ou deixe determinada ocupação, é porque ele deseja usar sua vida para sua glória.

A zona de conforto é um lugar perigoso. Para cumprir o propósito que ele estabeleceu para você, obedeça e saia, pois Deus o conduzirá ao cumprimento de sua santa vontade em sua vida.

"Zona de conforto é o apelido carinhoso da preguiça."

O que o tem tirado da zona de conforto atualmente?

Plano de leitura:
(2 Crônicas 8—11)

Acesse o QR code para saber mais

JESUS QUER PERMANECER EM SUA VIDA

"*Aprenda com Jesus: não fique onde você é tolerado, e sim onde você é desejado.*"

Você tem desejado a presença de Jesus?

....

....

....

....

....

Plano de leitura:
(2 Crônicas 12—14)

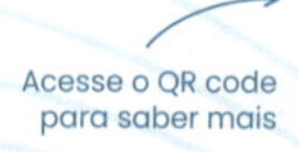

A Bíblia diz que Jesus deixou o lugar onde estava e foi para uma cidade chamada Gadara, onde havia muitas pessoas que trabalhavam com criação de porcos (Marcos 5). Ali Jesus libertou um homem endemoninhado, permitindo que os espíritos malignos saíssem dele e entrassem nos porcos.

As pessoas daquela cidade não se alegraram com a libertação do homem que vivia nos cemitérios e era atormentado. Pelo contrário, entristeceram-se porque os porcos que criavam se lançaram de um precipício e morreram. Assim, pensando em seu prejuízo material, expulsaram Jesus daquela província.

No entanto, do outro lado da cidade, havia uma multidão de braços abertos, aguardando a chegada do Mestre. Ele permaneceu ali, onde era desejado, e realizou muitos milagres.

Cristo é assim: embora seja onipotente e onipresente, agrada-se em permanecer onde é desejado. Por isso, abra sua casa, seu coração e seus braços para Jesus. Convide-o a entrar e permanecer em sua vida.

NO TEMPO CERTO, VAI ACONTECER

Você já teve a sensação de que, às vezes, as coisas estão demorando muito e as promessas não se cumprem? Parece até que Deus se esqueceu de você, mas a verdade é que, no tempo certo, tudo vai acontecer!

Na Bíblia, há o relato de uma mulher muito rica que, ao ver o profeta Eliseu passando por sua região, decidiu construir um quarto para que ele pudesse descansar da viagem. O profeta ficou extremamente grato pelo gesto e quis retribuir de alguma forma.

Foi então que ele descobriu que a mulher não tinha filhos e que seu marido era idoso. Eliseu disse a ela que, no tempo determinado, ela estaria com um filho nos braços. A mulher duvidou e pediu que ele não mentisse. No entanto, "concebeu a mulher e deu à luz um filho, no tempo determinado, quando fez um ano, segundo Eliseu lhe dissera" (2 Reis 4.17, ARA).

Talvez você esteja passando pela mesma situação, tendo feito o máximo para ajudar as pessoas, mas, se Deus quiser, agora é a sua vez. No tempo do Senhor, tudo vai acontecer. Não será no seu tempo, mas naquele estabelecido por Deus. Permaneça firme e creia, pois aquilo que parece impossível vai, no tempo certo, acontecer.

"No tempo de Deus, as coisas acontecem naturalmente."

Você consegue se lembrar de algo pelo qual valeu a pena aguardar o tempo de Deus?

....

....

....

....

....

....

....

....

Plano de leitura:
(2 Crônicas 15—19)

Acesse o QR code para saber mais

NÃO SEJA VENCIDO PELO CANSAÇO

"O cansaço faz parte da vida daquele que está construindo algo relevante."

Identifique os momentos em que você se sente mais cansado e liste três atitudes para superar o cansaço.

....

....

....

....

....

Plano de leitura:
(2 Crônicas 20—23)

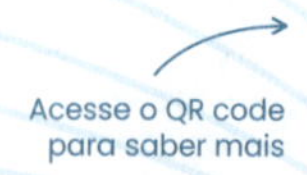

Muitas pessoas cansam de lutar e desistem porque permitem que o cansaço as vença. Não deixe isso acontecer com você. Lute até o fim!

No Antigo Testamento, a história de Gideão nos mostra um exemplo disso. Ele liderava um exército de apenas 300 homens, cuja missão era lutar contra os midianitas. O texto bíblico diz que os homens dele já estavam cansados, mas ainda continuaram perseguindo o objetivo, que era a vitória sobre os inimigos (Juízes 8.4, ARC).

Deus está falando ao seu coração por meio dessa passagem: não desanime, não seja derrotado pelo cansaço! Mesmo quando estiver fatigado, lute e acredite que o Senhor fortalece o cansado e dá ânimo ao que não tem vigor.

Portanto, continue lutando e acredite que existe um Deus que tem o poder de renovar suas forças. Ele está ao seu lado; então, não desista! Mesmo cansado, continue perseguindo e perseverando. Acredite que você vencerá de uma vez por todas essa difícil batalha que tem enfrentado. Mantenha-se firme na fé e continue lutando, crendo que Deus agirá a seu favor.

PAZ EM MEIO À GUERRA

Muitas pessoas pensam que a paz é a ausência de conflitos, mas, na realidade, ela é um estado de espírito. Somente quando permitimos que Jesus reine em nosso coração, é possível viver e desfrutar da paz que vai além do nosso entendimento, mesmo em meio à guerra.

Quando acordamos e saímos pela manhã, não temos controle sobre o que acontecerá durante o dia nem sobre as circunstâncias futuras. No entanto, é responsabilidade nossa cuidar do nosso coração e mantê-lo em paz. Não somos responsáveis pelo que acontece ao nosso redor, mas podemos cuidar do nosso interior.

Muitas pessoas perdem a paz porque permitem que as situações externas, que trazem desconforto, afetem e prejudiquem o que está em seu interior. Não permita que isso aconteça. Entenda que o coração só se abre pelo lado de dentro e você é o único que possui a chave.

A partir de hoje, não permita que nada nem ninguém roubem a sua paz. Não deixe que nenhum mal entre em seu coração. Cabe a você manter seu espírito em paz; então, abra a porta do seu coração apenas para Jesus entrar. Ele é o Príncipe da Paz, sobre quem a Bíblia declara: "Tu, Senhor, conservarás em perfeita paz aquele cujo propósito está firme" (Isaías 26.3, ARA).

"A paz não é ausência de guerra; a paz é a convicção de que Deus está no controle."

A paz que excede todo o entendimento reina em seu coração?

....

....

....

....

....

Plano de leitura:
(2 Crônicas 24—26)

Acesse o QR code para saber mais

A ORGANIZAÇÃO PRECEDE A MANIFESTAÇÃO

"Primeiro, a organização; depois, uma grande manifestação."

Quais são as áreas da sua vida que você precisa organizar?

....

....

....

....

....

....

....

Plano de leitura:
(2 Crônicas 27—29)

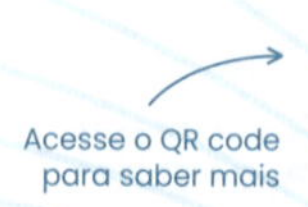

Tem muita gente sofrendo simplesmente por manter uma vida desorganizada; por isso, é necessário compreender a importância da organização, pois uma vida desorganizada pode gerar grandes problemas.

Deus é um Deus organizado e hoje está falando ao seu coração: é tempo de organizar e de colocar a casa em ordem.

Foi exatamente essa a palavra do Senhor ao rei Ezequias: "Naqueles dias, Ezequias adoeceu de uma enfermidade mortal; veio ter com ele o profeta Isaías, filho de Amoz, e lhe disse: Assim diz o Senhor: Põe em ordem a tua casa, porque morrerás e não viverás" (2 Reis 20.1, ARA).

A expressão "põe em ordem a tua casa" significa que a vida daquele homem estava desorganizada. Era preciso organizar e pôr tudo em ordem.

Deus deseja que você tenha uma vida organizada e que aprenda a organizar seu tempo, seu trabalho e até mesmo o lazer e os estudos.

Nosso Deus é organizado, e, para viver da forma mais plena possível, é necessário conseguir organizar todas as áreas da sua vida.

A DOR DA REJEIÇÃO

Somente aqueles que foram desprezados e rejeitados sabem quão terrível é a dor da rejeição, e isso muitas vezes nos leva ao isolamento e até mesmo à depressão.

Muitas pessoas são introvertidas e não desejam se relacionar com outros por terem sido rejeitadas no passado. A rejeição é extremamente dolorosa, como quando criamos expectativas de sermos convidados para determinado evento e o convite nunca chega. Às vezes, a rejeição surge da falta de honra ou do reconhecimento que nunca é concedido, e isso também causa sofrimento.

Jesus foi rejeitado e enfrentou momentos de agonia e grande tristeza. Mesmo tendo realizado muitos milagres, quando mais precisou, todos se esqueceram dele. "Ele veio para o que era seu, e os seus não o receberam" (João 1.11, NAA).

Cristo foi humilhado, abandonado e rejeitado, mas isso não o tornou frustrado ou depressivo. Pelo contrário, ele compreendia que a rejeição era parte do grande projeto de redenção para a humanidade.

Portanto, entenda que, mesmo que você seja rejeitado, existe um Deus que o ama, o aceita e o recebe como filho. Alegre o seu coração e não permita que a dor da rejeição afete a sua essência.

"A rejeição faz um homem mais forte."

Existe alguma rejeição que você ainda precisa superar?

Plano de leitura:
(2 Crônicas 30—33)

Acesse o QR code para saber mais

REJEITE A PRECIPITAÇÃO

"Pessoas precipitadas frequentemente tomam decisões equivocadas."

Você costuma orar e planejar antes de tomar decisões?

....

....

....

....

....

....

....

Plano de leitura:
(2 Crônicas 34—36)

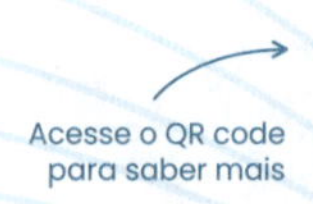

Geralmente, quando enfrentamos momentos difíceis, tendemos a agir de forma precipitada, tanto em nossas decisões quanto em nossos julgamentos.

Certa vez, Pedro não compreendia a atitude de Jesus, e ele respondeu: "O que eu faço não o sabes tu, agora, mas tu o saberás depois" (João 13.7, ARC).

É possível que esse seja o seu caso, e talvez você tenha feito um julgamento precipitado por não compreender como Deus age. Muitas pessoas se precipitam ao tomar decisões que acabam gerando complicações, assim como aconteceu com Abraão. Ele desejava ter um filho e agiu precipitadamente, gerando um filho fora do tempo da promessa.

Pessoas precipitadas frequentemente tomam decisões equivocadas. Portanto, acalme o seu coração e espere no Senhor. Hoje, você pode não compreender as circunstâncias, mas, com o tempo, muitas coisas se revelarão diferentes daquilo que você imaginava. Diga não à precipitação e acredite que Deus está agindo a seu favor. No momento certo, muitas coisas serão esclarecidas. Não se preocupe com os argumentos, pois é o Senhor quem luta por você.

NÃO SEJA PARALISADO PELO MEDO

O medo tem feito com que muitas pessoas fiquem paralisadas, impossibilitando-as de avançar e receber as promessas de Deus.

Paulo, certa vez, disse a Timóteo: "Deus não nos deu o espírito de temor, mas de fortaleza, e de amor, e de moderação" (2 Timóteo 1.7, ARC). Aplicando isso à nossa vida, fica claro que você não precisa ter medo. Portanto, não seja covarde, mas, sim, tenha força e coragem!

Paulo era corajoso, destemido e estava acostumado aos desafios da vida. No entanto, houve momentos em que precisou que Deus enviasse um anjo para que ele não fosse paralisado pelo medo: "Pois ontem à noite apareceu-me um anjo do Deus a quem pertenço e a quem adoro, dizendo-me: Paulo, não tenha medo" (Atos 27.23).

Deus também está falando com você. Não permita que o medo o paralise. Tenha fé, pois ela pode impulsioná-lo para a vitória.

Lembre-se de que, se você tiver a coragem de clamar a Deus e enfrentar o gigante que o desafia, você também será promovido. Assim como aconteceu com Davi diante de Golias, acontecerá com você. Portanto, não fuja nem se atemorize. Embora a situação seja difícil, Deus está dizendo: "Não temas, porque eu sou contigo [...] eu te ajudo, e te sustento" (Isaías 41.10, ARC).

"O medo veio para paralisá-lo; a fé, para impulsioná-lo."

Quantas vezes o medo já o paralisou? Você sabe agir com coragem diante dele?

Acesse o QR code para saber mais

SUA VITÓRIA ESTÁ A CAMINHO

"Creia que seu esforço será recompensado."

Qual é a maior promessa que você tem esperado?

Plano de leitura:
(Esdras 3—6)

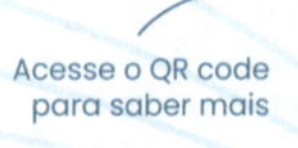

Talvez você ainda não tenha percebido o que Deus vem fazendo em sua vida nos últimos dias, mas, assim como o anjo disse ao profeta, hoje o Senhor também está lhe dizendo que a sua vitória está a caminho: "Não temas, Daniel, porque desde o primeiro dia, em que aplicaste o teu coração a compreender e a humilhar-te perante o teu Deus, são ouvidas as tuas palavras" (Daniel 10.12, ARC).

Deus enviou essa palavra a Daniel e, após 21 dias, ela se manifestou em sua vida. Ou seja, a bênção já estava a caminho.

Talvez você já tenha experimentado comprar algo pela internet e esperado um tempo para recebê-lo. Assim também é em nossa vida. A sua bênção já foi liberada e está a caminho. Deus já "nos abençoou com todas as bênçãos espirituais nos lugares celestiais em Cristo" (Efésios 1.3, ARC).

Portanto, tudo o que você precisa fazer é fortalecer a sua fé, meditar na Palavra de Deus e confiar naquele que já liberou a sua bênção.

FORTALEÇA SUAS EMOÇÕES

Assim como é importante cuidarmos do corpo, frequentar a academia, nos alimentar bem e ter uma boa noite de sono, devemos igualmente cuidar da nossa alma, pois é nela que residem as nossas emoções, as quais precisam estar fortalecidas.

Pessoas emocionalmente frágeis costumam pensar que os outros estão sempre conspirando contra elas, o que acaba afetando seus relacionamentos e as levando a abandonar projetos importantes. Com o tempo, elas se tornam vulneráveis e sobrecarregadas.

Por essa razão, Jesus nos convida: "Vinde a mim, todos os que estais cansados e sobrecarregados, e eu vos aliviarei. Tomai sobre vós o meu jugo e aprendei de mim, porque sou manso e humilde de coração; e achareis descanso para a vossa alma" (Mateus 11.28,29, ARA).

Aceite esse convite e peça ao Senhor que fortaleça suas emoções. Ele deseja cuidar delas, tornando-as fortes. Que o Senhor o abençoe, em nome de Jesus!

"Se algo o está tirando do sério é porque você está fraco emocionalmente."

Você sabe como cuidar das suas emoções e fortalecê-las?

....

....

....

....

....

....

....

Plano de leitura:
(Esdras 7—10)

Acesse o QR code para saber mais

O FIM DO DESERTO

"O deserto é o ambiente em que somos provados."

Quais ensinamentos você aprendeu dos desertos pelos quais passou?

....

....

....

....

....

....

....

....

O deserto é sinônimo de um período difícil e, embora pareça que durará para sempre, devemos sempre crer que nosso deserto terá um fim.

O povo de Deus, o povo da aliança, também atravessou o deserto antes de entrar na terra prometida. Portanto, se você está passando por um deserto, entenda que, no final, é possível que Deus tenha algo grandioso preparado para a sua vida.

O deserto é o ambiente em que somos provados, e Deus permite que algumas circunstâncias ocorram para nos moldar. É nessas ocasiões que aprendemos a depender dele.

Quando o povo de Israel estava no deserto, teve de depender literalmente de Deus para tudo. Muitas pessoas não gostam de depender de ninguém, pois valorizam sua independência. Os israelitas também eram assim e, por isso, foram provados durante quarenta anos. Deus permitiu o deserto porque queria transformar o coração do povo, para que eles pudessem receber as promessas divinas.

Portanto, se você está enfrentando um momento difícil hoje, confie que Deus está agindo em seu favor, para o seu bem e para a glória do nome santo dele.

Plano de leitura:
(Neemias 1—3)

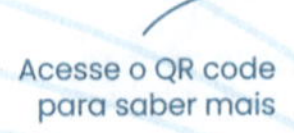

FOCO NAQUILO QUE É IMPORTANTE

Muitas pessoas estão sempre correndo atrás das demandas do cotidiano e, com isso, vivem desordenadamente, pois não sabem definir o que é urgente e o que é importante. É fundamental ter disciplina e focar o que realmente importa, pois a maioria vive tão ocupada com o senso de urgência que se esquece do essencial.

Muitos dizem que precisam ganhar dinheiro, chegar mais cedo, estar aqui ou ali, resolver um problema e, como tudo é urgente, não focam o que é importante, como, por exemplo, pôr o Senhor em primeiro lugar.

O urgente nunca pode ocupar o lugar do essencial. Portanto, foque o que é importante: o relacionamento com Deus, o cuidado com a sua família, uma consciência tranquila e um caráter aprovado.

Vemos no caso de Marta e Maria um exemplo, pois, enquanto Maria estava aos pés de Jesus, Marta corria atrás do que considerava urgente, como limpar a casa e outros afazeres. Mas o próprio Mestre estabeleceu as prioridades: “E, respondendo Jesus, disse-lhe: Marta, Marta, estás ansiosa e afadigada com muitas coisas, mas uma só é necessária; e Maria escolheu a boa parte, a qual não lhe será tirada” (Lucas 10.41,42, ARC).

“O urgente nunca pode ocupar o lugar do importante.”

Você sabe elencar o que é prioridade na sua vida?

....

....

....

....

....

....

....

....

Plano de leitura:
(Neemias 4—7)

Acesse o QR code para saber mais

ASSUMINDO A RESPONSABILIDADE

"Crianças não sabem assumir suas responsabilidades."

Quais responsabilidades você finalmente precisa assumir para crescer e amadurecer mais?

....

....

....

....

....

....

....

....

Plano de leitura:
(Neemias 8—10)

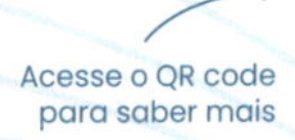

Desde os primórdios da criação, vemos que o ser humano tem uma inclinação muito forte para transferir a sua responsabilidade. Você se lembra da história de Adão e Eva? Eles foram enganados pela serpente e, quando Deus, na viração do dia, foi conversar com os dois, Adão transferiu a responsabilidade para Eva, que, por sua vez, a transferiu para a serpente. Ou seja, essa inclinação adâmica de transferir a responsabilidade persegue até hoje o ser humano.

Todavia, fomos libertos por Jesus e já está na hora de assumirmos a responsabilidade por nossos atos para chegarmos a patamares mais elevados.

Portanto, assuma a responsabilidade do que o Senhor entregou em suas mãos, principalmente a de educar os filhos. É hora de assumir as rédeas da sua vida e não mais transferir para os outros aquilo que é da sua responsabilidade.

Pare de culpar as pessoas; lembre-se de que a responsabilidade por tudo que lhe acontece é toda sua. Neste momento, convido-o a não ser negligente, a se posicionar e assumir as responsabilidades para que o Senhor seja glorificado em sua vida.

DESACELERE A SUA MENTE

"Não andem ansiosos por coisa alguma, mas em tudo, pela oração e súplicas, e com ação de graças, apresentem seus pedidos a Deus. E a paz de Deus, que excede todo o entendimento, guardará o coração e a mente de vocês em Cristo Jesus" (Filipenses 4.6,7).

Certa vez, fiz uma viagem longa e, bem antes de chegar ao meu destino, tive de parar e desacelerar porque meu carro não estava mais com o mesmo desempenho. Acontece o mesmo conosco, e muitas vezes precisamos parar e desacelerar a mente.

Passar a vida inteira sem fazer uma pausa pode comprometer todo o nosso desempenho e, principalmente, a nossa saúde. Por isso, você precisa ter tempo para relaxar e contemplar a natureza, para meditar e acalmar a mente. Afinal, cuidar da saúde física, mental e emocional é extremamente importante.

Pense comigo: se o ser humano tem em torno de sete mil pensamentos por dia, quem pensa de forma acelerada tem quantos pensamentos por minuto?

Com certeza, diante da correria do dia a dia e dos incômodos que os pensamentos acelerados causam, precisamos descansar a nossa mente. Portanto, aprenda a descansar em Deus e a desacelerar a sua mente.

"Dar uma pausa não significa parar."

Qual é a sua forma favorita de descansar e relaxar?

....

....

....

....

....

....

....

Acesse o QR code para saber mais

A MAIOR DE TODAS AS DECISÕES

"Viver para Jesus é a melhor decisão da sua vida."

Você já aceitou Jesus como seu Senhor e Salvador?

....

....

....

....

....

....

....

....

Plano de leitura:
(Ester 1—3)

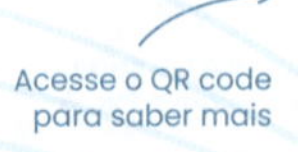

Precisamos pensar bem antes de tomar certas decisões, pois elas implicam diretamente em como será o nosso destino. Lembre-se de que uma decisão certa pode abençoar todo o percurso da sua vida, mas uma errada pode fazer com que você sofra e viva de modo que jamais desejou.

A Bíblia relata que, com Jesus, "crucificaram também dois ladrões, um à sua direita e outro à sua esquerda" (Marcos 15.27). Podemos deduzir que foram as decisões que haviam conduzido aqueles homens até aquele lugar. No entanto, um ladrão disse a Jesus: "Senhor, lembra-te de mim, quando entrares no teu Reino. E disse-lhe Jesus: Em verdade te digo que hoje estarás comigo no Paraíso" (Lucas 23.42,43, ARC).

Que decisão importante aquele homem tomou! Ele reconheceu que Jesus era seu Senhor e suficiente Salvador. Não sei se você já tomou a maior decisão de toda a sua vida, mas, neste momento, convido-o a fazer uma oração de entrega e confissão, reconhecendo que precisa de Jesus e depende dele.

RECOMEÇAR É UMA DECISÃO

Deus é o Deus de recomeços! Isso é evidente em Gênesis: após o Dilúvio, houve um recomeço!

O recomeço é necessário para vivenciar algo novo e construir uma nova perspectiva. Em outras palavras, recomeçar é uma decisão!

Lembro-me de uma experiência gratificante que tive ao viver em um país do Oriente Médio que havia passado por várias guerras. Mesmo tendo sido arrasado, seu povo decidiu recomeçar e, hoje, além de ter algumas das paisagens mais deslumbrantes do mundo, o país está totalmente reconstruído e renovado.

Em nossa vida, enfrentaremos batalhas e até mesmo derrotas, mas cabe a você decidir se vai recomeçar ou permanecer para sempre no meio do caos e dos destroços da vida.

Não se apegue ao que aconteceu, mas tome a atitude de recomeçar. Não fique prostrado. Lembre-se de que recomeçar é uma decisão, não um mero sentimento. Portanto, mesmo que você não sinta vontade de recomeçar, tome a decisão e dê o primeiro passo. Assim como uma criança que cai, mas se levanta, mesmo que você tenha falhado, recomece, pois a vida é repleta de oportunidades para recomeçar!

"O recomeço é necessário para viver algo novo e construir uma nova perspectiva."

Em qual área da sua vida você precisa de um recomeço transformador?

....

....

....

....

....

Acesse o QR code para saber mais

OU VOCÊ MUDA, OU TUDO SE REPETE

"Mudar para que tudo não se repita é viver com sabedoria."

Cite cinco comportamentos que você deseja mudar ainda neste ano.

....

....

....

....

....

....

....

Plano de leitura:
(Jó 1—2)

Existem pessoas que vivem constantemente os mesmos ciclos, como se nada fosse transformado e tudo se repetisse dia após dia.

Não são as circunstâncias que devem mudar; somos nós. Como costumo dizer, ou mudamos, ou tudo se repete!

Certa vez, fui ao médico por causa de dores que estava sentindo, e ele me disse que essas dores eram consequência dos hábitos que eu estava desenvolvendo. Foi necessário uma mudança completa na minha alimentação e no meu comportamento para evitar que tudo se repetisse e as dores se tornassem constantes.

Há pessoas que estão acostumadas a sofrer e nem se importam em sentir as mesmas dores repetidamente, mas não consigo acreditar que essa é a vida que Deus planejou para nós. Portanto, é necessário reavaliar alguns conceitos e mudar nosso comportamento.

Um novo tempo está chegando, e é preciso abandonar os velhos hábitos, pois não é possível viver coisas novas sem aceitar a mudança.

O PODER DA INTENSIDADE

"Tudo quanto te vier à mão para fazer, faze-o conforme as tuas forças, porque na sepultura, para onde tu vais, não há obra, nem indústria, nem ciência, nem sabedoria alguma" (Eclesiastes 9.10, ARC). Esse texto deixa claro que, muitas vezes, não alcançamos os resultados desejados por falta de intensidade. É por isso que somos aconselhados pela Palavra de Deus a fazer tudo o que nos for possível, com muita intensidade.

Apocalipse 3.15,16 diz: "Conheço as suas obras, sei que você não é frio nem quente. Melhor seria que você fosse frio ou quente! Assim, porque você é morno, nem frio nem quente, estou a ponto de vomitá-lo da minha boca". Isso deixa claro o seguinte: Deus não se agrada da falta de intensidade. O problema da igreja de Laodiceia não era a falta de obras, mas, sim, o fato de que suas obras eram mortas, sem intensidade, sinceridade, obediência, amor.

Portanto, precisamos realizar as coisas com intensidade. Não importa a sua profissão ou a batalha que esteja enfrentando, ponha intensidade em tudo o que faz. Deus está com você e o honrará e abençoará de acordo com a sua boa, perfeita e agradável vontade.

"Estamos exatamente onde nossa intensidade nos permitiu chegar."

Em que áreas da sua vida você precisa agir com mais intensidade?

Plano de leitura:
(Jó 3—5)

Acesse o QR code para saber mais

JESUS RESTITUI A ALEGRIA

"Onde Jesus está, a alegria é completa."

Em que área da sua vida você precisa que Jesus restitua a alegria?

Plano de leitura:
(Jó 6—8)

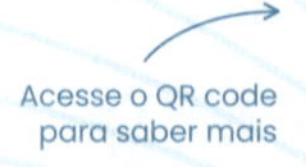

Jesus ainda não havia iniciado seu ministério quando foi convidado para um casamento em Caná da Galileia. Durante a festa, houve um contratempo: o vinho acabou.

Naquela época, os casamentos duravam vários dias, e muitas pessoas passavam para cumprimentar os noivos durante esse período. Imagine a grande vergonha se soubessem que, no início da festa, o vinho já havia se esgotado. O vinho era símbolo de alegria, por isso Maria disse aos servos que ela não poderia fazer nada, mas Jesus poderia: "Fazei tudo o que ele vos disser" (João 2.5, ARA).

Então, Cristo transformou água em vinho. Isso significa que ele tem o poder de transformar o que aparentemente seria um fracasso em triunfo. Jesus restituiu a alegria naquele casamento e, ainda hoje, tem o poder de restituir a alegria em seu lar e em sua vida.

O que fez a diferença naquele casamento foi o fato de terem convidado nosso Senhor. Não sei se você já convidou Jesus para fazer parte da sua vida, mas onde ele está presente a alegria é completa. Portanto, mesmo que sua alegria tenha se esgotado, Cristo tem o poder de restaurá-la.

SAIA DO PASSADO

Muitas vezes, temos a tendência de voltar aos lugares dos quais Deus já nos tirou. Por causa da decepção e da frustração, muitos tentam regressar ao passado. Foi o que aconteceu com os discípulos a caminho de Emaús e com Pedro.

Em geral, o ser humano tende a querer retroceder, mas Paulo escreveu: “Se alguém está em Cristo, nova criatura é: as coisas velhas já passaram; eis que tudo se fez novo” (2 Coríntios 5.17, ARC). Portanto, abandone o passado e siga em frente para alcançar as coisas que estão diante de você, conforme escreveu o apóstolo (Filipenses 3).

Talvez o seu passado tenha sido muito difícil e você esteja se apegando a essas coisas, o que tem bloqueado o seu futuro. Por outro lado, pode ser que você não esteja progredindo porque muitas coisas boas aconteceram no passado e você vive em uma espécie de nostalgia, o que também tem impedido você de vivenciar coisas novas.

Portanto, independentemente de ter sido bom ou ruim, o passado já ficou para trás. O que realmente importa é o seu futuro. Entregue-o ao Senhor, pois Deus faz muito mais do que podemos pensar ou imaginar. Ele realiza coisas além do que nossos olhos podem ver ou nossa mente pode conceber.

“O pior lugar para morar é no passado.”

Você está preso a algum acontecimento do passado? O que precisa fazer para virar a página?

Plano de leitura:
(Jó 9—11)

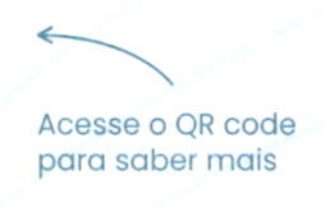

Acesse o QR code para saber mais

O QUE DEUS PREPAROU É MAIOR

"Deus pode frustrar os seus planos para que os seus planos não frustrem você."

Quais planos Deus colocou no seu coração?

....

....

....

....

....

Plano de leitura:
(Jó 12—14)

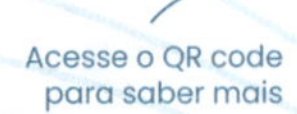

Às vezes, fazemos planos e achamos que eles são bons, porém devemos sempre nos lembrar de que o que Deus preparou é maior. Projetamos construir a melhor casa, formar a melhor família, ter o melhor emprego, enfim, idealizamos muitas coisas. Todavia, esquecemos que os planos divinos são maiores que os nossos.

Está escrito: "As coisas que o olho não viu, e o ouvido não ouviu, e não subiram ao coração do homem são as que Deus preparou para os que o amam" (1 Coríntios 2.9, ARC). Está claro que o Senhor tem bênçãos para a minha vida e a sua — por isso, quanto mais próximo dele você estiver, mais rápido elas chegarão e as promessas se cumprirão.

Portanto, aproxime-se do Senhor e lembre-se de que ele é maior do que qualquer tragédia ou imprevisto que tenha acontecido. Deus fará coisas que você nem sequer pode imaginar.

Assim, tudo o que você precisa fazer é se render à vontade divina e compreender que o Senhor conhece o seu futuro e tem preparado algo muito maior do que você planejou. Deus ainda irá surpreendê-lo — somente creia e entregue o seu caminho ao Senhor, confia nele e o mais ele fará!

AINDA NÃO TERMINOU

É fato que passamos por momentos difíceis, quando parece que nossa história chegou ao fim. Mas quando confiamos em Jesus, nunca devemos nos dar por vencidos. Apesar das adversidades, creia que sua história ainda não chegou ao fim, pois tudo é possível àquele que crê!

O Novo Testamento relata o episódio em que Lázaro, amigo de Jesus, ficou doente e morreu. O Mestre havia sido informado sobre a enfermidade do seu amigo, mas levou alguns dias para ir a Betânia. Quando finalmente chegou, Lázaro já estava morto havia quatro dias.

As pessoas diziam que era tarde demais, que não havia mais esperança, que o corpo já estava em decomposição. No entanto, uma simples palavra de Jesus foi suficiente para trazer Lázaro de volta à vida (João 11). Por isso, independentemente da situação que você esteja enfrentando, saiba que ainda não acabou. Jesus pode trazer vida a tudo aquilo que parece morto. Basta crer e você verá a glória do Senhor!

As coisas só terminam quando Deus determina. O milagre ainda pode se manifestar; então, não desista!

"A última palavra vem de Deus."

Qual situação da sua vida o faz ficar sem esperança hoje? Como você pode entregá-la a Jesus?

....

....

....

....

....

....

....

....

Plano de leitura:
(Jó 15—19)

JESUS É A SOLUÇÃO

"Sua maior provação hoje se transformará em seu maior testemunho amanhã."

Qual testemunho na sua história com Deus o faz lembrar de alguma situação que Jesus mudou completamente?

....

....

....

....

Plano de leitura:
(Jó 20—25)

Acesse o QR code para saber mais

A Bíblia relata a história de Jairo, um homem que tinha uma filha gravemente doente. Como um bom pai, Jairo não ficou paralisado pela situação. Ele foi até Jesus e se prostrou, pedindo ajuda. "Estando ele ainda falando, chegaram alguns do principal da sinagoga, a quem disseram: A tua filha está morta; para que enfadas mais o Mestre? E Jesus, tendo ouvido essas palavras, disse ao principal da sinagoga: Não temas, crê somente" (Marcos 5.35,36, ARC).

Jairo creu, e Jesus, ao ver sua atitude, foi até sua casa, entrou no quarto onde a menina estava e a trouxe de volta à vida!

Talvez você esteja enfrentando um momento muito difícil em casa, na família, no trabalho ou na faculdade. Todos passamos por momentos de angústia, situações em que não encontramos solução alguma.

Hoje, porém, quero lhe dizer: Jesus é a solução!

Siga o exemplo de Jairo, corra ao encontro do Mestre, coloque-se aos pés de Jesus, pois ele é a solução! Acredite que aquilo que parece ser uma grande tragédia pode se transformar no seu maior testemunho.

É HORA DE AGIR

Com frequência, passamos por momentos desafiadores e precisamos ter sabedoria para saber quando é hora de agir. Eclesiastes 11.4 diz: "Quem observa o vento não plantará; e quem olha para as nuvens não colherá". Em outras palavras, se desejamos ter boas colheitas, precisamos agir! Portanto, é hora de tomar uma atitude e agir. Não espere o vento passar; tome uma decisão.

A Bíblia conta a história de Neemias, que, ao receber notícias de que Jerusalém estava destruída, pediu cartas para o rei e decidiu reconstruir a cidade de seus pais. Ele enfrentou o problema e resolveu solucioná-lo.

Existem pessoas que apenas oram e evitam os problemas. A oração é eficaz, mas a ação também o é. Portanto, precisamos ter discernimento para compreender quando é hora de orar e quando é hora de agir.

Talvez você tenha um problema que persiste há anos; então, não espere o vento mudar de direção: é hora de agir, tomar uma decisão e reconstruir as áreas que estão desmoronando em sua vida. Inspire-se no exemplo de Neemias. É necessário agir e semear hoje para colher os frutos amanhã.

"Semeie hoje para colher bons frutos amanhã."

Você tem semeado coisas boas pensando na sua colheita futura?

Plano de leitura:
(Jó 26—28)

Acesse o QR code para saber mais

VOCÊ TEM UM CHAMADO

"Tudo que Deus lhe deu aponta para o seu propósito."

O que você pode fazer para servir às pessoas ao seu redor?

.....

.....

.....

.....

.....

.....

.....

.....

Plano de leitura:
(Jó 29—31)

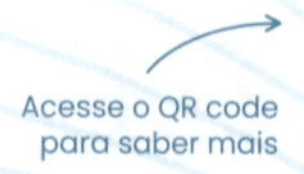

Todos nós recebemos um chamado de Deus para desempenhar uma função no corpo de Cristo. Ou seja, todos os dons e habilidades que você considera naturais apontam para o seu chamado.

Deus nos deu talentos e aptidões como instrumentos para cumprirmos um grande propósito. Paulo escreveu a Timóteo, dizendo: "Para este evangelho eu fui designado pregador, apóstolo e mestre" (2 Timóteo 1.11, NAA).

Paulo tinha plena consciência de seu chamado como ministro do evangelho (Efésios 3.7,8). E você? Sabe qual é o seu chamado? Cada pessoa possui uma vocação específica: alguns são chamados para ministrar a Palavra; outros, para tocar, cantar, ensinar, entre outras habilidades. Portanto, reflita sobre isso e, caso ainda não saiba qual é a sua vocação, faça algumas perguntas: o que eu mais gosto de fazer? O que eu sei fazer? O que as pessoas dizem que faço bem?

Se responder a essas perguntas de maneira adequada, elas apontarão qual é o seu chamado. Além disso, pergunte-se também: o que posso fazer para servir às pessoas e à igreja que frequento?

Lembre-se de que Deus já lhe deu tudo o que é necessário para cumprir e viver o seu chamado.

DEUS CURA SUAS FERIDAS

Conviver com pessoas feridas é um grande desafio. Aprendi ao longo da vida que pessoas machucadas podem ferir outras e, muitas vezes, interromper ciclos que poderiam ser abençoados, por medo de serem prejudicadas novamente.

A Bíblia conta a história de um homem chamado Mefibosete, que nasceu para ser rei de Israel (2 Samuel 9). Ele era filho de Jônatas e neto de Saul, mas, quando criança, caiu, ficou paralítico e foi para um lugar chamado Lo-Debar, onde acabou esquecido. Provavelmente, ele se considerava inútil, mas aquele que nasceu para triunfar e reinar nunca será esquecido, mesmo ferido.

Um dia, Davi ficou sabendo da história desse homem e o levou de volta ao palácio. Ele foi um instrumento de Deus para trazer Mefibosete de volta ao propósito. O mesmo pode acontecer em sua vida: o Senhor tem poder para trazê-lo de volta ao lugar de onde jamais deveria ter saído.

Embora as feridas o tenham afastado de seu propósito, acredite que Jesus tem o poder de curá-las e levá-lo ao lugar que ele preparou.

"Pessoas feridas ferem; pessoas curadas curam."

Qual ferida no seu coração precisa ser curada hoje? Entregue-a a Jesus.

Plano de leitura:
(Jó 32—34)

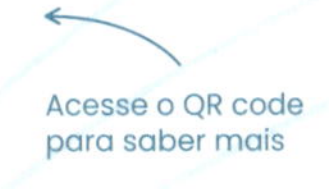

VALORIZE OS PROCESSOS

"Aquilo que você chama de provação é, para Deus, preparação."

Qual aprendizado você pode tirar do processo pelo qual está passando atualmente?

....

....

....

....

....

....

Plano de leitura:
(Jó 35—37)

Acesse o QR code para saber mais

É fundamental compreender que antes de toda promessa existe um processo. Deus utiliza os processos para nos preparar para as grandes promessas. Foi assim com Israel. Deus libertou o povo do terrível Egito e o conduziu ao deserto, a fim de capacitá-lo a possuir a terra prometida.

O deserto, que denominamos de processo de Deus, é o local onde aprendemos sobre a nossa dependência do Senhor; é onde ocorre a transformação de uma mentalidade de escravidão para a de herdeiro da promessa. Portanto, embora o processo seja desafiador, ele é necessário.

Você pode estar atravessando um período de deserto, mas aquilo que você chama de problema ou provação Deus considera um processo. Antes de alcançar os lugares que ele lhe prometeu, é preciso passar pelo processo para estar pronto e desfrutar de tudo o que o Senhor preparou para você.

Não deixe que o seu coração se entristeça, pois Deus conhece seus limites e, quando você não conseguir mais caminhar, ele o carregará em seus braços; afinal, foi o Senhor quem o criou e conhece sua estrutura.

Se você estiver atravessando um deserto, saiba que não está sozinho. Prepare-se e suporte o processo, pois ele é indispensável para que você alcance as promessas.

BUSQUE AS COISAS QUE SÃO DO ALTO

Paulo exortou: “Buscai as coisas que são de cima, onde Cristo está assentado à destra de Deus. Pensai nas coisas que são de cima e não nas que são da terra” (Colossenses 3.1,2, ARC). O apóstolo estava falando para uma igreja que, provavelmente, vivia demasiadamente focada nas coisas terrenas, o que é perigoso, pois, quando esquecemos de nossa natureza celestial, negligenciamos as realidades espirituais e passamos a buscar mais as materiais.

É importante procurar conforto e conquistas, no entanto as coisas espirituais devem ser a nossa prioridade. Portanto, não viva preocupado e ansioso, pois isso é exatamente o que o Inimigo deseja que faça. O Maligno busca nos distrair e nos ocupar constantemente, para que nos esqueçamos de buscar as coisas do alto.

Quando Neemias estava trabalhando na reconstrução dos muros de Jerusalém, o inimigo lhe disse para descer. Neemias respondeu: “Estou fazendo uma grande obra, de modo que não poderei descer; por que cessaria esta obra, enquanto eu a deixasse e fosse ter convosco?” (Neemias 6.3, ARC).

Portanto, não desça, não se distraia. Busque as coisas que são do alto, pois é preciso realizar a obra do Senhor.

“Não se distraia, pois é preciso realizar a obra do Senhor.”

Liste três coisas que o têm impedido de viver os propósitos de Deus.

....

....

....

....

....

....

Acesse o QR code para saber mais

O PRINCÍPIO DA GRATIDÃO

“Não entregue algo para Deus o abençoar; entregue porque ele já o abençoou.”

O dízimo faz parte do seu planejamento financeiro?

....

....

....

....

....

Plano de leitura:
(Jó 41—42)

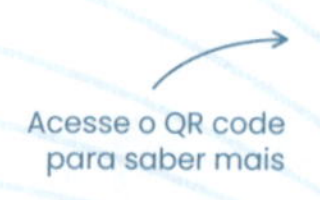

O princípio da gratidão é um dos mais nobres mencionados na Bíblia, sendo mencionado antes mesmo da lei. Esse poderoso princípio foi aplicado por Abraão após sua vitória em uma grande batalha.

Segundo a Bíblia, ao retornar da peleja, Abraão encontrou um homem chamado Melquisedeque e, em reconhecimento pela bênção recebida, entregou-lhe o dízimo. O relato bíblico diz: “E Melquisedeque, rei de Salém, trouxe pão e vinho; e este era sacerdote do Deus Altíssimo. E abençoou-o, e disse: Bendito seja Abrão pelo Deus Altíssimo [...] e bendito seja o Deus Altíssimo, que entregou os teus inimigos nas tuas mãos. E deu-lhe o dízimo de tudo” (Gênesis 14.18-20, ARC).

Abraão não deu o dízimo para se tornar vitorioso; ele o entregou porque já era um vencedor. Muitas pessoas ensinam que devemos dar algo a Deus para que ele nos retribua, mas na verdade ocorre o contrário. No princípio da gratidão, entregamos algo ao Senhor em reconhecimento de que ele já nos abençoou.

Abraão não deu o dízimo para conquistar; ele o entregou porque já havia vencido. Não é necessário fazer barganhas, pois tudo o que possuímos já pertence ao Senhor; devemos apenas ser gratos.

FAÇA COM EXCELÊNCIA

É interessante observar como existem pessoas que têm o hábito de realizar as coisas de qualquer maneira. Mas esse não é o caminho correto, pois a Bíblia nos ensina a fazer tudo com excelência, a fim de alcançar patamares mais altos e conquistar o que a maioria não consegue.

Por isso, a Palavra de Deus afirma que o homem habilidoso em seu trabalho estará diante de reis (Provérbios 22.29). Esse é um princípio intrigante: aqueles que realizam todas as tarefas com excelência alcançarão lugares aonde os medíocres jamais chegarão.

Portanto, de acordo com a Bíblia, tudo o que você fizer, faça-o com toda a sua força (Eclesiastes 9.10). Isso significa que você deve sempre dar o seu melhor e realizar suas tarefas com todo o seu coração.

Deus é um Deus de excelência, por isso ele nos orienta a agir em tudo de modo excelente.

Não sei qual é a sua profissão ou a função que você exerce, mas quero incentivá-lo: faça tudo com excelência! Faça-o como para o Senhor; isso o agradará, e você será recompensado.

Lembre-se também de que o segredo do sucesso está na excelência; então, a partir de hoje, não faça mais nada de qualquer maneira.

"A excelência é uma característica daquele que anda com Deus."

Anote qual área da sua vida precisa de mais dedicação e excelência nesta semana.

....

....

....

....

....

Acesse o QR code para saber mais

NÃO FUJA DE DEUS

"Não corra de Deus; corra para Deus."

Você já teve vontade de fugir de Deus ao fazer algo errado?

....

....

....

....

....

....

....

....

....

....

Plano de leitura:
(Salmos 8—13)

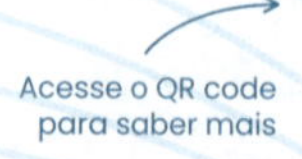

Muitas pessoas têm o costume de tentar fugir de Deus, como se isso fosse possível. Você se lembra da história de Jonas?

Deus havia enviado o profeta para uma cidade, mas ele, desobedecendo, fugiu para outra direção: "E veio a palavra do Senhor a Jonas, filho de Amitai, dizendo: Levanta-te, vai à grande cidade de Nínive e clama contra ela, porque a sua malícia subiu até mim. E Jonas se levantou para fugir de diante da face do Senhor para Társis; e, descendo a Jope, achou um navio que ia para Társis; pagou, pois, a sua passagem e desceu para dentro dele, para ir com eles para Társis" (Jonas 1.1-3, ARC).

Depois de descer para o porão do navio, o profeta acabou sendo lançado às profundezas do mar e engolido por um grande peixe. Isso acontece com todos aqueles que tentam fugir da presença de Deus: eles entram em um ciclo de decadência e perdas consecutivas.

Não sei se você está vivendo de acordo com o propósito divino ou se tem enfrentado uma vida de derrotas, mas quero que saiba que hoje você pode voltar ao centro da vontade dele. Faça isso, retorne à presença de Deus; não faça como Jonas, fugindo de Deus.

SEJA INCONFORMADO

Na maioria das vezes, conformamo-nos com determinadas situações, e isso tende a piorar, tornando-se rotina. O inconformismo é a chave que nos liberta.

A Bíblia relata que Gideão não se conformou com a situação em que estava vivendo. Certa vez, "o Anjo do SENHOR lhe apareceu e lhe disse: O SENHOR é contigo, homem valente e valoroso. Mas Gideão lhe respondeu: Ai, senhor meu, se o SENHOR é conosco, por que tudo isso nos sobreveio?" (Juízes 6.12,13, ARC). Gideão continua a questionar o anjo sobre toda aquela situação adversa que o povo enfrentava por causa dos midianitas. Por fim, o Senhor lhe diz: "Vai nesta tua força" (v. 14).

Posteriormente, vemos que Gideão teve sua história transformada e mudou a trajetória de seu povo por meio desse elemento chamado inconformismo.

Você também não deve se conformar com a situação em que está vivendo. É preciso ser inconformado. Pessoas inconformadas tendem a passar por mudanças. É por isso que Romanos 12.2 diz: "E não se amoldem ao padrão deste mundo, mas transformem-se pela renovação da mente".

Abandone a conformidade e veja como Deus é poderoso para transformar completamente sua história!

"Todo inconformado terá o seu destino alterado."

Sonhe alto: escreva cinco sonhos que você gostaria de alcançar ainda neste ano.

....

....

....

....

....

....

Plano de leitura:
(SALMOS 14—17)

Acesse o QR code para saber mais

FAÇA COMO DEUS ORDENOU

"Obedecer é primordial para aquele que quer crescer."

Em que você pode ser mais obediente a Deus neste tempo?

....

....

....

....

....

....

....

....

Plano de leitura:
(Salmos 18—23)

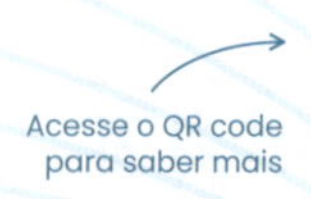

Certa vez, Deus deu um projeto a um homem chamado Noé, que, segundo a Bíblia, fez tudo conforme Deus lhe havia ordenado (Gênesis 7.5). Quando fazemos tudo o que Deus nos ordena, é como se estivéssemos construindo um barco que nos salvará.

Atualmente, cada pessoa quer defender sua opinião sobre como os outros devem proceder. No entanto, a Bíblia é bem clara sobre como devemos caminhar, agir e viver. Muitas vezes, em aconselhamentos pastorais, as pessoas expressam seus próprios desejos, mas eu pergunto: "Qual será a vontade de Deus para essa circunstância?".

Deus nos deixou a Bíblia como um manual; só precisamos obedecer às Escrituras e fazer como Deus ordenou.

Moisés passou por duas situações semelhantes. Na primeira, Deus mandou que ele ferisse a rocha; ele assim o fez, e a água jorrou. Na segunda vez, o Senhor lhe disse para falar com a rocha, mas ele a feriu novamente. O resultado dessa desobediência foi que Moisés ficou excluído da terra prometida simplesmente porque quis fazer do seu jeito.

Portanto, faça tudo como Deus ordenou, de acordo com a sua Palavra.

CAMINHANDO SOBRE AS ÁGUAS

Deus nos tem despertado para caminhar em direção às suas promessas. Certa vez, Jesus disse aos discípulos que entrassem no barco e fossem para o outro lado. Logo em seguida, começou uma tempestade.

Existem tempestades que nos atingem, mas não para nos destruir, e sim para que possamos ter experiências ainda maiores com o Senhor.

Jesus, caminhando sobre as águas, foi ao encontro dos discípulos. Quando eles o viram, ficaram com medo, pensando que era um fantasma. Então, Jesus lhes disse: "Coragem! Sou eu, não tenham medo" (Marcos 14.27). Pedro quis ir ao encontro de Jesus, que ordenou: "Venha" (v. 29). Pedro saiu do barco e caminhou sobre as águas em direção ao Mestre.

Para cumprir os propósitos de Deus, é preciso sair do barco e caminhar sobre as águas. Observe que apenas um dos discípulos teve coragem de fazer isso. Diante de decisões importantes, e você precisa decidir se vai apenas observar ou se será aquele que terá suas próprias experiências com Deus.

Decida buscar o sobrenatural, pois é tempo de caminhar sobre as águas!

"Para caminhar sobre as águas é preciso ter coragem de sair do barco."

Qual passo de fé você precisa dar?

....

....

....

....

....

....

....

Plano de leitura:
(Salmos 24—29)

Acesse o QR code para saber mais

NÃO É HORA DE PARAR

"Aquele que para antes da hora não desfrutará o sabor da vitória."

Qual foi a última vez que você permaneceu com fé e não parou diante do desânimo?

....

....

....

....

....

....

Plano de leitura:
(Salmos 30—33)

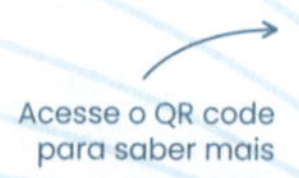

Muitas pessoas estão considerando interromper sua jornada, abandonar seus sonhos e projetos simplesmente porque se frustraram em alguma área específica.

O Novo Testamento conta que, certa vez, Pedro saiu de madrugada para pescar. Todo pescador deseja apanhar muitos peixes, mas naquele dia as coisas não aconteceram como Pedro havia planejado, pois ele não conseguiu pescar nenhum peixe. Então, ele começou a lavar as redes, muito triste. Foi nesse momento que Jesus apareceu, aproximou-se dele e ordenou: "Faze-te ao mar alto, e lançai as vossas redes para pescar" (Lucas 5.4, ARC).

Jesus estava dizendo a Pedro que não era hora de desistir. Pedro questionou, mas acabou concordando: "Mestre, havendo trabalhado toda a noite, nada apanhamos; mas, porque mandas, lançarei a rede" (v. 6). Então, o discípulo lançou as redes e teve uma pesca maravilhosa!

Você também não pode desistir agora. Deus está lhe dizendo para continuar e certamente ele lhe dará força e estratégia para seguir em frente em sua jornada.

SEJA FORTE E CORAJOSO

Quando Deus nos envia uma palavra, é importante que a recebamos com determinação e tomemos atitudes para conquistar aquilo que ele nos prometeu. Na Bíblia, encontramos a história de Moisés, um grande líder, que, ao morrer, teve Josué escolhido por Deus como seu sucessor.

O Senhor disse a Josué: "Seja forte e corajoso, porque você conduzirá este povo para herdar a terra que prometi sob juramento aos seus antepassados" (Josué 1.6). Deus liberou promessas a ele: "Todo lugar onde puserem os pés eu darei a vocês. [...] Ninguém conseguirá resistir a você todos os dias da sua vida. Assim como estive com Moisés, estarei com você; nunca o deixarei, nunca o abandonarei" (v. 3, 5).

Observe que Deus instruiu Josué a ser forte e corajoso para conquistar. Talvez você esteja enfrentando um momento difícil, mas Deus está lhe dizendo: "Seja forte e corajoso" para que você alcance as promessas. A força e a coragem são requisitos essenciais que o levarão a alcançar tudo o que o Senhor prometeu.

Chegou a hora de tomar posse de tudo o que Deus preparou para você. Sua promessa é fiel e verdadeira; portanto, seja forte e corajoso!

"Força e coragem são essenciais para aquele que deseja vencer."

Qual situação da sua vida está exigindo de você mais força e coragem?

Plano de leitura:
(Salmos 34—37)

Acesse o QR code para saber mais

"MAIS VALE UM DIA EM TUA CASA"

"Não permita que nenhuma decepção o afaste da casa do Senhor."

Você está servindo à sua igreja local?

....

....

....

....

....

....

....

Plano de leitura:
(Salmos 38—43)

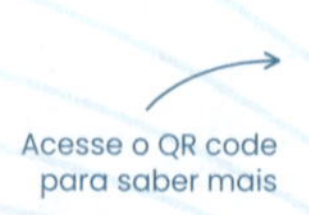

É uma experiência maravilhosa estar na casa de Deus. Certamente, você já vivenciou momentos em que entrou triste na igreja e saiu cheio de alegria, ou entrou angustiado e saiu aliviado. O salmista declarou: "Alegrei-me quando me disseram: vamos à casa do Senhor" (Salmos 122.1, ARA). É tão bom estar na casa de Deus que Salmos 84.10 diz: "Mais vale um dia nos teus átrios do que, em outra parte, mil" (ARC).

É essencial estarmos na casa de Deus, pois é lá que ele nos instrui sobre o nosso futuro. É possível que você tenha ficado triste ou decepcionado com algo que aconteceu na igreja, mas quero lembrar que, embora a igreja seja formada por pessoas imperfeitas, aquele a quem buscamos é perfeito!

Não permita que nenhuma decepção o afaste da congregação dos santos. Chegará o dia em que estaremos diante do tribunal de Cristo, e o apóstolo Paulo nos ensina que, nessa ocasião, apresentaremos as obras realizadas por meio do nosso corpo. Jesus afirmou que ele estabeleceu sua igreja e que as portas do inferno não prevalecerão contra ela. Portanto, faça parte da igreja, pois mais vale um dia na presença de Deus do que mil em qualquer outro lugar.

EM DEUS VOCÊ É COMPLETO

Dentro de cada ser humano há um vazio existencial que não pode ser preenchido por bens materiais, como carros, casas, dinheiro, fama ou *status*. Esse vazio só pode ser preenchido pela presença de Deus.

Certa vez, atendi a uma pessoa muito rica que havia recebido uma grande herança. Durante o atendimento, ela começou a enumerar suas posses: "Pastor, tenho casas e apartamentos e posso comprar qualquer carro que eu quiser". Enquanto ela falava, comecei a refletir que talvez ela pudesse me ajudar, pois eu estava passando por uma situação difícil. Contudo, continuei ouvindo-a sobre suas posses, sem interrompê-la. Até que perguntei: "Em que você gostaria que eu ajudasse?". Ela respondeu: "Sinto que falta algo em minha vida; quando me deito, sinto um vazio dentro de mim. Já tentei preenchê-lo com viagens ao exterior, mas não resolve". Então, disse a ela: "Eu sei o que falta: a presença de Cristo!".

Em Deus, somos completos. Somente sua presença pode nos preencher. E o melhor de tudo é que você não precisa pagar nada para obter essa plenitude, pois o preço já foi pago na cruz do Calvário. Basta crer e render-se à vontade do Senhor.

"O vazio existencial do homem só será preenchido com a presença de Deus."

Seu coração está preenchido pela presença de Deus?

Plano de leitura:
(Salmos 44—48)

Acesse o QR code para saber mais

VOCÊ TEM LIVRE ACESSO AO PAI

"Os filhos sempre terão acesso direto ao Pai."

Você entende seu lugar de acesso como filho de Deus?

....

....

....

....

....

....

....

....

Plano de leitura:
(Salmos 49—51)

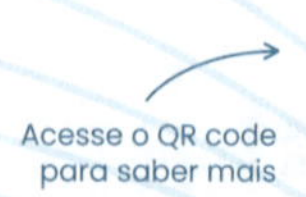

Você provavelmente já passou pela experiência de chegar a um consultório ou escritório, dar seu nome à secretária e aguardar para ser atendido, muitas vezes enfrentando uma longa espera, dependendo da demanda.

Sou pastor, e na igreja muitas pessoas me procuram para conversar, mas, às vezes, precisam aguardar caso eu esteja ocupado atendendo alguém. No entanto, quando meus filhos chegam ao meu ambiente de trabalho, eles têm livre acesso.

Você também tem acesso ao Pai, pois é filho e não precisa passar por "secretárias" ou apenas pedir orações. É verdade que, quanto mais pessoas estiverem orando por você, melhor. Contudo, é importante que você compreenda sua liberdade e seu livre acesso a Deus.

A Bíblia diz que, com a crucificação de Jesus, o véu do templo, que separava o homem da presença de Deus, foi rasgado de alto a baixo. É como se o Senhor tivesse rasgado aquela cortina e dito: "A partir de agora, você tem livre acesso, pois se tornou meu filho por meio de Jesus Cristo".

Ter acesso, porém, é diferente de acessar. Conheço pessoas que têm acesso, mas não têm coragem de aproveitar esse privilégio. Hoje, quero encorajá-lo a entrar na presença de Deus e acessar o Pai com ousadia.

DEIXE O ORGULHO DE LADO

Muitas pessoas estão deixando de ter uma vida feliz por causa do orgulho. Deus tem tantas coisas preparadas para nós, mas às vezes o orgulho nos atrapalha.

A Bíblia conta a história de um importante general sírio chamado Naamã (2 Reis 5). Ele sofria de uma doença muito grave, que naquela época não tinha cura: a lepra (ou hanseníase, como hoje é chamada). Ele estava sofrendo muito e sabia que seus dias estavam contados.

No entanto, ouviu falar, por meio de uma menininha que morava em sua casa, que havia um Deus em Israel capaz de curá-lo. Naamã foi para Israel e lá encontrou um profeta de Deus, o qual, em vez de recebê-lo, mandou que ele se banhasse no rio Jordão. Aquele rio, porém, não era o mais belo; havia rios melhores e mais bonitos, e isso deixou Naamã indignado. O orgulho de Naamã quase o impediu de receber a cura, mas, no fim, ele resolveu se humilhar e obedecer à palavra do profeta, e o resultado foi que ele ficou curado.

Deus resiste ao soberbo, mas dá graça aos humildes (Tiago 4.6). Não deixe que o orgulho o impeça de mergulhar nas águas do Espírito Santo. Deus o está chamando; deixe o orgulho de lado e seja feliz!

"Deus resiste aos soberbos, mas dá graça aos humildes."

Você é uma pessoa orgulhosa? Separe um momento para pedir perdão ao Senhor!

Plano de leitura:
(Salmos 52—58)

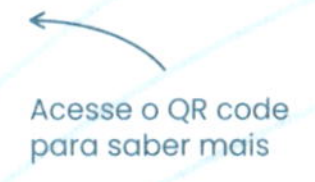

UMA CHAVE QUE ABRE PORTAS

"Portas trancadas só poderão ser abertas com a chave da oração."

Quais milagres você já testemunhou por meio da oração?

....

....

....

....

Plano de leitura:
(Salmos 59—65)

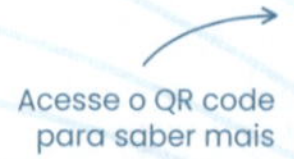

Muitas vezes, as portas se fecham em nossa vida. Parece que tentamos tanto, mas as portas continuam trancadas, e a impressão que temos é que dificilmente elas serão abertas.

A Bíblia conta a história de Paulo e Silas, que estavam presos por anunciarem o Evangelho. Certo dia, próximo à meia-noite, eles começaram a orar e cantar hinos a Deus, enquanto os outros presos os escutavam. De repente, sobreveio um tão grande terremoto que os alicerces do cárcere se moveram e logo todas as portas se abriram e as cadeias de todos foram soltas (Atos 16.16-34).

Existe uma chave que tem o poder de abrir todas as portas: chama-se oração.

Talvez existam muitas portas fechadas em sua vida, mas, se você começar a entender o poder da chave chamada oração, as portas vão se abrir. Paulo e Silas estavam cantando e orando com muita intensidade, e um grande milagre aconteceu.

Por isso, quando você for orar, ore com intensidade, clame a Deus; tudo é possível ao que crê.

A Palavra diz: "Tudo o que pedirdes na oração, crendo, recebereis" (Mateus 21.22, ARA), ou seja, a oração é uma chave poderosa que abre muitas portas.

TEMPO DE SAIR DO LUGAR

Há pessoas que permanecem estagnadas há muito tempo, parecendo que a vida não muda, que tudo permanece igual: o mesmo trabalho, a mesma rotina. Hoje, Deus está lhe dizendo que é hora de romper com essa inércia.

Em João 5, encontramos a história de um homem paralítico que ficou confinado em um mesmo lugar por incríveis 38 anos. No entanto, um dia Jesus Cristo passou por ali e foi até ele, trazendo transformação para sua vida e história.

Esse homem paralítico nem sequer tinha a capacidade de sair daquele lugar. Talvez tenha sonhado em conhecer novos lugares e pessoas, mas se viu preso em sua condição. Contudo, quando Jesus entrou em sua vida, tudo mudou. Ele recebeu a mensagem de Cristo de que era chegada a hora de avançar.

Consigo imaginar a enorme festa e alegria que tomaram conta daquele lugar quando esse milagre aconteceu.

Hoje, Jesus está indo ao seu encontro, e quando ele chega, sua vida se transforma. As coisas começam a fluir, e todas as barreiras que o impediam de progredir ficam para trás, porque com Jesus a vida se movimenta. Você também sairá do lugar, pois há novos horizontes esperando por você.

"Deus tem lugares novos para você."

Qual atitude você deve tomar nesta semana para mudar alguma situação que está estagnada em sua vida?

....

....

....

....

....

....

....

....

Plano de leitura:
(Salmos 66—69)

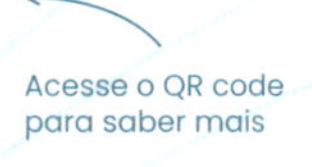

NÃO SE ISOLE

"Quanto mais isolada uma pessoa estiver, mais doente ficará."

Que tal orar pelos seus irmãos na fé hoje e mandar uma mensagem para pelo menos três?

....

....

....

....

....

Plano de leitura:
(Salmos 70—73)

Acesse o QR code para saber mais

Existe uma diferença entre solidão e solitude. Solitude é quando você mesmo tira um tempo para estar a sós com Deus; já solidão é quando você se sente sozinho porque não tem conexão com outras pessoas. Existe ainda o isolamento, que é quando a pessoa, deliberadamente, sai do convívio de tudo e todos e passa a buscar seus próprios interesses.

Provérbios 18.1 registra: "Quem vive isolado busca seu próprio desejo e insurge-se contra a verdadeira sabedoria" (A21). O salmista falou de como é bom e suave que os irmãos vivam em união (Salmos 133.1), ou seja, Deus deseja que tenhamos essa convivência uns com os outros. Em meio a esta era digital, muitas pessoas têm abandonado a comunhão para estar sozinhas, e isso é um grande perigo.

Se você já foi a um hospital, sabe que, quanto mais doente a pessoa estiver, mais isolada precisa estar; e, quanto mais saudável estiver, mais tempo em convívio ela pode permanecer. Não se isole, porque o isolamento pode ser prejudicial.

A Bíblia alerta: "Não deixemos de reunir-nos como igreja, segundo o costume de alguns, mas encorajemo-nos uns aos outros" (Hebreus 10.25). Procure uma igreja, viva em comunhão, pois isso é saudável.

TENHA UMA FÉ INABALÁVEL

O salmo 125 diz: "Os que confiam no SENHOR são como o monte Sião, que não se pode abalar, mas permanece para sempre" (v. 1). Com frequência, as circunstâncias e situações difíceis vêm para testar a nossa fé, e essa fé por vezes é abalada.

A Bíblia conta a história de Jairo (Lucas 8), um homem que recebeu a notícia de que Jesus iria até a sua casa, pois a sua filha estava doente. No caminho, alguns homens chegaram até ele e lhe disseram que a menina havia morrido. Mas Deus, por sua infinita misericórdia, já havia liberado algo para aquele homem; ele só precisava crer. Por fim, Jesus chegou àquela casa e mandou que a menina se levantasse, e todos ficaram maravilhados!

Quando se tem uma fé inabalável, os comentários das pessoas não importam, as circunstâncias não importam, pois ela o faz crer no impossível. Talvez você esteja vivendo uma situação tão difícil que chega até a duvidar do milagre, mas Deus quer que você desenvolva uma fé inabalável.

A fé é a certeza das coisas que não vemos; então, tenha convicção, pois Deus pode mudar qualquer situação. Não permita que nada abale a sua fé.

"*A fé fará você crer no incrível, ver o invisível e receber o impossível.*"

Qual situação da sua vida você precisa encarar com os olhos da fé?

....

....

....

....

....

....

Plano de leitura:
(SALMOS 74—78)

Acesse o QR code para saber mais

HUMILDADE PARA PEDIR CONSELHOS

"Tem gente que não gosta de ouvir a opinião de ninguém, nem a de Deus!"

Quem são as pessoas maduras com quem você poderia se aconselhar?

....

....

....

....

....

Plano de leitura:
(Salmos 79—82)

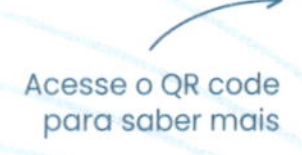

Muitas pessoas estão fracassando porque não têm humildade para pedir um conselho a alguém. Provérbios 24.6 diz que "antes de entrar numa batalha, é preciso planejar bem, e, quando há muitos conselheiros, é mais fácil vencer" (NTLH).

Mesmo antes de tomar uma decisão é necessário ouvir conselhos, por isso a Bíblia afirma que na multidão de conselheiros existe sabedoria (Provérbios 11.14).

Para que você seja bem-sucedido, é necessário que alguém mais experiente o aconselhe, pois o conselho tem o poder de evitar grandes problemas e pode trazer bênção sobre você em uma área específica da sua vida.

Certa vez, eu estava prestes a comprar um carro de que tinha gostado muito e estava aguardando o fechamento do negócio. Então, liguei para um mecânico experiente, e ele me explicou que aquela marca de carro poderia dar um sério problema. Alertou-me de que, se eu o comprasse, provavelmente gastaria bastante dinheiro para consertá-lo.

É bem comum ver pessoas comprando, vendendo, tomando atitudes sem ao menos pedir conselhos, mas eu lhe digo hoje: tenha humildade para pedir conselhos.

"VINDE, BENDITOS DE MEU PAI"

Um dia, estaremos diante do Senhor e prestaremos contas de tudo o que fizemos aqui. Alguns ouvirão do Senhor a linda frase: "Vinde, benditos de meu Pai"; já outros ouvirão: "Apartai-vos de mim, malditos" (Mateus 25.31-46, ARC).

O que você ouvirá do Senhor? Tenho certeza de que você, assim como eu, deseja ouvir a primeira frase, não é mesmo? Este devocional é para você, que talvez esteja sofrendo e passando por um momento difícil. Quero lhe dizer que você não pode desistir agora, não pode negar a sua fé simplesmente porque alguém o machucou ou por algo que o deixou chateado.

A frase "Vinde, benditos de meu Pai" é para aqueles que persistem e não desistem da caminhada; é para aqueles que não negam a fé e que são comprometidos com Jesus Cristo, com a justiça e com a verdade.

Um dia, o Senhor enxugará dos nossos olhos toda lágrima, e estaremos diante dele. As pessoas podem até não ver o que você está passando, todavia Deus vê a sua caminhada e um dia vai recompensá-lo.

Um dia, você estará diante de Jesus, e ele dirá: "Vinde, benditos de meu Pai, para o reino que vos tenho preparado". Por isso, não desista, pois vai valer a pena!

"Todo o seu esforço será recompensado por Deus."

Quais atitudes o ajudariam hoje a se aproximar mais de Deus?

Plano de leitura:
(Salmos 83—89)

Acesse o QR code para saber mais

VENCENDO A PROCRASTINAÇÃO

"Deixar para amanhã é rejeitar as bênçãos hoje."

Qual meta anual você se propôs a cumprir e ainda não realizou? Hoje, dê ao menos um passo para cumpri-la.

....

....

....

....

....

....

....

Plano de leitura:
(Salmos 90—94)

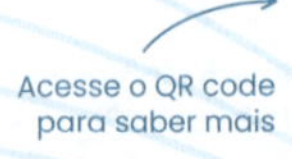

Você sabe o que é procrastinação? Essa palavra significa o famoso "vou deixar para depois" ou "amanhã eu faço"; quem procrastina está sempre adiando seus planos e projetos.

A pessoa que tem um estilo de vida de procrastinação sempre deixa para começar amanhã: "amanhã eu começo a academia"; "amanhã eu começo a dieta"; "amanhã eu começo a escrever", etc. E esse amanhã nunca chega.

Você não tem a vida inteira para agir; o melhor dia para começar não é amanhã; é hoje. Tudo que não tem uma data para ser feito, na maioria das vezes, nunca se realiza; então, especifique diante de Deus uma data para que seu projeto saia do papel.

Enfim, não deixe para começar a buscar a Deus amanhã, para ir à igreja amanhã; procure hoje o caminho. A Bíblia diz: "Ouvi-te em tempo aceitável e socorri-te no dia da salvação; eis aqui agora o tempo aceitável, eis aqui agora o dia da salvação" (2 Coríntios 6.2,3, ACF).

Você precisa tomar uma atitude hoje para que as promessas do Senhor possam acontecer. Hoje, é um dia de despertamento espiritual para que você vença a procrastinação e viva todas as promessas de Deus. O dia é hoje, a hora é agora!

APRENDA A VIVER CONTENTE

É possível caminhar na Terra com contentamento. Na maioria das vezes, as pessoas estão tristes porque estão buscando aquilo que ainda não têm e acabam se esquecendo daquilo que já possuem.

Paulo escreveu: "Não estou dizendo isso porque esteja necessitado, pois aprendi a adaptar-me a toda e qualquer circunstância. Sei o que é passar necessidade e sei o que é ter fartura. Aprendi o segredo de viver contente em toda e qualquer situação, seja bem alimentado, seja com fome, tendo muito ou passando necessidade. Tudo posso naquele que me fortalece" (Filipenses 4.11,13).

Que versículo tremendo! Paulo aprendeu a valorizar o que tinha. Buscamos tanto o que não possuímos e nos esquecemos de agradecer pelo que já temos. Pare e pense: quantas pessoas gostariam de ter a mesma saúde que você tem? Quantas delas gostariam de estar neste exato momento lendo este devocional?

Aprenda a viver contente adotando um estilo de vida de gratidão, pois a gratidão abre as portas para a multiplicação. Quanto mais agradecido você estiver, mais feliz você será. Valorize tudo o que Deus já fez por você e viva contente em toda e qualquer situação.

"A gratidão abre as portas para a multiplicação."

Como você poderia expressar gratidão hoje?

....

....

....

....

....

....

....

....

Plano de leitura:
(Salmos 95—102)

Acesse o QR code para saber mais

DEUS É GRANDE

"Não mostre a Deus o tamanho do seu problema; mostre ao problema o tamanho do seu Deus."

Quais problemas você precisa superar com a ajuda de Deus?

....

....

....

....

Plano de leitura:
(Salmos 103—105)

Acesse o QR code para saber mais

Quando não temos uma visão correta sobre Deus, isso dificulta a nossa contemplação de sua grandeza. Em momentos difíceis, algumas pessoas pensam que o Senhor não pode resolver o seu problema ou que ele não é poderoso o suficiente para ajudá-las. Deus é grande, e você vai entender isso hoje por meio de uma metáfora.

Certa vez, ouvi a história de um menino de seis anos que estava brincando, quando viu um avião voando bem longe. Ele chamou o pai e disse: "Olha o tamanho daquele avião, é bem pequeno". O pai respondeu: "Não, meu filho, aquele avião é muito grande". O menino continuou insistindo que o avião era pequeno. O pai não discutiu, mas decidiu levar o filho até o aeroporto no outro dia. Ao chegarem lá, viram o avião de perto, e então o menino disse: "Pai, este é muito grande!", ao que o pai respondeu: "É o mesmo modelo de avião que vimos no céu; a diferença é que agora você está vendo de perto".

Quando nos aproximamos de Deus, contemplamos um Deus grandioso. Tiago 4.8 diz: "Chegai-vos a Deus, e ele se chegará a vós" (ARC). Quanto mais próximo do Senhor você estiver, mais verá a sua grandeza. Nós servimos a um Deus grande!

ABRA SEUS OLHOS ESPIRITUAIS

Muitos tendem a crer somente naquilo que estão vendo. A Bíblia nos conta a história de uma ocasião em que o rei da Síria fazia guerra a Israel, porém Deus sempre revelava a Eliseu os planos e emboscadas que os sírios planejavam, e ele alertava o rei israelita. O texto diz que um exército havia cercado a cidade com cavalos e carros, e o servo do profeta Eliseu lhe perguntou: "Ai, meu senhor! Que faremos? E ele disse: Não temas; porque mais são os que estão conosco do que os que estão com eles" (2 Reis 6.15,16, ARC).

Eliseu já estava vendo com os olhos espirituais, olhos da fé, mas o servo dele estava apenas enxergando com os olhos naturais. Então, o profeta orou ao Senhor pedindo que os olhos do moço fossem abertos, e quando Deus abriu os olhos do rapaz, ele pôde ver os cavalos e carros de fogo ao redor de Eliseu.

Assim também acontece conosco. Muitas vezes, não enxergamos, mas o Senhor sempre está nos guardando e nos dando livramento, desde quando acordamos até o momento em que vamos dormir.

Por isso, peça a Deus que abra os seus olhos, e você verá quanto ele tem cuidado de você.

"Quando abrimos nossos olhos espirituais, enxergamos o tamanho do nosso Deus."

O que você precisa fazer para ter os olhos espirituais abertos?

....

....

....

....

....

Plano de leitura:
(Salmos 106—107)

Acesse o QR code para saber mais

VERDADEIRO SUCESSO

"Sucesso longe da vontade de Deus é fracasso."

Você sabe qual é a vontade de Deus para a sua vida?

....

....

....

....

....

....

....

....

Plano de leitura:
(Salmos 108—112)

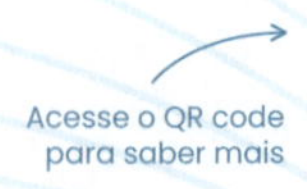

Acesse o QR code para saber mais

Sucesso é uma palavra que está em alta hoje em dia, e cada vez mais tem aumentado o número de pessoas vendendo cursos na *internet* sobre o segredo do sucesso e afirmando que ao adquirir tal curso você vai ser bem-sucedido.

Para muitas pessoas, sucesso é ter muitos seguidores em suas redes sociais, é ter popularidade, mas na verdade o sucesso do cristão não está de acordo com os padrões deste mundo. O sucesso do cristão é fazer a vontade de Deus.

Você se lembra do que o Senhor falou a Josué? Ele disse: "Tão somente esforça-te e tem mui bom ânimo para teres o cuidado de fazer conforme toda a lei que meu servo Moisés te ordenou; dela não te desvies, nem para a direita nem para a esquerda, para que prudentemente te conduzas por onde quer que andares" (Josué 1.7, ARC).

Portanto, eu quero lhe dizer que não adianta ter muitos seguidores nas redes sociais ou ser famoso e não fazer a vontade de Deus. Busque primeiramente agradar a ele; isso é ser bem-sucedido. Ponha-o em primeiro lugar em sua vida e você terá sucesso.

PARA TRÁS, SÓ PARA PEGAR IMPULSO

Deus tem coisas novas preparadas para você, mas você precisa olhar para a frente.

Sabe por que o retrovisor do carro é aproximadamente 42 vezes menor do que o vidro da frente? Porque o propósito maior é olhar para a frente. Muitas pessoas estão paralisadas porque estão olhando para trás.

Filipenses 3.13,14 diz: "Irmãos, quanto a mim, não julgo que o haja alcançado; mas uma coisa faço, e é que, esquecendo-me das coisas que atrás ficam e avançando para as que estão diante de mim, prossigo para o alvo, pelo prêmio da soberana vocação de Deus em Cristo Jesus" (ARC).

Nos Jogos Olímpicos, é comum vermos alguns atletas dando alguns passos para trás antes de iniciar a maratona, mas isso não quer dizer que eles estejam retrocedendo — eles estão apenas pegando impulso para ir mais longe.

Às vezes, é necessário dar alguns passos para trás, porém apenas como uma forma de ser impulsionado. Lembra-se do exemplo da mulher de Ló, que olhou para trás e virou uma estátua de sal? Não faça como ela, pois ficar olhando para trás faz com que sua vida fique paralisada. Apenas pegue impulso e olhe para a frente.

"A flecha primeiro vai para trás, para depois ir para a frente. Deus sabe a hora certa de cada acontecimento."

Para onde você está olhando: para a frente ou para trás?

....

....

....

Plano de leitura:
(Salmos 113—118)

Acesse o QR code para saber mais

A VIDA PASSA MUITO RÁPIDO

"Se Deus colocou algo em seu coração, realize imediatamente."

O que de muito importante você precisa fazer ainda neste mês?

Plano de leitura:
(Salmos 119)

Acesse o QR code para saber mais

É necessário refletir sobre a prioridade da vida, uma vez que muitas pessoas estão desperdiçando preciosos momentos sem perceber a rapidez com que o tempo passa. Em Tiago 4.14, encontramos a seguinte afirmação: "Digo-vos que não sabeis o que acontecerá amanhã. Porque, que é a vossa vida? É um vapor que aparece por um pouco e depois se desvanece" (ARC).

Essa passagem nos revela que somos semelhantes a uma neblina, cuja existência é fugaz. Deus estabeleceu os dias de vida de cada um de nós neste mundo; portanto, é imprescindível que vivamos intensamente nosso propósito.

Tenho observado muitas pessoas desperdiçando um tempo precioso com futilidades, sem parar para refletir sobre a brevidade de seu propósito. Não temos toda a eternidade para agir, pois estamos cientes de que nossos dias são contados pelo Senhor.

Sendo assim, não há tempo a perder. Se Deus colocou algo em seu coração, realize-o imediatamente. Não adie para amanhã, evite a procrastinação. Tome a decisão de viver intensamente para o Senhor. Não espere chegar a uma idade avançada na qual você não terá mais energia para se movimentar. Faça hoje aquilo que Deus colocou em seu coração.

Lembre-se de que o Senhor lhe dá tudo o que é necessário para cumprir seu propósito. Portanto, viva com intensidade, pois a vida passa rapidamente.

“CHEGAI-VOS A DEUS”

Tiago 4.8 diz: “Chegai-vos a Deus, e ele se chegará a vós” (ARC). O Senhor deseja ter um relacionamento profundo e íntimo com cada ser humano. A Bíblia diz que Deus visitava Adão e Eva no jardim diariamente. Mas, certo dia, por causa do pecado que cometeram, Adão e Eva se esconderam do Senhor.

O pecado afastou o ser humano de Deus, mas, posteriormente, Jesus se entregou na cruz, para que, por meio de seu sacrifício e de sua ressurreição, pudéssemos nos achegar ao Pai outra vez.

A vida não é fácil; enfrentamos grandes conflitos, lutas, adversidades, por isso precisamos desesperadamente da presença de Deus. Com relação a essa necessidade, o profeta Isaías exortou: “Buscai ao Senhor enquanto se pode achar, invocai-o enquanto ele está perto” (Isaías 55.6, ARC).

Deus está fazendo um caminho novo para que você percorra, tendo um relacionamento com ele. Você se tornará uma pessoa muito mais confiante na tomada de decisões. Mas observe que há uma parte que o Senhor não fará, que é a de ter a atitude em dar o primeiro passo; portanto, achegue-se a Deus.

Ele está esperando por você.

“Nos próximos dias, acontecerá algo extraordinário em sua vida.”

Qual caminho novo está diante de você?

Plano de leitura:
(Salmos 120—128)

Acesse o QR code para saber mais

LIVRE-SE DAS MÁS COMPANHIAS

"Quando as pessoas erradas saem da nossa vida, as coisas certas começam a acontecer."

Olhando para o resultado da vida das pessoas que andam com você, poderia dizer que elas são boas companhias?

....

....

....

....

Plano de leitura:
(Salmos 129—135)

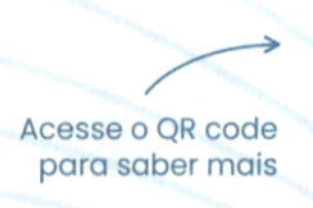

Algumas companhias podem nos conduzir ao êxito, mas também há aquelas que podem nos levar ao fracasso. A Bíblia diz que "as más companhias corrompem os bons costumes" (1 Coríntios 15.33). Isso é um alerta em relação às pessoas que escolhemos para caminhar conosco.

Qual tem sido a qualidade das suas companhias? Tem andado com pessoas que são melhores do que você? As pessoas que colocamos ao nosso lado podem trazer bênção, mas também maldições.

Um exemplo está na história de Jonas. Quando ele entrou naquela embarcação para fugir do chamado de Deus, houve uma grande tempestade. As pessoas que estavam ali dentro passaram sufoco, pois o navio só não afundou porque lançaram para fora o causador daquela situação, que era Jonas (Jonas 1).

A desobediência pode trazer sérios problemas a todos ao redor, por isso tome cuidado com quem você coloca dentro da sua casa. Já ouviu aquela frase "Dize-me com quem andas, e eu direi aonde irás chegar"? Pois bem, a qualidade das suas companhias faz toda a diferença. Então, procure andar com pessoas abençoadas, e você será abençoado; livre-se das más companhias.

SEJA UM ABENÇOADOR

Existem pessoas que cruzam nosso caminho e nos abençoam, deixando um legado significativo. Na Bíblia, encontramos um exemplo disso na história de Elias, quando ele foi enviado por Deus à casa da viúva de Sarepta.

O Senhor havia dito a Elias que aquela mulher o sustentaria. Ao chegar à casa da viúva, Elias pediu que ela fizesse um bolo. No entanto, a viúva explicou que possuía apenas um pouco de farinha e azeite em sua botija. Mesmo assim, ela obedeceu à palavra de Elias e preparou a refeição para o profeta. Como resultado de sua obediência, a casa da viúva foi abençoada, e a farinha na panela e o azeite na botija nunca se esgotaram.

Outro exemplo bíblico é a parábola do bom samaritano, que nos mostra um homem que, ao deparar com outro caído e ferido à beira da estrada, parou para ajudá-lo. Essa ação abençoou a vida do homem necessitado.

Portanto, podemos supor que, quanto mais abençoamos as pessoas, mais somos abençoados. No entanto, é importante ressaltar que nossas ações devem ser realizadas não por obrigação ou em busca de recompensas financeiras, mas com sinceridade e generosidade de coração.

"Quanto mais você abençoar hoje, mais será abençoado amanhã."

Você é agente de bênção na vida das pessoas ao seu redor?

Plano de leitura:
(Salmos 136—143)

Acesse o QR code para saber mais

MATURIDADE

"O que você chama de provação Deus pode ver como preparação."

Você é um crente maduro ou ainda dá passos tímidos de imaturidade?

Plano de leitura:
(Salmos 144—147)

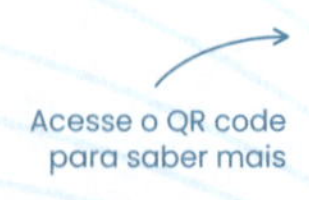

Acesse o QR code para saber mais

Antes de lhe entregar coisas grandiosas, o Senhor vai requerer maturidade da sua parte. A Palavra de Deus diz que "todo o tempo em que o herdeiro é menino, em nada difere do servo, ainda que seja senhor de tudo" (Gálatas 4.1, ARC).

Paulo está falando a respeito de uma herança, da qual não podemos tomar posse enquanto não atingirmos a maturidade.

Eu tenho um filho, e ele ainda não está apto para dirigir meu carro. O carro é praticamente dele, porque tudo o que é do pai pertence também ao filho, todavia ele não pode ainda assumir o volante. Não é porque eu não o amo, mas porque ele não tem maturidade, pois ainda é uma criança. Um dia, ele vai crescer e terá acesso a tudo que é meu.

A maturidade cristã é semelhante à maturidade natural. A maturidade natural diz que, quanto mais tempo você passar na Terra, mais maduro você estará. Na maturidade espiritual, quanto mais tempo você passar com Deus, mais maduro se tornará.

O que você chama de provação Deus chama de amadurecimento. Ele o está preparando para realizar seus divinos propósitos em sua vida. É tempo de amadurecer.

UM NOVO CORAÇÃO

Ao longo de nossa vida, deparamos com inúmeros momentos difíceis, nos quais o coração pode ser ferido. Quantas pessoas estão carregando marcas profundas no coração? O que precisamos verdadeiramente é de um coração renovado. O salmista expressou essa necessidade ao escrever: "Cria em mim, ó Deus, um coração puro" (Salmos 51.10, ARC). Nesse versículo, ele suplicou por um novo coração, reconhecendo que acabara de cometer um pecado.

Esse salmo, atribuído a Davi, retrata o momento difícil pelo qual ele passou com Bate-Seba e revela a compreensão de que o pecado havia causado danos ao seu coração. Com grande humildade, ele se dirigiu a Deus.

Devemos nos humilhar diante do Senhor e pedir que ele crie em nós um novo coração, um coração mais manso e amoroso. Essa transformação fará toda a diferença em nossas decisões, relacionamentos e em todos os aspectos da vida. É importante lembrar que a boca revela do que está cheio o coração. Portanto, nossa oração hoje é para que o Senhor transforme nosso coração.

Permita-se dedicar um momento para pedir a Deus que crie em você um coração puro, livre de mágoas, imaculado e sem defeitos. Peça: "Cria em mim, ó Deus, um novo coração".

"A intensidade do seu quebrantamento determina o nível do seu arrependimento."

Em que áreas da sua vida você precisa de arrependimento?

Plano de leitura:
(Salmos 148—150)

Acesse o QR code para saber mais

NÃO TENHA MEDO, CONTINUE ACREDITANDO

"Você precisa decidir a quem dará ouvidos: à voz de Jesus ou à voz das circunstâncias."

As circunstâncias determinam como você age e se comporta?

....

....

....

....

....

Plano de leitura:
(Provérbios 1—3)

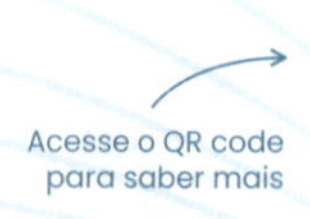

O Novo Testamento traz a história de um homem cuja única filha estava muito enferma (Lucas 8). Tratava-se de um homem importante, o principal da sinagoga, e provavelmente já havia procurado os melhores remédios, mas não havia conseguido obter a cura da sua filha.

Ao ouvir que Jesus passaria por ali, o homem então largou tudo e foi correndo ao encontro dele. Quando chegou, prostrou-se diante de Jesus e pediu-lhe que fosse até a sua casa. Jesus o atendeu, mas durante o percurso até a casa, alguém veio ao encontro deles e disse que não adiantava mais clamar, pois a sua filha havia morrido. Ao ouvir aquela conversa, Jesus disse ao homem que não tivesse medo, apenas continuasse acreditando.

O medo amplia o problema, mas a fé amplia a sua opção. Se Deus lhe disse que vai dar certo, é porque vai dar certo, ainda que todos digam o contrário.

Você precisa decidir a quem dará ouvidos: à voz de Jesus afirmando que tudo dará certo ou à voz das circunstâncias, que diz que já é tarde demais. Cristo entregou àquele pai a sua filha sã e salva. Assim como Jesus falou àquele homem, ele está dizendo hoje para você: "Não tenha medo, apenas continue acreditando!".

CORTE O MAL PELA RAIZ

Você já deve ter observado que, conforme a raiz de uma árvore vai crescendo, ela vai se aprofundando na terra, e assim fica cada vez mais difícil arrancá-la dali. É o que acontece com muitos corações que têm dificuldade de perdoar; quanto mais o tempo passa, mais aquela raiz se aprofunda. O problema é que essa raiz de amargura é muito danosa.

A Bíblia adverte: "Cuidem que ninguém se exclua da graça de Deus; que nenhuma raiz de amargura brote e cause perturbação, contaminando muitos" (Hebreus 12.15).

Temos um paralelo entre alguém que tem dificuldade de perdoar e a raiz de amargura. A Palavra de Deus diz para termos cuidado com a raiz de amargura porque, além de nos perturbar, ela também contamina os outros. Não deixe que a raiva, o rancor e a mágoa façam parte de você; corte o mal pela raiz.

O melhor é liberar perdão e não cultivar sentimento de vingança. Aliás, Romanos 12.19 diz: "'Minha é a vingança; eu retribuirei', diz o Senhor".

Você precisa cuidar do seu coração e deixar que o Deus que cuida de você faça justiça. Não vale a pena ficar guardando sentimentos ruins.

"Não liberar perdão é tomar um gole de veneno esperando que o outro morra!"

Quais são os males que você precisa cortar da sua vida?

Plano de leitura:
(PROVÉRBIOS 4—6)

Acesse o QR code para saber mais

O PODER DA SUPERAÇÃO

"Quando temos Jesus, qualquer obstáculo é superável."

Quais obstáculos você precisa superar nos próximos dias?

....

....

....

....

....

....

....

....

Plano de leitura:
(Provérbios 7—8)

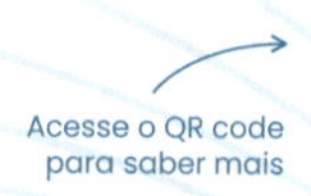

Superar é o ato de ultrapassar uma situação desagradável, perigosa ou complicada. Jesus nos avisou que no mundo teríamos aflições, mas nos disse para termos bom ânimo, porque ele venceu, e do mesmo modo nós também venceremos com ele.

Eu tenho certeza de que você já passou por muitos obstáculos, mas, quando temos o Senhor em nossa vida, tudo é diferente. Nós enfrentamos as batalhas como o salmista diz em Salmos 18.29: "Porque contigo entrei pelo meio duma tropa, com o meu Deus saltei uma muralha" (ACF).

Eu não sei quais são as muralhas que estão à sua frente, mas está na hora de viver a superação, porque o Senhor garante que está ao seu lado e a seu favor. Deus não lhe dá uma carga maior do que você possa suportar.

A superação é uma chave que abre portas; não olhe para o momento que você está vivendo como algo que vai matá-lo, mas, sim, como algo que vai fortalecê-lo.

Creia que você vai ultrapassar essa situação desagradável; você vai superar.

A CHAVE ESTÁ NAS MÃOS DE DEUS

Certa vez, ao retornar para a minha casa de uma viagem, eu estava bem cansado, querendo tomar um banho. Mas quando fui pegar a chave, não sabia onde ela estava. Fiquei procurando por um bom tempo até que a encontrei, e foi um alívio.

Ter a chave certa traz refrigério. E, acerca disso, Deus tem uma palavra para o seu coração, que está em Apocalipse 3.8: "Eu sei as tuas obras; eis que diante de ti pus uma porta aberta, e ninguém a pode fechar; tendo pouca força, guardaste a minha palavra e não negaste o meu nome" (ARC).

Deus tem a chave que abre todas as portas, e essas portas trarão alegria para sua vida. Então, você precisa entender que a chave está nas mãos do Senhor; não fique procurando em homens aquilo que só Deus pode fazer.

Não se turbe o seu coração, não fique preocupado; o Senhor é fiel para abrir todas as portas. Descansa o seu coração, pois Deus sabe como abrir e quando abrir essa porta, e se ela ainda não abriu é porque não é tempo.

Espere no Senhor, porque ele tem a chave, e por certo, no tempo determinado, vai acontecer.

"Não fique procurando em homens aquilo que só Deus tem."

Qual porta você precisa que seja aberta atualmente?

....

....

....

....

....

....

....

Plano de leitura:
(Provérbios 9—11)

Acesse o QR code para saber mais

AUMENTE SUA PRODUTIVIDADE

"Não discuta! Deixe os seus frutos falarem por você."

Você se organiza e consegue ser produtivo em sua rotina?

....

....

....

....

....

....

....

....

Plano de leitura:
(Provérbios 12—15)

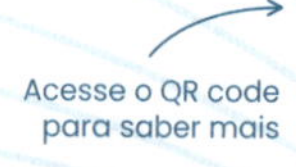

Hoje em dia, muitas pessoas falam sobre produtividade, principalmente na *internet*, e a Bíblia trata desse tema com muita clareza.

Em João 15, lemos: "Eu sou a videira verdadeira, e meu Pai é o agricultor. Todo ramo que, estando em mim, não dá fruto, ele corta; e todo que dá fruto ele poda, para que dê mais fruto ainda. Vocês já estão limpos, pela palavra que tenho falado. Permaneçam em mim, e eu permanecerei em vocês" (vs. 1-4).

Deus é a favor da produtividade, mas o Inimigo não quer que você produza frutos.

Algumas coisas atrapalham a produtividade, e a primeira delas é a preguiça. Provérbios 6.6a diz: "Vai ter com a formiga, ó preguiçoso" (ARA). Deus em sua sabedoria nos alerta de que a preguiça, além de gerar pobreza, nos deixa estagnados. O segundo inimigo da produtividade chama-se distração. Muitas pessoas estão distraídas, perdendo horas no celular ou assistindo a séries na televisão. A terceira coisa que atrapalha a produtividade é a falta de foco.

Deus está falando com você: vença esses inimigos e aumente a sua produtividade, porque é tempo de dar frutos.

PARECIDOS COM JESUS

Todo cristão deve se parecer com Cristo. A Bíblia diz que nós somos a carta de Cristo (2 Coríntios 3), e quem olha para a nossa vida deveria se lembrar de Jesus.

Hoje, estão em alta temas como inteligência emocional, neurociência e desenvolvimento pessoal. As pessoas são ensinadas a ter pessoas como molde, isto é, a olhar para alguém e copiar o seu jeito, a sua forma de ser, para que possam obter os mesmos resultados. A Bíblia trata disso há mais tempo: "Sede meus imitadores, como também eu sou de Cristo" (1 Coríntios 11.1, ARC).

Paulo se dizia imitador de Cristo porque o estava "modelando", isto é, porque queria ser parecido com ele. O desejo de Deus é que todos os cristãos reflitam a imagem do seu Filho, Jesus.

Você se parece com Jesus? Quando as pessoas veem as suas atitudes, elas se lembram da simplicidade e da humildade de Cristo?

Nós precisamos parecer cada vez mais com Jesus, e para isso é necessário passar mais tempo na presença dele, falando e caminhando com ele.

"Você fica semelhante a tudo aquilo que adora!"

Você tem buscado a cada dia mais se parecer com Jesus?

....

....

....

....

....

....

....

....

Plano de leitura:
(Provérbios 16—18)

Acesse o QR code para saber mais

PROPÓSITO X PROPOSTA

“Quem vive por propostas se perde do propósito.”

Qual propósito você não deve abandonar por nenhuma proposta?

....

....

....

....

....

....

....

....

Plano de leitura:
(Provérbios 19—21)

Acesse o QR code para saber mais

Gideão estava diante de uma grande decisão e, para ter certeza de como agir, fez um propósito com Deus. A Bíblia diz que ele colocou um velo de lã na eira e orou, dizendo: “Se o orvalho estiver somente no velo, e secura sobre toda a terra, então, conhecerei que hás de livrar Israel por minha mão, como tens dito” (Juízes 6.37, ARC). E assim aconteceu. Gideão, porém, fez mais uma prova com Deus e orou, dizendo: “Rogo-te que só no velo haja secura e em toda terra haja o orvalho” (Juízes 6.39, ARC). E assim aconteceu. Então, ele entendeu qual era a vontade de Deus.

Quando eu estava pensando em me casar, orei ao Senhor a respeito de uma pessoa e pedi: “Senhor, se for da tua vontade, que ela faça um bolo de chocolate para mim”. Meses depois, ela fez para mim um bolo, mas de coco. Então, , em minha opinião, não era da vontade de Deus. Um tempo depois, conheci a minha esposa. Juntos, fizemos um propósito com o Senhor, e creio que ele nos respondeu. Hoje, temos uma família feliz e abençoada.

As propostas podem ser muito boas, mas o propósito é perfeito e agradável — é isso que Deus quer lhe ensinar. Faça um propósito com o Senhor de acordo com a sua Palavra e viva a plenitude do que ele tem para você.

CRER É UMA DECISÃO

Crer não é fruto de um sentimento; crer, na verdade, é uma decisão. Na maioria das vezes que enfrentamos momentos difíceis, precisamos aprender que a fé é o firme fundamento daquilo que não vemos, mas cremos. Portanto, crer precisa ser um posicionamento diante de tudo o que você está vivendo. Você pode decidir simplesmente se entregar ou pode decidir simplesmente duvidar.

Eu me recordo do episódio em que Moisés recebe uma orientação de Deus de que era para o povo de Israel continuar marchando, mesmo sabendo que o mar estava à frente e atrás vinha o exército do faraó.

Moisés obedeceu, Deus abriu o mar, e o povo atravessou em terra seca. Javé é um Deus de novidades, mas ele quer que você *creia* que ele pode criar coisas novas.

Atualmente, vemos muitos divórcios acontecendo, mas Deus é poderoso para mudar e transformar as situações das famílias — basta crer. Quando a gente se posiciona com fé, Deus age.

Se a bênção ainda não veio, talvez hoje tudo o que você precisa fazer é tomar a decisão de crer.

"Deus sempre será com você conforme a sua fé!"

Em que você precisa decidir crer neste momento?

....

....

....

....

....

....

....

....

Plano de leitura:
(Provérbios 22—24)

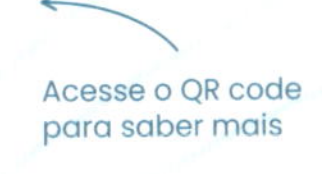

SEU CORAÇÃO VAI PROMOVER VOCÊ

"Seu coração promoverá você a uma nova posição."

Se Deus examinar seu coração hoje, o que ele vai encontrar?

Antes de avaliar as habilidades de uma pessoa, Deus examina o seu coração. Temos um exemplo claro disso na Bíblia, quando o Senhor decidiu elevar um homem a uma posição de destaque. Ele orientou o profeta Samuel a visitar a casa do jovem que havia escolhido como rei da nação.

O aspecto mais fascinante dessa história é que Deus não se importava com a aparência externa, mas, sim, com o coração. Entre todos os filhos de Jessé, Deus olhou para o coração de Davi e o selecionou. As Escrituras registram o seguinte ensinamento: "Sobre tudo o que se deve guardar, guarda o teu coração, porque dele procedem as fontes da vida" (Provérbios 4.23, ARC).

O coração tem o poder de promover ou derrubar uma pessoa. Davi foi promovido por causa de seu coração. Quando Deus busca alguém para ocupar uma posição de destaque, ele sempre analisa o interior da pessoa.

Portanto, é essencial que o seu coração esteja em sintonia com o de Deus, para que você possa ser promovido e vivenciar oportunidades extraordinárias em sua vida.

Plano de leitura:
(Provérbios 25—27)

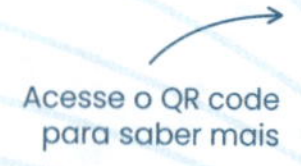

Acesse o QR code para saber mais

NÃO SEJA COVARDE, LUTE!

Muitas vezes, estamos em meio a uma grande batalha, porém não usamos as armas que Deus nos deu. A Palavra de Deus nos diz que "maldito é aquele que retém a sua espada do sangue" (Jeremias 48.10, ARA), ou seja, o soldado em meio à guerra precisa usar a espada, não simplesmente deixá-la na bainha.

Deus está falando com você. Use as ferramentas que ele lhe deu, pois é tempo de lutar.

Essa ideia de deixar a espada na bainha não é a postura de um verdadeiro soldado. Você precisa tomar uma atitude; não seja covarde. É preciso se posicionar e ir à luta para atingir os objetivos que Deus colocou no nosso coração.

A Bíblia fala a respeito de Samá, um homem que tomou uma espada e se colocou no meio de um campo de lentilhas para defender aquelas terras, e Deus lhe deu vitória (2 Samuel 23). A lentilha podia não ter grande importância para os outros, mas para ele era muito importante e valorizada.

Faça como o personagem bíblico Samá: tire a sua espada da bainha, lute e se posicione, pois Deus é com você.

"A intensidade da sua luta revela no que de fato você crê."

Qual atitude e postura você deve ter nesta semana?

....

....

....

....

....

....

....

....

Plano de leitura:
(Provérbios 28—31)

Acesse o QR code para saber mais

CRESCIMENTO ESPIRITUAL

"Busque se aprofundar, e Deus dará o enlarguecer."

Quais novas atitudes você pode tomar para crescer ainda mais espiritualmente?

....

....

....

....

....

....

....

....

Plano de leitura:
(Eclesiastes 1—4)

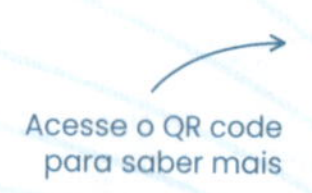

As pessoas têm uma busca incessante pelo crescimento. Alguns desejam crescer financeiramente, trabalhando tanto que acabam não tendo tempo para dedicar à família. Outros buscam o crescimento físico, passando longas horas na academia, dedicando-se a treinos e exercícios.

Não que essas aspirações sejam erradas, mas existe um tipo de crescimento que deveríamos buscar a qualquer custo: o crescimento espiritual, que está intrinsecamente ligado à nossa comunhão com Deus.

Em 2 Pedro 3.18, encontramos a seguinte exortação: "Crescei na graça e no conhecimento do nosso Senhor e Salvador Jesus Cristo" (ARA). Essa passagem bíblica nos dá um mandamento claro para buscar o crescimento espiritual, e para isso precisamos reservar tempo para estar com o Senhor.

Assim como é necessário estar presente constantemente na academia para alcançar o crescimento físico, e trabalhar arduamente para alcançar o crescimento financeiro, também é indispensável dedicar tempo e esforço para obter o crescimento espiritual. Invista mais tempo em oração. Não deixe de participar de encontros congregacionais e, todos os dias, medite na Palavra do Senhor. Dessa forma, você irá experimentar um crescimento espiritual significativo.

HAVERÁ VIDA NOVAMENTE

Muitas vezes, pensamos que tudo acabou, que a história terminou, mas Deus é poderoso para trazer à existência coisas das quais nós já havíamos desistido.

A Palavra do Senhor fala a respeito de uma viúva que não era bem vista pela sociedade da época. Ela enfrentava dificuldades e, além disso, o filho dela havia morrido (Lucas 7). Imagine que tristeza para aquela mulher, que estava indo sepultar o seu único filho. Nela já não havia mais esperança. Em Israel, as viúvas não podiam trabalhar e dependiam dos filhos. Pensando nisso, pare e reflita: como ficaria o futuro daquela mulher?

Subitamente, no percurso até o cemitério, ela encontrou-se com Cristo. Ele parou aquele cortejo fúnebre, tocou naquele esquife (que é o caixão), e a Bíblia diz que o filho da viúva reviveu.

Talvez você pense que a história acabou e que tudo terminou, mas Jesus Cristo está presente na sua vida. Ele tem poder para fazê-lo reviver, para ressuscitar os seus sonhos e para trazer alegria novamente à sua casa e à sua vida.

"Jesus tem poder para ressuscitar seus sonhos e trazer alegria novamente."

Em que áreas da sua vida você precisa de uma intervenção de Jesus para ter alegria novamente?

....

....

....

....

....

Plano de leitura:
(Eclesiastes 5—8)

Acesse o QR code para saber mais

NÃO SE AFASTE DE DEUS

"Longe de Deus, as coisas se tornam cada vez mais difíceis."

Você já se afastou de Deus? Como foi esse tempo?

....

....

....

....

....

....

....

....

Plano de leitura:
(Eclesiastes 9—12)

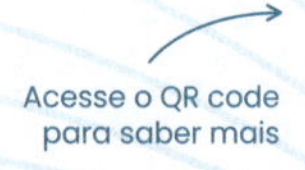

Muitas vezes, afastamo-nos de Deus lentamente, seja por algumas distrações, seja por alguns desejos que são na verdade perigosos.

Isso aconteceu com o filho pródigo, personagem de uma parábola muito conhecida do Novo Testamento registrada em Lucas 15. Aquele jovem saiu da casa do pai, pois tinha desejo de conhecer outras coisas. Ele gastou todo o seu dinheiro, tudo que havia recebido de herança, e os falsos amigos o abandonaram. Ele ficou sem nada e até desejou comer a comida que os porcos comiam.

Tudo isso aconteceu porque ele se afastou do pai. Mas depois aquele jovem caiu em si e decidiu retornar para a casa do pai. Ao chegar lá, seu pai estava de braços abertos esperando-o.

Hoje, também é assim. Vemos muitas pessoas que se afastaram do Pai, deixaram a presença de Deus e estão sofrendo bastante. Se você é uma dessas pessoas, lembre-se de que é tempo de voltar; o Pai o está esperando de braços abertos. Na casa do Pai, há alegria, fartura, proteção e amor, ou seja, tem tudo de que você precisa.

VISÃO RESTAURADA

Muitas são as pessoas que não enxergam mais um futuro maravilhoso e abençoado simplesmente porque perderam a sua visão.

A Bíblia relata a história de um homem que se chamava Naás e era inimigo do povo de Deus (1 Samuel 11). Ele disse ao povo: "Vamos fazer um acordo. Eu quero deixá-los vivos, mas tem uma condição: vou arrancar o olho direito de todos". Observe que o objetivo era arrancar o olho direito porque ele era um órgão muito importante para as batalhas; era o olho da mira. O soldado que perdia a visão do lado direito ficava limitado e não podia mais guiar.

De igual modo, a estratégia do Inimigo é fazer com que você perca a sua visão e não consiga mais lutar, não consiga enxergar o futuro. Satanás talvez tenha passado pela sua vida e lhe arrancado a visão, fazendo-o deixar de acreditar. Mas creia que, hoje, Deus vai restaurar a sua visão, assim como aconteceu com o cego Bartimeu, que clamou por Jesus até que ele o ouviu, foi ao seu encontro e restaurou sua visão.

Creia que isso vai acontecer na sua vida também! Cristo vai restaurar a sua visão! Está na hora de voltar a acreditar, de voltar a sonhar.

"A visão o fará enxergar além do que seus olhos são capazes de ver."

Que visão você tem do seu futuro?

....

....

....

....

....

....

....

Plano de leitura:
(Cântico dos Cânticos 1—4)

Acesse o QR code para saber mais

DESÂNIMO, O GRANDE INIMIGO DO ÊXITO

"O desânimo é o melhor amigo do fracasso."

Você está desanimado com alguma situação atualmente?

Plano de leitura:
(Cântico dos Cânticos 5—8)

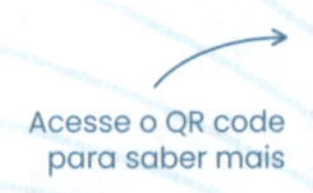

Um inimigo que tem atacado ferozmente as pessoas é o desânimo. Esse estado de abatimento de alma tem impedido muita gente de conquistar seus sonhos e objetivos.

A Bíblia fala de um profeta de Deus chamado Elias, que, em certo momento de sua vida, ficou muito desanimado. Seu nível de desânimo foi tão profundo que, mesmo Deus enviando-lhe um anjo e tendo lhe preparado comida, ele não conseguiu sair do lugar onde estava escondido.

Quantas pessoas estão permitindo que o desânimo tome conta de seus dias, assim como aconteceu com Elias? Elas já acordam entristecidas, desanimadas, por isso não avançam. Esse é o motivo pelo qual o indivíduo desanimado não vence, apenas enxerga pontos negativos em sua trajetória.

Jesus dirigiu a todos os que estão lutando contra o desânimo as seguintes palavras: "Vinde a mim, todos os que estais cansados e sobrecarregados, e eu vos aliviarei" (Mateus 11.28, ARA).

O Senhor está lhe fazendo um convite. Ele quer lhe dar coragem, quer que você tenha fé e vença esse desânimo, porque ele ainda tem muitas coisas para fazer em sua vida.

FELIZES OS MISERICORDIOSOS

Vivemos em um mundo cruel, onde as pessoas não sentem mais a dor dos outros; aliás, se as feridas do seu irmão não lhe causam mais dor, a sua doença pode ser pior do que a dele.

Muitas vezes, vemos pessoas sofrendo, mas parece que nos acostumamos com isso. Não deveria ser assim, porque, quando você sente a dor do próximo, automaticamente está sendo misericordioso, e é isso que Jesus quer de nós, como afirmou no Sermão do Monte: "Felizes os misericordiosos, pois serão tratados com misericórdia" (Mateus 5.7, NVT).

A Bíblia nos conta a parábola do bom samaritano (Lucas 10), cujo nome não é mencionado. Ele estava caminhando e viu um homem caído no chão; então, teve compaixão dele e o ajudou, mesmo sem conhecê-lo. Antes de o samaritano aparecer, havia passado por ali um levita e um sacerdote, mas nenhum deles teve misericórdia do homem ferido.

Outro exemplo vem da história de Neemias, que, ao ouvir falar que os seus irmãos estavam passando por um momento difícil, parou tudo e foi ajudá-los.

Você tem sido misericordioso? Ajude os que estão caídos, desanimados ou precisando de algo; se você fizer isso, estará no caminho da felicidade.

"Se as feridas do seu irmão não lhe causam dor, sua doença pode ser pior do que a dele."

Você já foi ajudado quando estava precisando? Já ajudou alguém que precisava?

Plano de leitura:
(Isaías 1—3)

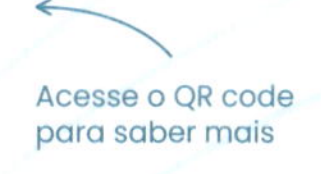

Acesse o QR code para saber mais

RESTAURE O SEU ALTAR

"O fogo não desce sobre um altar desorganizado."

Como está o altar do seu coração?

Plano de leitura:
(Isaías 4—7)

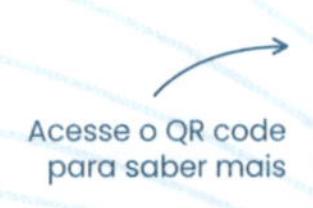

Todos nós temos um altar em nosso coração. Muitas pessoas desejam viver e receber o sobrenatural de Deus, mas antes é necessário preparar esse altar.

Em 1 Reis 18, lemos que Elias desafiou alguns falsos profetas: "Vamos fazer um desafio? O deus que responder por intermédio do fogo, esse é o Deus verdadeiro". Os profetas de Baal gostaram do desafio e começaram a preparar o altar. A Bíblia diz que eles ficaram por horas e horas clamando ao seu deus, e nada aconteceu — somente bagunçaram todo o altar.

Elias, antes de orar, restaurou o altar, organizou tudo, preparando o ambiente para que o sobrenatural se manifestasse. E assim aconteceu: o Senhor respondeu à oração de Elias com fogo, para provar que ele é o verdadeiro Deus.

Agora eu lhe pergunto: como está o altar do seu coração? Se estiver bagunçado, é necessário que você organize tudo para que então consiga ver o sobrenatural de Deus.

O nosso altar precisa estar restaurado. Os desejos carnais não podem prevalecer ali. Portanto, prepare o seu altar, crendo que está chegando o tempo da grande manifestação de Deus na sua vida.

SUPERANDO MOMENTOS DIFÍCEIS

A vida não é linear; passamos por momentos bons e momentos difíceis, porém precisamos entender que superar as dificuldades é necessário. Quando olhamos a vida dos grandes campeões, por exemplo, percebemos que eles têm algo em comum: a capacidade de superar momentos difíceis.

A Bíblia também nos mostra exemplos de pessoas que passaram por adversidades, como é o caso de Ana, que não conseguia gerar filhos. Na cultura de sua época, a mulher que não conseguisse gerar filhos era tida como amaldiçoada. Ana superou aquele momento difícil, e Deus lhe deu a vitória fazendo com que ela gerasse Samuel.

Em 1 João 5.4, está escrito: "O que é nascido de Deus vence o mundo; e esta é a vitória que vence o mundo: a nossa fé", ou seja, nós temos uma promessa, algo que está liberado sobre nós.

Você não pode desistir agora simplesmente porque as circunstâncias estão complicadas. Deus está com você; está na hora de dar a volta por cima e superar os momentos difíceis. Pense em como Cristo sofreu: ele foi à cruz do Calvário e, mesmo assim, superou, pois ressuscitou no terceiro dia. Se Jesus venceu, nós também venceremos!

"O derrotado não é aquele que perde, e sim aquele que desiste."

Escreva dois momentos da sua vida em que Deus o capacitou a dar a volta por cima

....

....

....

....

....

....

Plano de leitura:
(Isaías 8—10)

Acesse o QR code para saber mais

“CLAMA A MIM E RESPONDER-TE-EI”

“A intensidade da sua oração determina o poder da manifestação.”

Qual o seu clamor a Deus no dia de hoje?

....

....

....

....

....

....

....

Plano de leitura:
(Isaías 11—13)

Muitas vezes, enfrentamos dilemas e situações em que literalmente não sabemos o que fazer nem para onde ir. A Bíblia conta que o povo de Israel também enfrentou um momento assim. Havia uma promessa de Deus, mas, antes que ela se cumprisse, o povo passou por um deserto (Êxodo 14).

Os israelitas também foram perseguidos pelo faraó e seu exército. Quando já não havia mais saída, pois o exército estava atrás e havia um mar à frente, Moisés clamou ao Senhor, e ele abriu o mar para o povo passar.

Um dos maiores segredos é clamar a Deus. Veja o que diz a Bíblia: “Clama a mim, e responder-te-ei e anunciar-te-ei coisas grandes e firmes, que não sabes” (Jeremias 33.3, ARA). O Novo Testamento relata ainda que Paulo e Silas estavam presos injustamente, porém eles clamaram ao Senhor, e o Senhor abriu as portas da prisão (Atos 16).

Está na hora de você clamar a Deus, de buscar auxílio nele. Se você clamar com fé, ele vai lhe responder. O Senhor tem prazer em falar conosco, mas nós temos de ter a iniciativa de ir até ele. Faça isso, e você verá o agir do Todo-Poderoso.

SEU TESTEMUNHO SERÁ LINDO

Todos querem ter uma linda história para contar, mas se esquecem de que uma história de superação, que mostra o poder de Deus em nossa vida, vem dos sofrimentos e das provações.

Por exemplo, para haver um testemunho de uma pessoa que ressuscitou, alguém vai precisar morrer; para ter um testemunho de cura, alguém vai precisar ficar doente; para um testemunho de restauração, algo precisará quebrar. Isso quer dizer que a maior dificuldade se tornará o mais lindo testemunho amanhã.

Isabel e Zacarias serviam a Deus e já eram de idade avançada, mas não tinham filhos (Lucas 1). Na cultura judaica da época, a vida sem filhos significava que a bênção de Deus era negada. Deus, porém, sabe a hora certa de cumprir uma promessa e, no tempo determinado, entregou-lhes um filho, ao qual chamaram João. A Bíblia diz que esse filho trouxe alegria e regozijo a todos.

Creia que o seu testemunho será lindo, pois, na verdade, não é que a bênção esteja demorando; é que Deus está preparando o melhor. Confie que ele trará alegria para sua vida, e a sua bênção vai impactar muita gente.

"Sua luta é proporcional ao tamanho do seu testemunho."

Qual testemunho do agir de Deus em sua vida você já tem para contar?

....

....

....

....

....

....

....

....

Plano de leitura:
(Isaías 14—19)

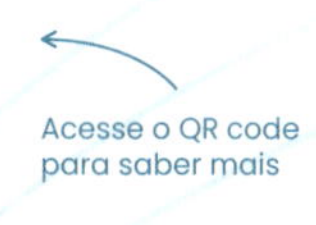

SILENCIE EM SILÊNCIO OS OUTROS

"Aprenda a calar a boca dos outros sem abrir a sua."

Como você lida com críticas?

....

....

....

....

....

....

....

....

....

Plano de leitura:
(Isaías 20—24)

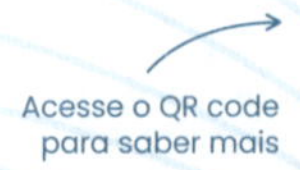

Quando enfrentamos críticas, calúnias e até mesmo difamações, temos a tendência de fazer o mesmo, ou seja, de descer ao mesmo nível daquele argumento. A Bíblia conta que Neemias estava trabalhando numa grande obra; ele era um líder levantado por Deus. Quando começou a fazer aquele trabalho, alguns homens começaram a criticá-lo, dizendo: "Desce daí, Neemias; pare de fazer esta obra". Mas ele respondia: "Não posso descer, pois estou fazendo uma grande obra" (Neemias 6).

Note que a crítica frequentemente parte de baixo para cima. Quem está trabalhando em geral não tem tempo para criticar os outros, mas quem não está fazendo nada dispõe de mais tempo para ficar reparando em quem está fazendo algo.

Você precisa aprender a não descer ao nível da crítica e continuar fazendo o que Deus colocou no seu coração. Se Jesus Cristo, que era perfeito, foi criticado (e muito criticado), quanto mais nós que somos imperfeitos!

A estratégia é silenciar os outros mantendo-se em silêncio, simplesmente deixando que os frutos falem por si mesmos. Aliás, se você quer conhecer uma árvore, basta olhar para os frutos. Portanto, não pare de fazer a obra que Deus confiou a você!

TEMPO DE PERSEVERAR

Todas as histórias de sucesso são construídas por uma característica muito forte de perseverança. Você já reparou que muitas pessoas que lograram êxito na vida têm uma longa história de perseverança?

Seja perseverante e você terá êxito em tudo, pois aí reside o segredo dos vencedores. A perseverança é o oposto do desânimo; então, não desanime nem desista, mas lute! Lute pela sua saúde, pelo seu lar e por tudo aquilo que é importante para você.

Lembre-se de que o verbo "perseverar" significa manter-se firme e constante, isto é, persistir, prosseguir e continuar. Grave essas palavras em seu coração, pois elas farão toda a diferença em sua vida.

Para que possamos vencer, é necessário ter perseverança, por isso Mateus 24.13 diz: "Mas aquele que perseverar até o fim, esse será salvo".

É tempo de perseverar. Por mais que a situação esteja difícil, por mais que alguém tenha falado algo contra você e talvez até você não se sinta tão forte, continue, pois a perseverança é um dos segredos para obter êxito e conquistar seus objetivos.

"Na vida de um vencedor, perseverar não é opção, mas obrigação."

Você é bom em perseverar mesmo quando as circunstâncias o forçam a desistir?

....

....

....

....

....

Acesse o QR code para saber mais

"EU TE CONHECIA SÓ DE OUVIR"

"Chega de contar os testemunhos dos outros! Prepare-se para contar o seu."

Você está desenvolvendo um relacionamento íntimo com Deus?

....

....

....

....

Plano de leitura:
(Isaías 29—33)

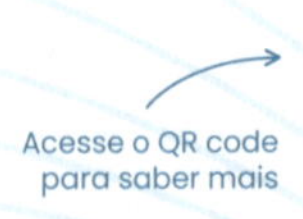

No fim do relato bíblico sobre seu sofrimento, o patriarca Jó disse ao Senhor: "Eu te conhecia só de ouvir" (Jó 42.5, NAA). Jó já tinha escutado falar das grandezas do Senhor, porém foi só depois do sofrimento que ele conheceu Deus com mais intensidade, ou seja, de um modo que jamais havia experimentado.

Nos momentos mais difíceis de nossa vida, Deus se revela de uma forma tão impressionante que passamos realmente a conhecê-lo como Pai. Portanto, nos momentos de angústia, lembre-se de que existe um Deus que não o abandona e nunca o deixa sozinho. Jesus prometeu: "Eis que estou convosco todos os dias até à consumação dos séculos" (Mateus 28.20, ARA).

Creia nas palavras de Jesus e busque conhecer o Senhor mais e mais, conforme diz Oseias: "Conheçamos o Senhor; esforcemo-nos por conhecê-lo" (Oseias 6.3). A Palavra nos impulsiona a nos esforçar para conhecer o Senhor.

Jó conheceu Deus depois de passar por adversidades, e conosco acontece do mesmo modo. Ele permite algumas dificuldades para que o conheçamos não só de ouvir falar, mas mediante experiências reais.

TENHA UM ESPÍRITO DIFERENTE

Existem homens que fazem a diferença e marcam uma geração. Deus sempre levanta pessoas com um espírito diferente, assim como Calebe, que perseverou e lutou mesmo quando muitos já haviam desistido. O Senhor buscava homens com um espírito diferente, conforme relatado em Números 14, onde encontramos a história de dois grandes guerreiros: Josué e Calebe.

Eles foram espiar a terra, e o Senhor disse: "Mas o meu servo Calebe tem um espírito diferente e sempre tem sido fiel a mim. Por isso eu farei com que ele entre na terra que espionou, e os seus descendentes vão possuir aquela terra" (Números 14.24, NTLH).

Deus concedeu a Calebe a herança da terra porque ele tinha um espírito diferente e permaneceu firme mesmo quando todos estavam retrocedendo. Portanto, não desista; permaneça firme e seja alguém que possui um espírito diferente. Enfrente os desafios com determinação para alcançar os lugares que o Senhor prometeu e preparou para você. Não seja apenas um espectador das promessas, mas tome posse delas. Tenha um espírito diferente para viver e desfrutar das promessas de Deus.

"Não seja apenas um espectador das promessas, mas tome posse delas."

Como você tem se comportado diante das promessas de Deus para a sua vida?

Plano de leitura:
(Isaías 34—36)

Acesse o QR code para saber mais

"O PECADO NÃO TERÁ DOMÍNIO SOBRE VÓS"

"O pecado pode nos impedir de desfrutar tudo o que Deus preparou para nossa vida."

De qual pecado você precisa se arrepender hoje?

Plano de leitura:
(Isaías 37—39)

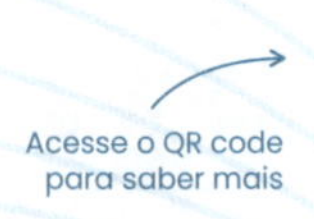

Acesse o QR code para saber mais

O pecado é perigoso, pois, sem que percebamos, ele pode nos impedir de desfrutar tudo o que Deus preparou para nossa vida. E o pior de tudo é que o pecado nos afasta da presença de Deus.

Quando pecamos, afastamo-nos da comunhão eterna com o Senhor. Mas há uma grande diferença entre cometer pecados e viver na prática do pecado. Nesse contexto, vale ressaltar que o pecado muitas vezes é traduzido por "errar o alvo", mas podemos simplesmente afirmar que ele nos separa de Deus, como diz Isaías: "Mas as vossas iniquidades fazem separação entre vós e o vosso Deus; e os vossos pecados encobrem o seu rosto de vós, para que não vos ouça" (Isaías 59.2, ARA).

O pecado nos afasta da presença divina, mas, pela graça, somos reconciliados, como Paulo deixou claro: "Porque o pecado não terá domínio sobre vós, pois não estais debaixo da lei, mas debaixo da graça" (Romanos 6.14, ARA).

Você foi liberto, e o pecado não pode mais impedir você de viver as promessas de Deus. Ande na luz, e o sangue de Jesus o purificará de todo pecado (1 João 1.7); ou seja, arrependa-se, pois o Senhor é fiel e justo para perdoá-lo, e o pecado não terá domínio sobre sua vida.

EXERCITANDO A FÉ

Algumas pessoas têm o hábito de ir à academia e fazer exercícios para fortalecer os músculos. Isso é válido, porém devemos nos lembrar de que a fé também precisa ser exercitada todos os dias.

Recebemos de Deus uma medida de fé, mas é necessário fazê-la crescer, para que se torne cada vez maior. A fé não se desenvolve em tempos bons, e sim em tempos difíceis. Mas, como tudo que você alimenta cresce, tudo que é exercitado se fortalece.

A Bíblia diz: "Sem fé é impossível agradar a Deus, pois quem dele se aproxima precisa crer que ele existe e que recompensa aqueles que o buscam" (Hebreus 11.6).

Deus é recompensador dos que o buscam, por isso ele está despertando o seu coração para que você exercite a sua fé ao buscá-lo todos os dias.

Ao orar por alguém, ao interceder por um casamento que está sendo destruído, enfim, você pode exercitar a sua fé em todo tempo e em todas as circunstâncias. Faça isso e você terá grandes testemunhos a contar, pois somente as pessoas que exercitam a fé conseguem viver o sobrenatural.

Deus será com você conforme a sua fé for exercida. Portanto, exercite a fé!

"A fé é o principal remédio contra o desânimo; se não estiver fazendo efeito, aumente a dose!"

Como você pode exercitar sua fé de maneira ousada neste tempo?

....

....

....

Plano de leitura:
(Isaías 40—43)

Acesse o QR code para saber mais

HÁ ALGUMA COISA DIFÍCIL PARA DEUS?

"*Para muitos, pode parecer impossível, mas meu Deus pode todas as coisas!*"

Qual milagre você anseia que aconteça?

....

....

....

....

....

Plano de leitura:
(Isaías 44—47)

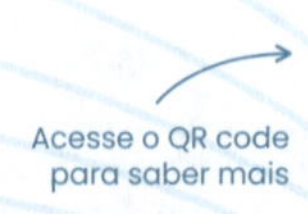

Acesse o QR code para saber mais

Às vezes, quando enfrentamos adversidades, temos a tendência de indagar a Deus acerca dos motivos de passarmos por aquela situação difícil.

No entanto, certa vez foi Deus quem fez a pergunta ao profeta. O Senhor disse a Jeremias: "Eu sou o SENHOR, o Deus de toda a humanidade. Acaso alguma coisa é difícil demais para mim?" (Jeremias 32.27, NVT).

Não sei o que você está enfrentando, mas existe algum casamento que Deus não pode restaurar? Existe alguma aliança tão quebrada que o Senhor não possa restaurar a comunhão, o amor, o brilho e a esperança no lar? Há alguém tão caído que ele não possa levantar? Há algo demasiadamente difícil para Deus?

Certamente que não, pois nada é impossível para o Todo-Poderoso; então, aumente a sua expectativa e tenha esperança. O Senhor pode fazer tudo, pois o poder dele é ilimitado.

O que acontece é que, na maioria das vezes, não temos fé suficiente, não cremos no quanto Deus nos ama e pode realizar em nossa vida.

Deus tem poder para fazer todas as coisas e mudar a sua realidade, pois os planos do Senhor são os melhores para a sua vida.

O SENHOR PELEJARÁ POR VOCÊ

Quem nunca enfrentou uma luta ou passou por uma adversidade?

A Bíblia narra a história do rei Josafá, que enfrentou muitas batalhas, mas venceu e deixou um lindo legado. Mesmo sendo atacado por poderosos exércitos, ele não confiou em si mesmo e não questionou Deus; pelo contrário, até sentiu medo. Todavia, pôs-se a buscar o Senhor.

Antes de lutar ou fugir, Josafá clamou a Deus, dizendo: "Se algum mal nos sobrevier, espada, juízo, peste ou fome, nós nos apresentaremos diante desta casa e diante de ti, pois teu nome está nesta casa, e clamaremos a ti em nossa angústia, e tu nos ouvirás e livrarás" (2 Crônicas 20.9, ARC).

Antes de tudo e em qualquer situação, ore e clame ao Senhor; ele o ouvirá. A Bíblia diz que Deus respondeu àquela oração e disse que eles não precisavam ter medo nem pelejar, pois ele entraria naquela batalha.

Porque um homem humildemente buscou os conselhos do Senhor e pediu a sua ajuda, Deus pelejou e deu grande livramento ao seu povo.

Ore e creia que o Senhor pelejará por você. Clame e busque refúgio em Deus, como fez Josafá. Descanse o seu coração, pois todas as coisas contribuem para o bem dos que amam ao Senhor.

"Se Deus estiver ao seu lado, não importa quem está vindo contra!"

Em que luta você está precisando que Deus assuma a linha de frente?

Plano de leitura:
(Isaías 48—51)

Acesse o QR code para saber mais

VISÃO PRIVILEGIADA

"Quem sobe aos lugares altos passa a ter uma visão privilegiada."

Qual propósito você poderia fazer para deixar um pouco as coisas da Terra e se envolver mais com as coisas do Céu?

....

....

....

....

....

Plano de leitura:
(Isaías 52—56)

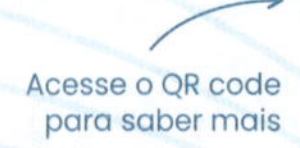

Uma visão privilegiada permite enxergar de vários ângulos, e isso faz toda a diferença, principalmente na tomada de decisão, e essa é a vontade de Deus para nós.

Em Ezequiel 33.7 o Senhor diz: "A ti, pois, ó filho do homem, te constituí por atalaia sobre a casa de Israel; tu, pois, ouvirás a palavra da minha boca, e lha anunciarás da minha parte" (ARC). O atalaia ficava em um lugar mais alto, na torre de vigia. De lá, ele conseguia enxergar melhor muitas coisas. Se um exército inimigo estivesse a caminho, ele poderia avisar às pessoas que viviam lá embaixo, para que não fossem pegas de surpresa.

Deus está querendo lhe dizer que você precisa subir para aumentar o seu nível de visão. Sabe como isso acontece? Quando entramos em nosso quarto e fechamos a porta, quando buscamos a presença de Deus, é desse modo que temos acesso aos lugares altos e adquirimos uma visão privilegiada como a de uma águia. Habacuque 3.19 diz: "O Senhor Deus é a minha força, e fará os meus pés como os das cervas, e me fará andar sobre as minhas alturas" (ACF).

Desvie os olhos das coisas terrenas; passe mais tempo na presença de Deus.

“NÃO ANDEIS ANSIOSOS”

Vivemos em uma geração muito ansiosa, e muitas pessoas já acordam preocupadas com seus afazeres diários sem que sequer tenham conseguido dormir. Com isso, muitas deixam de desfrutar dos momentos alegres e especiais. Por isso, Jesus diz: “Não andeis ansiosos” (Mateus 6.25, ARA).

O Senhor quer nos ensinar a não adotar esse estilo de vida, por isso a Palavra diz: “Lancem sobre ele toda a sua ansiedade porque ele tem cuidado de vocês” (1 Pedro 5.7). Deus o tem guardado e protegido; então, por que você anda tão preocupado?

Dentro de cada ser humano existe um vazio existencial que somente o Senhor pode preencher, mas quando procuramos preencher esse vazio com outras coisas, o resultado é a ansiedade e a preocupação com o que ainda não aconteceu; ou seja, muitas pessoas deixam de desfrutar do maior presente que é a vida simplesmente porque vivem preocupadas.

“Não andeis ansiosos” é a palavra de Deus para nós. O Senhor está guardando e cuidando de sua vida o tempo todo. Faça conforme diz o salmista: “Entrega o teu caminho ao SENHOR, confia nele, e o mais ele fará” (Salmos 37.5, ARA).

“A ansiedade não resolve os problemas do amanhã, apenas rouba a paz de hoje.”

O que mais tem gerado ansiedade em seu coração?

....

....

....

....

....

Plano de leitura:
(ISAÍAS 57—61)

Acesse o QR code para saber mais

OS DOIS NÍVEIS DA GUERRA

"Mantenha posição! Deus está agindo a seu favor."

Você consegue dizer em qual dos dois níveis da guerra você se encontra?

....

....

....

....

....

....

....

....

Plano de leitura:
(Isaías 62—66)

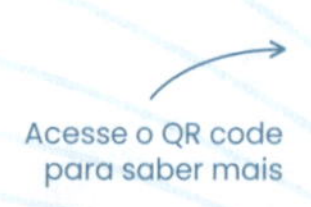

Existem dois níveis da guerra e, para vencer, é importante que você saiba discernir o tempo que está vivendo.

Há tempos de paz, mas também existem tempos de guerra. Quando estiver na guerra, você precisa ter as ferramentas certas e sabedoria para entender quais são as estratégias do inimigo.

No primeiro nível da guerra, você precisa lutar pelo seu território; é o enfrentamento para impedir que o inimigo avance. Nesse nível, você precisa se defender e se manter firme na posição; resista ao Diabo e não retroceda. É necessário preservar aquilo que Deus já lhe confiou, seja sua família, seja seu trabalho ou até as suas emoções.

O segundo nível da guerra é quando você precisa avançar para tomar posse das promessas.

Não sei em qual nível você se encontra, mas se soubesse quantas coisas Deus tem prometido e reservado para a sua vida, com certeza você se alegraria.

Portanto, avance e vença em todos os níveis da guerra. Não tenha medo; você já conquistou muita coisa, mas ainda tem muito mais: "Em todas essas situações temos a vitória completa por meio daquele que nos amou" (Romanos 8.37, NTLH).

"TODAVIA, EU ME ALEGRO"

Não sei se você já passou pela experiência em que as coisas parecem não se encaixar e tudo dá errado. Pois é nesse exato momento em que nada acontece conforme planejamos que devemos nos alegrar.

O profeta Habacuque passou por uma grande provação e, em meio a tudo que era desfavorável, declarou: "Ainda que a figueira não floresça, nem haja fruto na vide; o produto da oliveira minta, e os campos não produzam mantimento; as ovelhas sejam arrebatadas do aprisco, e nos currais não haja gado, todavia, eu me alegro no SENHOR, exulto no Deus da minha salvação. O SENHOR Deus é a minha fortaleza, e faz os meus pés como os da corça, e me faz andar altaneiramente" (Habacuque 3.17-19, ARA).

Portanto, ainda que tudo dê errado, tenha certeza de que há sempre um motivo para se alegrar no Senhor. Ele está no controle de tudo, e, mesmo que tudo seja desfavorável, alegre-se no Deus da sua salvação — ele age a seu favor.

Não deixe as adversidades roubarem a sua alegria; aliás, é isso que o profeta está dizendo, ao declarar: "Todavia, eu me alegro".

Fique firme, e alegre-se o seu coração, crendo que Deus mudará a sua história!

"Posso perder algumas coisas, mas não a minha fé!"

Qual o primeiro motivo de alegria que passa pela sua mente neste momento?

....

....

....

....

....

....

....

....

Plano de leitura:
(JEREMIAS 1—3)

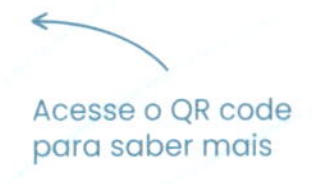

CORAÇÃO QUEBRANTADO

"Um coração endurecido está contaminado pelo Inimigo."

Qual é a situação do seu coração: endurecido ou quebrantado?

....

....

....

....

....

....

....

....

Plano de leitura:
(Jeremias 4—6)

Acesse o QR code para saber mais

Muita gente tem um coração endurecido e, às vezes, isso se deve àquilo que viveram no passado.

Sei que a vida não é fácil; além disso, ter que lidar com ofensas, decepções, frustrações e até traições de fato é muito difícil, principalmente quando elas vêm de pessoas em quem acreditamos e entregamos o nosso coração.

É por isso que você precisa cuidar do seu coração, para que com o passar do tempo ele não endureça. O salmista diz: "Perto está o Senhor dos que têm o coração quebrantado e salva os contritos de espírito" (Salmos 34.18, ARC).

Um coração quebrantado é aquele que não foi endurecido; o contrito de espírito é aquele que se arrepende e se humilha diante de Deus. Por isso, quanto mais você se humilhar e quebrantar o seu coração diante do Senhor, mais a graça dele virá sobre a sua vida.

Portanto, não permita que os argumentos do Inimigo façam o seu coração ficar endurecido; quebrante o seu coração, busque o Senhor e renda-se diante dele.

É tempo de ter um coração quebrantado; é tempo de buscar a presença de Deus na esperança de viver um grande avivamento.

MANTENHA SUA FORÇA

Deus tem muitas promessas para a sua vida, todavia você precisa entender que ele não vai preparar algo para você, pois já está tudo preparado. Isto é, o Senhor já preparou tudo o que diz respeito ao seu destino, pois, conforme diz o apóstolo Paulo, Deus já nos abençoou com todas as bênçãos espirituais (Efésios 1.3).

Portanto, mantenha a sua força e a sua fé. Deus está apenas esperando que você creia para que as promessas possam se cumprir. Calebe disse: "E ainda hoje estou tão forte como no dia em que Moisés me enviou; qual era a minha força então, tal é agora a minha força, tanto para a guerra como para sair e entrar" (Josué 14.11, ACF).

Depois de 45 anos que Calebe foi espiar a terra, a Bíblia relata que ele manteve a mesma força de antes, ou seja, ele continuava crendo na promessa.

Há muitas pessoas que, quando a promessa demora a chegar, ficam cansadas e desistem, porque não têm mais forças para lutar nem para desfrutar da promessa.

Mantenha a sua força, aguarde com paciência o cumprimento da promessa e não deixe a situação de adversidade desgastar o seu relacionamento com Deus.

"Quanto mais o tempo passa, mais próxima está a sua vitória."

Pelo que você precisa esperar com paciência e manter a força?

....

....

....

....

....

....

Plano de leitura:
(Jeremias 7—9)

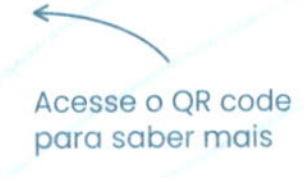

Acesse o QR code para saber mais

NÃO NOS CANSEMOS DE FAZER O BEM

"Enquanto você ajudar os outros, Deus ajudará você."

Escreva o nome de três pessoas que você ajudará nos próximos dias.

Plano de leitura:
(Jeremias 10—13)

Acesse o QR code para saber mais

A Palavra de Deus fala da ação de continuar fazendo o bem, mesmo que não haja reconhecimento. Este é o propósito do Senhor para a nossa vida: fazer o bem a todos!

Muitas vezes, Deus coloca ao nosso lado pessoas ingratas, que, quanto mais ajudamos, menos ajuda delas recebemos. Com isso, a convivência se torna cada vez mais difícil. No entanto, essa percepção é uma grande mentira do Inimigo para fazer com que você pare e não continue fazendo aquilo que o Senhor pôs em seu coração. Por esse motivo, o apóstolo Paulo diz: "Não nos cansemos de fazer o bem. Pois, se não desanimarmos, chegará o tempo certo em que faremos a colheita. Portanto, sempre que pudermos, devemos fazer o bem a todos, especialmente aos que fazem parte da nossa família na fé" (Gálatas 6.9,10, NAA).

Naquela igreja, alguns irmãos já estavam cansados de ajudar os outros sem ter nenhum retorno. Talvez você esteja na mesma situação e até diga que não quer mais ajudar ninguém ou que ninguém o ajuda. Contudo, você precisa entender que, quando ajudar alguém, o próprio Deus trabalhará a seu favor.

Portanto, não nos cansemos de fazer o bem!

TIRANDO FORÇA DA FRAQUEZA

Às vezes, a vida nos põe em situações difíceis, e isso deve ser considerado normal, pois na verdade a vida não é linear. Existem momentos bons, mas existem momentos de angústia, conforme diz o salmista: "Cordéis da morte me cercaram, e angústias do inferno se apoderaram de mim; encontrei aperto e tristeza. Então invoquei o nome do SENHOR, dizendo: Ó SENHOR, livra a minha alma" (Salmos 116.3,4, ARC).

Todos nós enfrentamos momentos de tristeza e de profunda angústia, e parece que a dor não cabe mais dentro do peito. No entanto, é nesses momentos de aflição que clamamos ao Senhor com mais e mais intensidade.

A Bíblia diz que muitas pessoas, conhecidas como "heróis da fé", tiraram forças da fraqueza (Hebreus 11). Então, nos momentos de fraqueza, clame ao Senhor, assim como fez o salmista. Tudo de que precisamos para vencer momentos assim é clamar a Deus pedindo ajuda.

Deus está com você o tempo todo, e você vai conseguir tirar força da fraqueza por meio de um clamor sincero.

"Para tirar força da fraqueza, é preciso ter Deus como sua fortaleza."

Em qual área você precisa de uma renovação de forças?

Plano de leitura:
(JEREMIAS 14—17)

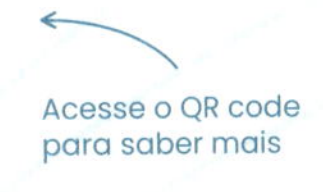

Acesse o QR code para saber mais

TENTE OUTRA VEZ

"Quem desiste tem sempre uma desculpa; quem persevera tem sempre um testemunho."

Qual é a situação que necessita de uma nova tentativa da sua parte?

....

....

....

....

....

Plano de leitura:
(Jeremias 18—21)

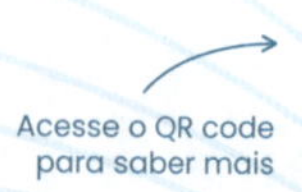

Desistir é uma característica dos fracos, e você já deve ter ouvido essa expressão milhares de vezes, mas chegou o momento de você levá-la a sério.

Somos constantemente tentados a desistir, e isso não acontece só no âmbito natural, mas também no mundo espiritual. Certa vez, fui ministrar a Palavra de Deus e estava muito feliz por ter recebido aquela oportunidade. Eu havia me preparado muito e estudado bastante, mas não consegui passar a mensagem que o Senhor havia colocado em meu coração, porque tinha ficado muito nervoso.

Voltei para casa entristecido, cabisbaixo e fiquei aproximadamente três dias em um estado de depressão, pensando em desistir do meu chamado, até que Deus falou ao meu coração: "Tente outra vez!".

Recobrei o ânimo, levantei-me e comecei a estudar para ministrar a Palavra de Deus novamente. Depois disso, o Senhor me abençoou tanto que posso dizer que praticamente todos os dias ministro tanto no Brasil quanto no exterior. Muito tempo se passou, e agora penso que, se eu tivesse desistido, milhares de pessoas não teriam sido abençoadas.

Portanto, nem pense em desistir: tente outra vez!

NÃO MORRA DE INVEJA

Provavelmente, você já ouviu dizer que alguém estava morrendo de inveja de..., mas a verdade é que literalmente tem muita gente morrendo por causa disso.

A inveja está relacionada à comparação, ao desejo de ter aquilo que é do outro, de querer ser o que o outro é; por isso, posso dizer que a inveja está entre os principais pecados que são cometidos constantemente.

No salmo 73, vemos que até o salmista, quando começou a ver que os ímpios estavam prosperando, sentiu inveja: "Quanto a mim, os meus pés quase se desviaram; pouco faltou para que escorregassem os meus passos. Pois eu tinha inveja dos soberbos, ao ver a prosperidade dos ímpios" (vs. 2,3, ARC).

A inveja anda de mãos dadas com a comparação e conduz à destruição e à ruína. Ainda bem que o salmista buscou o Senhor e deixou de ficar observando a vida dos outros.

Deus tem um propósito específico para cada pessoa; portanto, pare de olhar para a vida dos outros e olhe para o Senhor, que é a fonte inesgotável de tudo. Não morra de inveja, não permita que ela bloqueie o seu futuro, pois Deus tem muito mais para você.

"Na corrida da vida, quem olha para o lado perde velocidade."

A comparação e a inveja são problemas na sua vida?

Plano de leitura:
(Jeremias 22—25)

Acesse o QR code para saber mais

COMO FLECHAS NAS MÃOS DO ARQUEIRO

"Deus sabe exatamente para onde está lançando você."

Qual é o alvo que você está mirando para acertar?

Em Salmos 127.4, lemos que os filhos são como flechas nas mãos do arqueiro, e Isaías 49.2 diz: "E fez a minha boca como uma espada aguda, e, com a sombra da sua mão, me cobriu, e me pôs como uma flecha limpa, e me escondeu na sua aljava".

Quão maravilhoso é saber que somos como flechas guardadas na aljava do Senhor. Uma flecha tem o poder de acertar de forma precisa o alvo, ou seja, podemos cumprir com êxito a nossa missão. Entretanto, precisamos entender que, para a flecha ir para a frente, primeiro tem de ser tensionada para trás. Isso é necessário para que ela seja impulsionada, e em nossa vida acontece do mesmo jeito.

Portanto, quando parecer que você está mais longe do seu propósito, compreenda que você é uma flecha nas mãos do arqueiro, que é Deus. Só parece que a sua vida está indo na contramão, mas Deus sabe muito bem o que está fazendo; então, não se preocupe! Logo você vai ganhar impulso, e daqui a pouco virá a aceleração.

Descanse o seu coração e entregue sua vida nas mãos do Senhor; não questione, apenas creia que no tempo certo você acertará o alvo e viverá as promessas de Deus.

Plano de leitura:
(Jeremias 26—28)

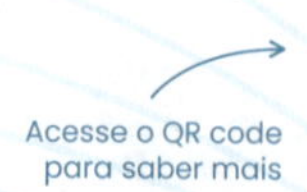

A RECOMPENSA DA PERSEVERANÇA

Toda perseverança será sempre recompensada, por isso precisamos perseverar.

A Bíblia relata a história de Ester. Ela é um exemplo a ser seguido, pois sua perseverança a levou ao palácio. Isso mostra que mesmo quem não nasceu em berço de ouro, nem teve um lar estruturado e abençoado, pode se tornar melhor ao longo da caminhada e alcançar lugares que nunca imaginou.

Ester foi criada pelo primo, porque muito provavelmente seus pais foram mortos quando o seu país foi invadido. Ela poderia se fazer de coitada ou entrar pelo caminho do vitimismo, contudo escolheu a perseverança e participou de um concurso para ser rainha. Mesmo diante das adversidades, ela mantinha a autoestima elevada, e isso chamou a atenção do rei. Entre tantas moças, Ester foi escolhida e se tornou rainha.

A recompensa da perseverança é que ela nos faz chegar a lugares que muitos não conseguem simplesmente porque desistem ou não estão preparados.

Ester não nasceu rainha, mas ela se preparou, perseverou e se tornou rainha. Você também pode se tornar alguém inesquecível, portanto persevere. Quem sabe Deus não o colocará no palácio para abençoar muita gente.

"A perseverança vai levar você a lugares que não imagina!"

Como a história de Ester o impulsiona a ser mais perseverante?

....

....

....

....

....

....

....

....

Plano de leitura:
(Jeremias 29—32)

Acesse o QR code para saber mais

DEUS CUIDA DE VOCÊ

"Algumas portas que se fecharam foram livramentos de Deus na sua vida."

Você se lembra de algum livramento pelo qual agradecer a Deus hoje?

Plano de leitura:
(Jeremias 33—36)

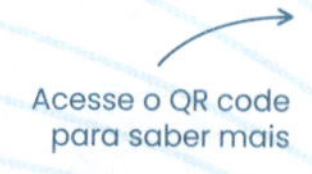

Precisamos entregar nossa vida nas mãos do Senhor e entender que ele cuida de nós nos detalhes. Quero que você entenda que Deus está cuidando de sua vida em todos os aspectos, até nos que parecem insignificantes.

Por isso, embora algumas coisas não aconteçam do modo que você gostaria, creia que tudo é para o seu bem, conforme diz Paulo: "Sabemos que todas as coisas cooperam para o bem daqueles que amam a Deus, daqueles que são chamados segundo o seu propósito" (Romanos 8.28, ARA).

Certa vez, minha filha teve uma febre tão alta que precisou ficar em observação no hospital, por isso tive de cancelar todos os compromissos e atendimentos na igreja. Mas o interessante é que aconteceu um grande livramento. Chovia muito forte e um desabamento atingiu meu escritório — se eu estivesse lá, como tinha planejado, provavelmente estaria morto.

Deus prepara as situações, e até naquelas que são ruins devemos agradecer. O muro desabou em cima do meu escritório, e obtive grande bênção por não estar lá naquele momento.

O Senhor já lhe deu grandes livramentos, mesmo que você não veja. Portanto, agradeça, porque em tudo Deus cuida de você!

O CEGO QUE ENXERGAVA

O Novo Testamento fala de um homem que perdeu a visão e passou a viver como pedinte. Ele recebeu do governo uma capa que lhe dava autorização para pedir esmolas na cidade. Ele era conhecido como Bartimeu, que significa "filho de Timeu" (Marcos 10).

Quando ele ouviu falar que Jesus estava passando pela cidade, viu uma oportunidade de voltar a enxergar. Veja que incrível: um cego que enxergava! Muitos não enxergam as oportunidades que Deus lhes dá. O cego Bartimeu enxergou uma possibilidade e foi atrás do milagre.

Pode ser que Deus esteja lhe mostrando algumas possibilidades e você não esteja enxergando. As pessoas não enxergavam o que ele estava vendo e mandavam que se calasse, todavia Bartimeu clamava ainda mais alto. Até que Jesus lhe perguntou o que ele queria. Ele respondeu sem titubear: "Mestre, quero ver!".

Jesus restituiu a visão àquele homem, e hoje Deus está colocando na sua frente algumas oportunidades que poderão trazer grande testemunho. Tudo que você precisa fazer é abrir os olhos e enxergar o que o Senhor tem dado e o que ele tem feito para que a sua história seja mudada completamente.

"Cego de verdade é aquele que não consegue ver o agir de Deus."

Que oportunidade você pode enxergar hoje de uma nova forma?

Acesse o QR code para saber mais

SÓ VOCÊ TEM A CHAVE

"Você já percebeu que Jesus Cristo está batendo na porta do seu coração? Deixe-o entrar."

Como você pode abrir totalmente o seu coração para Jesus neste dia?

Plano de leitura:
(Jeremias 41—43)

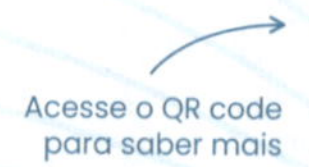

Precisamos compreender que Deus deseja se relacionar conosco. Por isso, Jesus está sempre nos chamando e atraindo a nossa atenção para nos levar para mais perto do Pai.

Você já percebeu que, quando tenta se esconder, sempre vem uma pessoa chamá-lo? E que, quando está triste, aparece alguém de longe para fazê-lo lembrar do amor de Deus?

Muitas vezes, ficamos tão ocupados com as mensagens e correrias do dia a dia que não percebemos que Deus está falando conosco e que Jesus está à porta.

Acredito que esse é o chamado de Cristo para ser Senhor em nossa vida, conforme escrito em Apocalipse 3.20: "Eis que estou à porta e bato; se alguém ouvir a minha voz e abrir a porta, entrarei em sua casa e cearei com ele, e ele, comigo" (ARA).

O Senhor Jesus o chama, mas só você tem a chave.

Então, quando você fecha o seu coração, ele não pode entrar, pois a porta do seu coração só é aberta do lado de dentro.

Jesus o ama e o está chamando para uma comunhão mais profunda. Ele está batendo. Abra a porta do seu coração e deixe-o entrar. Só você tem a chave!

“AQUIETAI-VOS E SABEI QUE EU SOU DEUS”

Aquietar-se é um comportamento necessário para que possamos viver de forma tranquila e em paz. Muitas pessoas vivem agitadas e não conseguem acalmar o coração; por isso, em Salmos 46.10, Deus diz: “Aquietai-vos e sabei que eu sou Deus; serei exaltado entre as nações; serei exaltado na terra” (ARC). Veja que o próprio Deus pede para o seu povo se aquietar.

Deus não desiste do seu povo. Quando os israelitas estavam preocupados e tudo parecia que ia terminar mal, o Senhor lhes disse: “Não temais; estai quietos e vede o livramento do SENHOR, que hoje vos fará” (Êxodo 14.13, ARC).

O Senhor estava dizendo para eles se acalmarem. Mesmo assim, muitas vezes duvidavam e murmuravam. Portanto, mesmo quando as coisas saírem do lugar e parecer que tudo está na contramão daquilo que você planejou, acalme o seu coração.

Deus está no controle. O Senhor tem cuidado de você e, por isso, está lhe dizendo: “Aquietai-vos e sabei que eu sou Deus!”.

Lembre-se de que, quando colocamos a nossa vida nas mãos do Senhor, precisamos confiar e deixar que ele nos conduza.

“Calma! No final, tudo vai dar certo. Se ainda não deu certo, é porque não chegou o final.”

Existe algo que o deixa ansioso neste tempo? Em que você precisa se aquietar?

Plano de leitura:
(JEREMIAS 44—48)

Acesse o QR code para saber mais

DEUS PODE TUDO

“Não existem problemas que Deus não possa solucionar.”

Quais problemas você está enfrentando que necessitam de uma intervenção de Deus hoje?

....

....

....

....

....

....

....

Plano de leitura:
(Jeremias 49—50)

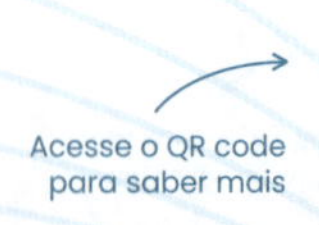

Deus é soberano e pode tudo! Perceba que não existe nada que o Todo-Poderoso não possa fazer por você, por isso, alegre-se o seu coração.

Além disso, o evangelho traz as boas novas de Cristo. Isso significa que, independentemente da situação, ele pode tudo, consegue mudar qualquer cenário.

A Bíblia diz que Lázaro estava morto havia quatro dias — imagine só o estado daquele homem! O sangue já não circulava mais nas veias, os órgãos estavam paralisados, mas quando Jesus chegou àquele lugar, com apenas uma palavra ele trouxe Lázaro à vida novamente.

Deus pode tudo! Não existe enfermidade que ele não possa curar nem situação tão difícil que ele não possa reverter. O Senhor pode tudo e, no momento certo, ele vai agir.

O mar estava fechado, e ele o abriu, assim como abriu também o ventre de uma mulher que estava com idade avançada para ser mãe. Deus fez cair maná do céu para alimentar seu povo e deu-lhe de beber água da rocha — tudo pertence ao Senhor, e ele tem poder de fazer o impossível acontecer.

Jamais se esqueça desta verdade: Deus pode tudo!

INFLUENCIANDO UMA GERAÇÃO

Todo homem e toda mulher têm o desejo de marcar e de influenciar a sua geração. É algo legítimo. Por isso, a Bíblia mostra o exemplo de pessoas que influenciaram toda uma geração e deixaram um rastro de amor e de saudades sobre a Terra.

Em Atos 11, conhecemos a história de Barnabé, cujo nome significa "filho da consolação". E realmente Barnabé consolou e uniu muita gente ao Senhor. Ele era um homem de bem, cheio do Espírito Santo, e por onde passava influenciava as pessoas. Certa vez, um homem chamado Saulo, que outrora havia sido um grande perseguidor da igreja, se converteu, mas muita gente não acreditava em seu arrependimento.

Barnabé não julgou a vida que Saulo tivera; pelo contrário, ele cuidou dele e o introduziu no grupo dos discípulos e apóstolos, acompanhando-o até que ele se tornasse o grande e conhecido apóstolo Paulo.

Símbolo de fé e perseverança, Barnabé viveu e influenciou uma geração. Por isso, costumo dizer que, por trás de um renomado servo de Deus, sempre existe um "Barnabé", que influencia positivamente, une as pessoas a Deus e marca gerações.

"Como você se preocupa com os outros revela o tamanho do seu coração."

Quem é a pessoa que mais o tem influenciado nos últimos dias?

....

....

....

....

....

....

Acesse o QR code para saber mais

DEIXE DEUS CONDUZIR A SUA VIDA

"Não sei por quais caminhos Deus está me conduzindo, mas confio plenamente naquele que está me guiando."

Existe algo na sua vida que você ainda não entregou verdadeiramente nas mãos de Deus?

Plano de leitura:
(Lamentações 1—3)

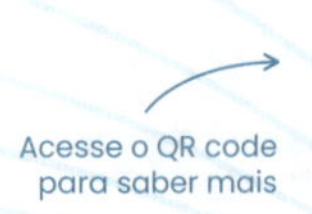

A vontade de Deus sempre foi conduzir o seu povo à verdade. Por isso, no passado, era o próprio Deus quem governava a nação.

O povo, porém, queria a monarquia; então, foram até Samuel e pediram um rei: "Tu já estás idoso, e teus filhos não andam em teus caminhos; escolhe agora um rei para que nos lidere, à semelhança das outras nações" (1 Samuel 8.5).

O Senhor atendeu o pedido e lhes concedeu um rei, mas nunca foi da vontade de Deus que um homem direcionasse outro homem. O plano de Deus sempre foi governar seu povo e cuidar dele, mas os israelitas sempre se rebelaram.

Vemos, porém, o exemplo de Daniel, um jovem que teve seu país invadido e foi levado cativo. Ele poderia se rebelar e murmurar, mas entendeu que Deus estava no controle e conduzia a sua história — por isso, o seu nome Daniel, que significa "Deus é o meu juiz" ou "Deus é quem dá a última palavra".

O Senhor também quer conduzir a sua vida; não se preocupe quando algumas coisas ruins acontecerem, pois pode ser que o Todo-Poderoso esteja simplesmente conduzindo você a um propósito maior. Portanto, deixe Deus conduzir a sua vida!

A PACIÊNCIA DE JÓ

Precisamos ter a paciência de Jó, principalmente quando passamos por momentos difíceis, em que Deus testa a nossa fé. Ter a paciência de Jó é a chave para viver as promessas de Deus.

Salmos 40.1 diz: "Esperei com paciência no SENHOR, e ele se inclinou para mim, e ouviu o meu clamor" (ARC). Isso revela que a paciência é uma das virtudes mais preciosas da vida, pois ela demonstra a nossa confiança e revela o tempo certo para tomarmos uma decisão e nos apropriarmos das promessas de Deus. Aliás, por falta de paciência, muita gente deixa de desfrutar das promessas divinas.

Jó é um dos maiores exemplos de paciência relatados na Bíblia. Apesar de ter sido provado em diversas áreas, ele aguardou pacientemente o final da história, pois sabia que Deus se levantaria a seu favor.

Pode ser que hoje você esteja sendo tentado a tomar uma decisão antes da hora, a se apressar em algum negócio ou a murmurar porque as coisas não acontecem. Então, lembre-se de que a paciência é essencial para receber as bênçãos no tempo de Deus.

Aguarde pacientemente, pois, assim como Jó teve a sua história transformada, Deus também pode mudar a sua vida.

"Lembre-se de que a paciência é a chave para alcançar as promessas."

O que a história de Jó pode ensinar a você no dia de hoje?

....

....

....

....

....

....

....

Plano de leitura:
(LAMENTAÇÕES 4—5)

Acesse o QR code para saber mais

NÃO VIVA ESTRESSADO

"O estresse contínuo revela que temos passado pouco tempo na presença de Deus."

Quais atitudes você poderia tomar para passar mais tempo na presença de Deus?

....

....

....

....

....

Plano de leitura:
(Ezequiel 1—4)

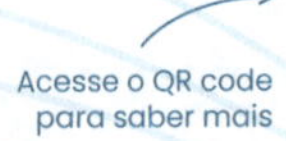

Acesse o QR code para saber mais

Muitas pessoas vivem hoje debaixo de uma tensão muito grande. São tantas responsabilidades, lutas e circunstâncias estressantes que às vezes fica difícil ter paz.

O estresse está presente por toda parte, seja no trabalho, por exigência de maior produtividade; seja no casamento, pela responsabilidade de criar e educar os filhos; seja na sociedade e até entre os amigos, o estresse tem causado grandes prejuízos.

Uma das características do estresse é a irritabilidade. Muitas questões ficam mal resolvidas e nos tiram do centro da vontade de Deus, porque ficamos tão irritados que perdemos até a nossa paz.

Não viva estressado. Não vale a pena viver debaixo de uma tensão constante, pois isso só adoece. Aliás, toda essa sobrecarga serve como um termômetro que revela que temos passado pouco tempo na presença de Deus.

Além disso, a tendência de querer resolver tudo na força do nosso braço também gera estresse. Hoje, o convite é para que você busque mais a presença de Deus, pois assim poderá viver com mais qualidade. Cristo veio para lhe dar vida em abundância. Não viva estressado, pois não vale a pena.

LIVRE-SE DO VITIMISMO

Livre-se do vitimismo e não queira viver isolado, porque senão as coisas se tornarão mais difíceis. Muitas pessoas gostam de ser vítimas para que os outros sintam dó delas, mas com o tempo isso se torna um estilo de vida que só atrapalha. Pessoas vitimistas não saem do lugar, e ninguém gosta de ficar perto de quem age como coitado.

Infelizmente, existem muitas pessoas que se comportam como vítimas, seja no trabalho, porque foram dispensadas pelo patrão; seja na família, porque não foram convidadas para o almoço de domingo; e por aí vai. Afinal, as vitimistas sempre terão do que se lamentar.

Não seja vítima das circunstâncias, porque a forma como você se vê determina aonde você vai chegar. O profeta Ezequiel teve o seu país invadido, e sua esposa faleceu. Contudo, em vez de se portar como vítima, ele entendeu o chamado de Deus para fazer a diferença naquela geração.

Portanto, não se apegue ao que aconteceu com você e transforme a sua maior dor no seu maior testemunho.

Você é filho de Deus; então, livre-se do vitimismo e creia que o Senhor transforma o fracasso em grandes conquistas.

"Deus transforma dores em testemunhos."

O vitimismo aparece com que frequência no seu comportamento?

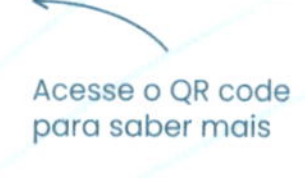

TOME UMA ATITUDE

"Somente no dicionário sucesso vem antes de trabalho."

Você tem tomado atitudes que o fazem crescer ou que o mantêm na zona de conforto?

....

....

....

....

....

....

Plano de leitura:
(Ezequiel 8—12)

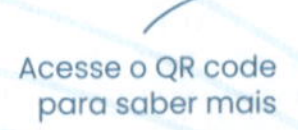

Muitas pessoas estão vendo a vida passar diante dos olhos e, mesmo em meio a tanto sofrimento, nunca tomam uma atitude para sair do lugar.

Tenho percebido que essas pessoas muitas vezes sofrem em diferentes áreas simplesmente por estarem acomodadas. O fato é que não tomam uma atitude nem vão atrás daquilo que almejam, seja para ter saúde, seja para ter um corpo bonito, por exemplo.

Contudo, não é só isso, pois pessoas que não tomam uma atitude também não conseguem prosperar. Até para prosperar é preciso ter atitude, como ler livros sobre educação financeira, fazer cursos, etc., enfim, sair do comodismo.

A maioria das pessoas não toma nenhuma atitude porque se acomoda e se esquece de que o Senhor diz que veio para que tenhamos vida em abundância.

Na conhecida parábola, o filho pródigo chegou ao fundo do poço, todavia ele tomou uma atitude para reverter a situação em que se encontrava e voltou para a casa do Pai (Lucas 15).

Tome uma atitude ainda hoje e busque Deus para que você seja espiritualmente fortalecido Não se conforme com o sofrimento!

SEJA UM DISCÍPULO DE JESUS

No ministério de Jesus, muitas pessoas o serviam, mas também muitos o seguiam apenas por interesses, ou seja, nem todos eram discípulos. Estes sempre estavam observando o que Jesus fazia, todavia não se envolviam; eram meros espectadores.

Lamentavelmente, ainda hoje existem muitas pessoas que vão à igreja apenas para observar, e isso é um perigo, pois, quando Jesus voltar, elas também ficarão apenas observando.

Havia outro tipo de seguidor, que eram os necessitados, os quais buscavam Jesus por causa dos milagres. Em João 6.26, o próprio Senhor diz: “Na verdade, na verdade vos digo que me buscais não pelos sinais que vistes, mas porque comestes do pão e vos saciastes” (ARC). Ainda hoje, essas pessoas servem a Jesus interessadas no que ele proporciona.

Entretanto, há aqueles que estão comprometidos com a obra, que amam Cristo e enfrentam tempestades, mas não negam seu Senhor.

Portanto, não seja um observador, nem um necessitado, nem ainda um discípulo que busca satisfazer seus interesses ou que vai aos cultos atrás de revelação. Honre ao Senhor e seja um verdadeiro discípulo de Jesus.

“Deus não o chamou para ser um observador, e sim um discípulo!”

Você está comprometido em ser um discípulo fiel de Cristo?

....

....

....

....

....

....

Plano de leitura:
(Ezequiel 13—15)

Acesse o QR code para saber mais

A POUCOS PASSOS DA VITÓRIA

"Você vai prosperar na terra onde muitos desistiram!"

Seus olhos estão na vitória ou nas dificuldades da situação atual?

....

....

....

....

....

....

Plano de leitura:
(Ezequiel 16—19)

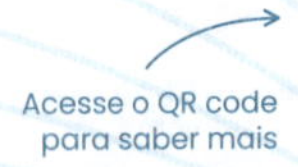

Acesse o QR code para saber mais

Muita gente desiste estando a poucos passos da vitória, por isso nunca conquista as bênçãos. Então, quando pensar em desistir, lembre-se de que falta pouco para Deus manifestar algo grandioso em sua vida. Contudo, é exatamente esse o período em que ficamos mais cansados.

A vida é como uma grande maratona: quanto mais próximos da linha de chegada, mais exaustos nos sentimos. Portanto, mesmo cansado, prossiga firme na caminhada, pois falta pouco para a vitória.

Muitas pessoas desistem e, por isso, deixam de viver o que Deus preparou para elas.

Conta-se a história de um homem que comprou um terreno e acreditava que ali havia muito ouro. Ele trabalhou duro naquela terra, mas, por não encontrar nada, depois de um tempo, se cansou e desistiu. No entanto, só depois de vender o terreno soube que estava a poucos passos do ouro, e a pessoa que o comprou ficou milionária. Muita gente enriquece e prospera exatamente nos lugares em que outros desistiram.

Você também pode estar a poucos passos da vitória. Não desista, pois o mais importante não é como você começa, e sim como termina.

VIVENDO PELA FÉ

Pense em quantas coisas você conquistou pela fé; reflita acerca dos milagres que recebeu em que muitos não acreditavam, mas você teve coragem e fé.

Ao lermos a Bíblia, somos impulsionados a viver pela fé conforme está escrito: "Porque vivemos por fé, e não pelo que vemos" (2 Coríntios 5.7). Isso significa que não devemos tomar decisões ou vivermos com base apenas no que vemos, pois é por meio da fé que somos impulsionados a fazer a obra de Deus e é pela fé que chegamos aos lugares extraordinários que Deus preparou.

Grave esta frase em seu coração: Sua fé deve ser sempre maior do que seu receio e do que seu recuo. Você precisa aprender a avançar, a ter coragem e a caminhar por fé.

É por isso que o Senhor diz: "Mas o meu justo viverá pela fé. E, se retroceder, não me agradarei dele" (Hebreus 10.38). Deus está dizendo que não tem prazer em quem recua, portanto aprenda a viver pela fé, pois sem fé é impossível agradar a Deus (Hebreus 11.6).

Afinal, tudo é pela fé, debaixo do senhorio de Deus: é pela fé que conquistamos bênçãos, que vivemos e que tomamos posse das promessas.

"A fé sempre será maior do que o recurso."

Quais são os frutos da fé que você já pode observar na sua vida?

....

....

....

....

....

....

....

....

Plano de leitura:
(Ezequiel 20—23)

O TESTE DO TEMPO

"O tempo revela se sua fé é frágil ou genuína."

Há quanto tempo você está nos caminhos do Senhor? Se ainda não está, que tal começar a segui-lo hoje?

Plano de leitura:
(Ezequiel 24—26)

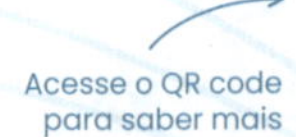

Acesse o QR code para saber mais

O tempo é um instrumento de Deus que serve para nos provar em diversas áreas da nossa vida. Coisas muito frágeis tendem a não resistir ao teste do tempo. Se você já comprou algo muito barato ou de baixa qualidade, com certeza percebeu que a durabilidade era extremamente reduzida. Isso também acontece com muitas pessoas, cuja fé não resiste ao teste do tempo.

Daniel estava havia muito tempo na Babilônia, mas continuava orando três vezes por dia com o mesmo fervor que possuía antes de ser levado cativo. Além disso, ele tinha a sabedoria divina e era reconhecido como alguém que fazia a diferença nos ambientes em que se encontrava e, por isso, foi levado até a presença do rei.

Então, o rei lhe perguntou: "Você é mesmo aquele Daniel, um dos judeus que o meu pai, o rei Nabucodonosor, trouxe de Judá como prisioneiros?" (Daniel 5.13, NTLH). O rei estava querendo dizer assim: É você mesmo? Você resistiu ao teste do tempo? Sua fé continua a mesma?

O tempo revela se sua fé é frágil ou genuína. Somente a genuína resiste ao teste do tempo, por isso permaneça firme em Cristo para que sua fé seja provada e aprovada.

SEJA ALGUÉM ILUSTRE

No texto de 1 Crônicas, depois de citar uma série de nomes em uma genealogia, o autor faz menção a alguém que foi diferente: “E foi Jabez mais ilustre do que seus irmãos” (1 Crônicas 4.9, ARC).

O que um homem pode fazer para ser ilustre? O versículo seguinte responde: “Porque Jabez invocou o Deus de Israel”. O que fez a diferença na vida de Jabez não foi a sua habilidade, nem a sua oratória, tampouco seu poder de persuasão, a sua força ou a sua estatura; o que fez a diferença foi que Jabez invocou o Senhor.

Buscar a Deus fará toda a diferença em sua vida. A Palavra diz que, enquanto o rei Uzias buscou o Senhor, ele o fez prosperar (2 Crônicas 26.5). Deus tem o poder de mudar a história de uma pessoa e de torná-la alguém ilustre, mesmo que sua vida esteja fadada ao fracasso e à dor.

A atitude de Jabez de clamar ao Senhor fez com que ele se tornasse uma referência e fosse mais ilustre que os demais; a atitude de Uzias de buscar a Deus fê-lo prosperar. Portanto, ame, busque e invoque ao Senhor, pois isso fará toda a diferença em sua vida.

“Só faz a diferença aquele que tem atitudes diferentes.”

Seu caráter ainda precisa ser moldado em quais áreas?

Plano de leitura:
(Ezequiel 27—30)

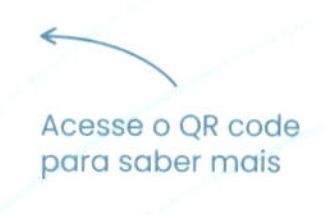

DINHEIRO NÃO É UMA MALDIÇÃO

"O dinheiro é apenas mais um recurso para potencializar o seu propósito."

Qual é a sua atual relação com o dinheiro? É saudável ou precisa ser tratada?

Plano de leitura:
(Ezequiel 31—33)

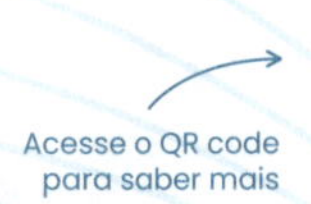

Muitas pessoas têm dificuldade em lidar com a questão do dinheiro porque já ouviram falar tantas coisas negativas a respeito dele que sentem medo de ter dinheiro e até de enriquecer. Mas Deus não tem problema em enriquecer uma pessoa; a riqueza é um presente divino (Eclesiastes 5.19).

Não é pecado ser rico, e ter dinheiro não é uma maldição como muitos pensam. O que é uma maldição é o amor ao dinheiro, conforme diz Paulo: "Porque o amor ao dinheiro é a raiz de toda espécie de males; e nessa cobiça alguns se desviaram da fé, e se traspassaram a si mesmos com muitas dores" (1 Timóteo 6.10, ACF).

Se o dinheiro for o principal objetivo da vida de alguém, aí sim ele se torna uma maldição, como aconteceu com Ananias e Safira. Eles venderam uma propriedade e mentiram para os apóstolos que haviam retido parte do valor. Por causa disso, foram amaldiçoados e enterrados com o dinheiro (Atos 5).

O dinheiro é uma bênção para que você potencialize o seu futuro. Quando você entender o real propósito das riquezas e que o dinheiro é um excelente servo, o Senhor vai abençoá-lo com recursos para que você possa cumprir o propósito de Deus aqui.

O MELHOR LUGAR DO MUNDO

O melhor lugar do mundo com certeza é o centro da vontade de Deus. No entanto, muitas pessoas buscam alegria em outros lugares em vez de buscar a presença do Senhor.

Recordo-me de que, certa vez, uma pessoa me ligou de outro país. Ela se encontrava em um dos maiores parques de diversões do mundo, mas estava aflita e pediu: "Pastor, ore por mim". Perguntei o que estava acontecendo, e ela respondeu que estava passeando com a família, mas sentia algo que não conseguia explicar. Durante a conversa, compreendi que aquela pessoa estava em desobediência e fazendo coisas que não agradavam o coração de Deus. Então, aconselhei-a a estar na presença do Senhor, pois, independentemente da posição geográfica, o centro da vontade de Deus é o melhor lugar do mundo.

Fazer aquilo que o Senhor nos chamou a fazer e estar onde ele deseja com certeza são nossas melhores escolhas. Por isso, não siga o seu coração, pois o coração do homem é enganoso.

Esteja no centro da vontade do Senhor e confie nele. Entenda que o melhor lugar onde estar é na presença de Deus.

"Não siga a vontade do seu coração; siga a vontade de Deus."

O que você poderia fazer hoje para conhecer a vontade de Deus para sua vida?

....
....
....
....
....
....

Plano de leitura:
(Ezequiel 34—36)

Acesse o QR code para saber mais

NÃO DUVIDE DO PODER DE DEUS

"Suas decisões revelam quanto você realmente crê em Deus."

Qual tem sido o maior impedimento para você crer no poder de Deus?

....

....

....

....

....

....

....

Plano de leitura:
(Ezequiel 37—39)

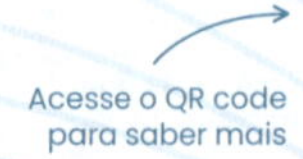

Quando você duvida do poder de Deus, deixa de viver aquilo que ele prometeu e preparou para a sua vida. A Bíblia mostra vários exemplos de pessoas que viveram tudo o que o Senhor havia prometido, mas também fala daqueles que duvidaram do poder de Deus e não alcançaram a promessa.

A Bíblia conta que Eliseu profetizou ao povo que no dia seguinte eles teriam comida em abundância. O contexto, porém, era de extrema miséria; havia muita fome, e as pessoas estavam até vendendo ossos de animais e cabeças de jumento. Era uma situação extrema, todavia Deus levantou um profeta para dizer: "Amanhã por essas horas a história de vocês será mudada".

O povo em geral creu, mas havia certo comandante do rei que duvidou e disse: "Eis que, ainda que o Senhor fizesse janelas no céu, poder-se-ia fazer isso?" (2 Reis 7.2, ARC).

Era algo impossível de acontecer, mas Deus operou um milagre, e a profecia se cumpriu. Contudo, o capitão que duvidou foi atropelado e morreu, conforme dissera Eliseu: ele pôde ver, mas não desfrutou da bênção.

Não duvide do poder de Deus; creia, se o Senhor desejar, o seu milagre vai acontecer.

DESFRUTE DA PRESENÇA DE JESUS

Na presença de Jesus, você terá paz, alegria e tudo de que precisa para ter plenitude em sua vida. Cristo quer se relacionar conosco, porém muita gente não consegue mais desfrutar da presença dele. Quanto tempo faz que você não deixa o celular de lado para passar mais tempo com Jesus?

Certa vez, Jesus entrou na casa das irmãs Maria e Marta. A primeira deixou tudo o que estava fazendo para estar na presença de Jesus; a segunda, porém, estava tão preocupada em fazer tantas coisas que deixou de desfrutar da presença do Mestre (Lucas 10).

A correria da vida tem se tornado uma constante, e as pessoas estão se envolvendo tanto com as questões terrenas que até perdem a direção e não conseguem desfrutar da presença de Jesus. Deus quer falar conosco, e Jesus está se manifestando, mas muitas vezes estamos preocupados e ocupados com tantas coisas — empresa, filhos, trabalho, enfim, muitos afazeres — que nem temos tempo para estar na presença do Senhor.

Jesus não repreendeu Marta, mas disse que Maria havia escolhido a melhor parte e esta não lhe seria tirada. Ou seja, desfrutar da presença do Senhor é a melhor parte.

"Não deixe a correria da vida o afastar da presença de Jesus."

Como você poderia vencer a correria da vida e ter mais tempo com Jesus?

Plano de leitura:
(Ezequiel 40—42)

Acesse o QR code para saber mais

"LEVANTA-TE!"

"É tempo de levantar a cabeça e viver uma nova história."

Como está a sua postura diante da vida?

Jesus usou a expressão "levanta-te!" muitas vezes. Era uma ordem que trazia êxito à vida das pessoas. Certa vez, ele desceu até o tanque de Betesda para encontrar um paralítico que havia 38 anos estava deitado e disse: "Levanta-te, toma tua cama e anda!" (João 5.8, ARC).

Salmos 37.23,24 diz: "Os passos de um homem bom são confirmados pelo SENHOR, e deleita-se no seu caminho. Ainda que caia, não ficará prostrado, pois o SENHOR o sustém com a sua mão" (ARC). O próprio Deus sustenta e levanta os justos. Por isso, temos na Bíblia tantos exemplos de pessoas que se levantaram após uma palavra do Senhor.

Jesus ressuscitou o filho da viúva, ordenando: "Jovem, eu te digo: levanta-te!" (Lucas 7.14, ARC). O homem que era coxo e pedia esmolas à porta do templo foi curado quando Pedro disse: "Em nome de Jesus Cristo, o Nazareno, levanta-te e anda" (Atos 3.6, ARC).

Levantar-se diz respeito a mudar a postura, pois sentado ninguém avança nem conquista nada, mas quando nos levantamos, assumimos uma posição vitoriosa.

Plano de leitura:
(EZEQUIEL 43—44)

Acesse o QR code para saber mais

SAIA DO LUGAR

Às vezes, precisamos sair de alguns ambientes que limitam a nossa visão. Foi por isso que Deus disse a Abraão: "Sai-te da tua terra, e da tua parentela, e da casa de teu pai, para a terra que eu te mostrarei" (Gênesis 12.1, ARC). Observe que, antes de dizer "vai", Deus diz "sai"! Isso mostra que, para vivermos o novo do Senhor, não podemos ficar no mesmo lugar ou continuar fazendo sempre as mesmas coisas. Então, se você deseja mudança, saiba que é preciso sair da zona de conforto para avançar e tomar posse das promessas de Deus.

Se Abraão tivesse permanecido no lugar onde estava, jamais seria nosso pai na fé. Assim, se você quer conquistar a promessa, saia do lugar. Muitas pessoas não conquistam o que almejam porque nasceram e vão morrer no mesmo lugar.

João 3.8 diz: "O vento sopra onde quer. Você o escuta, mas não pode dizer de onde vem nem para onde vai. Assim acontece com todos os nascidos do Espírito". Por isso, é importante ser guiado pelo Espírito Santo, deixando Deus movê-lo de lugar. A mudança pode ser difícil, porém mais difícil é permanecer a vida inteira no mesmo lugar, sem desfrutar das promessas do Senhor.

"Sair do lugar pode até doer, porém, uma dor ainda maior é ficar a vida inteira no mesmo lugar."

O que você pode aprender com a história de Abraão?

....

....

....

Plano de leitura:
(Ezequiel 45—48)

Acesse o QR code para saber mais

HONRANDO AO SENHOR

"Aquele que honra a Deus será honrado por Deus."

Quais atitudes o levariam a honrar a Deus e ao próximo?

....

....

....

....

....

....

....

....

Plano de leitura:
(Daniel 1—4)

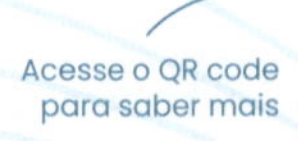

Acesse o QR code para saber mais

Um dos mais lindos princípios é o princípio da honra. Honrar alguém significa colocar essa pessoa em posição de destaque. Por isso, devemos honrar a Deus em primeiro lugar em nossa vida, isto é, temos de priorizar o Senhor acima de tudo e de todos.

Recordo-me de que, quando eu era criança e fazia aniversário, as pessoas se reuniam, cantávamos parabéns e, em seguida, o bolo era cortado. O primeiro pedaço de bolo refletia a importância que a pessoa tinha em nossa vida. Por isso, honrar a Deus é reconhecer que ele é importante e que sem ele nada somos. Honre ao Senhor com as suas primícias e com tudo aquilo que você tem.

Aliás, o Senhor diz: "Aos que me honram, honrarei, porém os que me desprezam serão desmerecidos" (1 Samuel 2.30, ARA). Como vemos, há uma promessa da parte de Deus. Portanto, cumpra esse princípio, procure honrar a Deus com a sua vida, não negocie a sua fé, muito menos os seus princípios.

Lembre-se de honrar ao Senhor em tudo que fizer, pois ele é digno de toda honra, glória e louvor!

VOCÊ JÁ NASCEU VENCEDOR

Muita gente diz que não nasceu para vencer. Isso é um grande equívoco, pois todo cristão já nasceu vencedor. Antes mesmo de vir ao mundo, na corrida pela vida você venceu.

O salmo 139 diz que, quando éramos ainda uma substância pequena e informe, o Senhor já nos conhecia e em seu livro escreveu todos os dias da nossa vida.

Sabe o que Deus escreveu a seu respeito? Que você é mais que vencedor! (Romanos 8.37). Portanto, não desanime nem deixe que o Maligno roube a sua fé. Ele sempre fará de tudo para que você acredite que é um derrotado, um zé-ninguém.

Não acredite nas mentiras do Inimigo; tome posse e creia na Palavra do Senhor. Não deixe o momento ruim definir quem você é; sua derrota momentânea não define a sua história. Levante a cabeça e acredite nas promessas da Bíblia.

Deus o trouxe à existência neste tempo para que você cumpra um propósito. Então, ainda que os seus pais o tenham rejeitado, o Senhor o ama e desejou o seu nascimento desde a eternidade. Você é escolhido e foi gerado por Deus. Você é vencedor!

"Você não apenas nasceu para vencer como também já nasceu vencedor."

Quantas vezes as mentiras do Inimigo conseguiram desviá-lo da verdade que Deus declara sobre você?

Plano de leitura:
(Daniel 5—6)

Acesse o QR code para saber mais

A IMPORTÂNCIA DA PRESENÇA DE DEUS

"Quando a luz chega, as trevas têm de ir embora!"

Quanto tempo você tem investido na presença de Deus?

....
....
....
....
....
....
....
....
....

Plano de leitura:
(Daniel 7—9)

Acesse o QR code para saber mais

Toda pessoa que deseja viver de forma feliz e plena deve entender que sem a presença de Deus isso é impossível.

A presença de Deus restaura a alegria e traz felicidade. A Bíblia fala de uma ocasião em que o povo perdeu a arca da aliança, que significava a presença de Deus. Então, perder a arca da aliança significava que tinham perdido também a alegria, a expectativa e a confiança (1 Samuel 4).

A presença de Deus, além de trazer alegria, traz bênção para dentro de nosso lar, assim como aconteceu com a casa de Obede-Edom. A arca ficou na casa dele por três meses, e com isso eles foram abençoados pela presença de Deus (2 Samuel 6.11).

Moisés também sabia que a presença de Deus era fundamental para todas as conquistas, por isso chegou a dizer ao Senhor: "Se a tua presença não vai comigo, não nos faças subir deste lugar" (Êxodo 33.15, ARA).

A presença de Deus é tudo; então, se você deseja ter êxito, mas deixou a presença de Deus de lado, mude o seu comportamento e volte a buscar o Senhor. Ele quer restaurar em sua vida a presença dele, pois isso é necessário para que você tenha plenitude e alegria.

PERSEVERANDO EM ORAÇÃO

Quando falamos sobre oração, muitas vezes já vem em nossa mente a ideia de pedir algo a Deus, não é verdade?

Isso é muito comum; afinal, muitas pessoas só entram na presença de Deus para pedir. Fazem pedidos a respeito da família, do casamento, das finanças, da empresa e por aí vai.

Não que pedir seja errado; na verdade, a oração é um meio de nos relacionarmos com Deus, e devemos, sim, apresentar os nossos pedidos ao Senhor. Entretanto, o que acontece é que muitas pessoas só se relacionam com Deus querendo ganhar e se esquecem de perseverar em oração como meio de manter a comunhão.

Por outro lado, há pessoas que sofrem porque deixaram de orar e não se relacionam com o Senhor, perderam a comunhão.

Precisamos manter nossa comunhão com Deus e perseverar em oração. A oração tem o poder de anular sentenças, como no caso do rei Ezequias: ele orou, e Deus acrescentou mais quinze anos à sua vida (2 Reis 20).

É por meio da oração que Deus se manifesta no meio do seu povo. Então, não se esqueça de que o propósito da oração é o relacionamento com Deus. Portanto, persevere em oração.

"Quem fica de joelhos em oração estará sempre de pé diante de qualquer situação."

Quais são os seus maiores motivos de oração?

....

....

....

....

....

Plano de leitura:
(Daniel 10—12)

Acesse o QR code para saber mais

MUDE A ESTRATÉGIA

"Mude a estratégia, mas mantenha o objetivo."

Qual estratégia você pode rever hoje?

Muitas vezes, para alcançar êxito, precisamos mudar e repensar as nossas estratégias.

A Bíblia mostra exemplos de algumas pessoas que mudaram a estratégia, mas não perderam o objetivo de vida. Temos a história do paralítico que queria estar na presença de Jesus. Naquele vilarejo, muitos ouviram falar de Jesus, e a casa onde ele estava em pouco tempo se encheu de gente.

Quatro amigos pegaram o paralítico e o levaram até Jesus, mas, como a casa estava muito cheia, não havia possibilidade de entrarem pela porta. Então, eles mudaram de estratégia. A única possibilidade que encontraram de colocar o paralítico na presença de Jesus foi entrar pelo telhado. Sim, isso mesmo, eles fizeram um buraco e desceram o paralítico pelo telhado. E assim ele recebeu a cura de Jesus (Marcos 2).

Com isso, aprendo que a estratégia pode mudar, mas não o foco e o objetivo.

Talvez você não tenha obtido êxito naquilo que deseja porque está tentando sempre do mesmo jeito. Eu o incentivo a mudar a estratégia, mas sem perder o foco. Ore a Deus. Ele é o Senhor dos Exércitos e trará a solução para tudo aquilo de que você precisa.

Plano de leitura:
(Oseias 1—4)

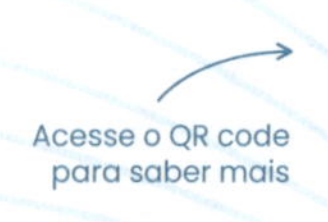

"NEM SÓ DE PÃO VIVERÁ O HOMEM"

Em geral, vivemos em constante correria, sempre exigidos, e é importante termos energia para enfrentar os desafios da vida. Além da energia proveniente de uma boa alimentação, a alimentação espiritual também é fundamental.

Jesus nos ensinou: "Nem só de pão viverá o homem, mas de toda palavra que sai da boca de Deus" (Mateus 4.4, ARC).

Conquanto o pão seja um alimento que traz energia ao corpo, é preciso compreender que o ser humano não é constituído apenas de um corpo físico, mas também de uma alma e um espírito, que necessitam se alimentar da Palavra de Deus.

O alimento espiritual é essencial para nos fortalecer e nos levar a vencer as batalhas espirituais. Quanto mais meditamos na Palavra de Deus, mais fortalecidos ficamos. É o Senhor quem nos oferece o verdadeiro pão que alimenta. Portanto, devemos nos alimentar regularmente, pois o Senhor nos fortalece para que cumpramos sua santa vontade.

"*Assim como os alimentos nutrem o nosso corpo, a Palavra de Deus sustenta o nosso espírito.*"

....

....

....

....

Plano de leitura:
(Oseias 5—9)

NÃO SE DESESPERE, PORQUE DEUS ESTÁ NO CONTROLE

"Não se desespere! Daqui a pouco, tudo fará sentido."

Há algo trazendo desespero ao seu coração que você precisa entregar ao Senhor hoje?

....

....

....

....

....

....

....

....

Plano de leitura:
(Oseias 10—14)

Acesse o QR code para saber mais

É reconfortante saber que Deus está no controle e cuida de tudo. Podemos confiar e descansar, pois não há nada que ele não saiba ou não tenha permitido.

Deus tem pleno conhecimento de todas as coisas. Portanto, descanse o seu coração, não se desespere, pois ele está no controle. Mesmo em momentos difíceis, não se deixe abalar pelas circunstâncias, pois há um Deus soberano, exaltado acima de todas as nações.

Assim como grandes homens confiaram no Senhor, aprenda a descansar nele. Paulo, prestes a ser julgado, escreveu: "Na minha primeira defesa, ninguém apareceu para me apoiar; todos me abandonaram. [...] Mas o Senhor permaneceu ao meu lado e me deu forças. [...] E eu fui libertado da boca do leão!" (2 Timóteo 4.16-19).

O apóstolo Paulo confiava em um Deus vivo e verdadeiro. Portanto, não se desespere, pois ele está no controle. Descanse, confie no Senhor e tranquilize o seu coração, pois o seu Pai tem cuidado de você.

VAI VALER A PENA

Podemos afirmar que estamos vivendo dias difíceis, marcados por pressões e incertezas. No entanto, precisamos permanecer firmes na fé, pois esses acontecimentos indicam a proximidade do fim dos tempos.

Observamos grande maldade no coração dos homens, conforme anunciado na Palavra, que previu que, com o aumento da maldade, a fé e o amor de muitos esfriariam. Todos esses eventos apontam para a volta de Jesus, como declarado em Mateus 25.1: “Vigiai, pois, porque não sabeis o dia nem a hora em que o Filho do homem há de vir” (ARC).

Você está preparado para a vinda de Jesus? Mantenha-se pronto e não comprometa os seus princípios. Jesus está retornando para buscar a sua igreja, uma promessa feita para os últimos dias, caracterizados por muitas adversidades e aflições.

Permaneça firme e não desista! Vai valer a pena! Mesmo nos momentos de angústia e nas situações que tentam abalar a verdade do Evangelho em seu coração, não negocie a sua fé. Continue lutando e creia que valerá a pena, pois um dia você estará diante do Senhor, face a face, e ele enxugará dos seus olhos toda lágrima.

“Deus recompensará todo o seu esforço.”

Qual o seu sentimento quando pensa na eternidade com Jesus?

....

....

....

....

....

....

....

....

Plano de leitura:
(Joel 1—3)

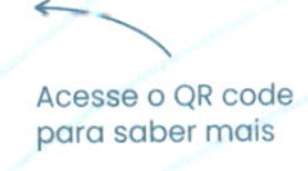

FELIZES SÃO OS PACIFICADORES

"Confiando em Deus é possível viver em paz mesmo em meio à guerra."

Qual conflito precisa de uma atitude pacificadora em sua vida?

....

....

....

....

....

....

....

Plano de leitura:
(Amós 1—4)

Jesus pregou e enfatizou a paz, chegando a afirmar que felizes são os pacificadores, aqueles que promovem a paz e não incitam a contenda entre as pessoas. Enquanto há pessoas que, por onde passam, são pacificadoras, há outras que só provocam guerras. Portanto, a definição mais adequada de pacificador é alguém que promove a paz em seu caminhar.

De acordo com Provérbios 6.16, o Senhor odeia seis coisas, e a sétima sua alma abomina: olhos altivos, língua mentirosa, mãos que derramam sangue inocente, coração que maquina pensamentos perversos, pés que se apressam para o mal, testemunha falsa que profere mentiras e aquele que semeia contendas entre irmãos (ACF). Deus abomina aqueles que espalham contendas entre os irmãos, ou seja, ele ama aqueles que promovem a paz. Por isso, ele nos oferece a chave para a verdadeira felicidade.

Jesus nos diz que felizes são os pacificadores. Mesmo quando estiver enfrentando momentos difíceis, seja alguém que promove a paz. Seja na sua família, seja no trabalho, seja entre seus amigos, evite discussões e não incite a ira, pois Cristo afirmou que felizes são os pacificadores.

NÃO SE PERCA COM AS PERDAS

Tem gente que, após perder alguma coisa, perde o senso do seu propósito ou até se perde durante a caminhada.

A Bíblia conta a história de um homem chamado Mefibosete (2 Samuel 4), neto de Saul. Um acidente aconteceu: a mulher que estava cuidando dele deixou-o cair.

Mefibosete ficou aleijado de ambos os pés e desde então teve a sua história interrompida. Sentindo-se insignificante, passou a viver em Lo-Debar, ou seja, ele se perdeu com as perdas da vida.

Muitas pessoas passam por momentos difíceis, perdem as alianças, até mesmo bens, e há alguns que se perdem por causa da tristeza, pensando que a sua vida não tem mais jeito.

Lidar com o momento difícil deve ter sido algo muito complicado para Mefibosete, mas a Bíblia diz que o rei Davi mandou buscá-lo para que ele viesse novamente para o palácio. É isso que Jesus está fazendo em sua vida. Ele o ama, e, mesmo que você tenha ficado chateado porque algumas coisas ruins aconteceram, hoje ele o manda chamar porque quer conduzi-lo ao lugar de honra, de onde você jamais deveria ter saído.

Portanto, não se perca com as perdas.

"Quando Deus permite que algo saia da sua vida, é porque ele está preparando algo melhor."

Você já passou por alguma perda muito dolorosa?

....

....

....

Plano de leitura:
(Amós 5—9)

Acesse o QR code para saber mais

DE VOLTA AO PROPÓSITO

"O maior fracasso de um homem é fazer sucesso onde Deus não o chamou para estar."

Você sente que está distante do seu propósito? Quais atitudes o ajudariam a voltar para ele?

....

....

....

Plano de leitura:
(Obadias 1)

Acesse o QR code para saber mais

Em determinado momento de sua vida, você pode ter se desviado do seu propósito, porque tomou algumas decisões que não deveria ter tomado. Geralmente é quando passamos por momentos difíceis que tomamos decisões equivocadas e às vezes perdemos até o bom senso.

Foi o que aconteceu ao profeta Jonas. Deus lhe havia dito que fosse a determinada cidade, mas ele foi desobediente e decidiu ir para outro lugar. Então, ele entra no navio, desce ao porão, uma tempestade se levanta e ele é lançado ao mar, onde é tragado por um grande peixe.

Chegar ao fundo do mar é triste; significa que a pessoa naufragou na fé e perdeu o seu propósito. Jonas passou por muitos reveses, mas no ventre do grande peixe se arrependeu, clamou ao Senhor e foi atendido.

Não importa quanto você tenha descido ou se distanciado do Senhor, arrependa-se e volte rápido. Deus é rico em misericórdia e deseja que a sua vida seja instrumento de salvação para muitas pessoas.

A oração de Jonas foi suficiente para que ele voltasse ao seu propósito, e assim será também em sua vida. Faça uma oração e peça que de hoje em diante Deus o ponha no centro da vontade dele novamente.

TRÊS COISAS QUE VOCÊ NÃO PODE PERDER

Para não perder a guerra, existem coisas que você não pode perder. Sansão foi escolhido para fazer a diferença, por isso recebeu do Senhor ferramentas e estratégias. O inimigo, sabedor do potencial de Sansão, tentou roubar três elementos fundamentais na sua missão.

A primeira foi a força. Como sabemos, a força de Sansão estava no cabelo, por isso o inimigo quis cortar suas sete tranças (Juízes 16). Portanto, tome muito cuidado para que o Inimigo não roube as suas forças.

Além disso, a Bíblia diz que, quando o inimigo atacou Sansão, ele se levantou, mas não sabia que o Espírito do Senhor havia se retirado dele. Esse é o segundo ponto. Muitos homens de Deus perderam a presença do Espírito Santo e não perceberam.

A terceira perda foi quando os inimigos furaram os olhos de Sansão e ele perdeu a visão.

Cuidado, não permita que o Inimigo lhe roube estas coisas: as suas forças, a comunhão com o Espírito Santo e a visão de quem é Deus. Há uma grande obra a ser feita, então não perca essas três coisas, pois elas são essenciais para o cumprimento do seu propósito.

"Jamais perca a força, o Espírito Santo e a visão."

Como você pode se guardar para não perder a força, o Espírito Santo e a visão?

....

....

....

....

....

....

....

....

Plano de leitura:
(Jonas 1—4)

Acesse o QR code para saber mais

MELHOR HUMILHAR-SE E ORAR

"Ele nos ouvirá, perdoará os nossos pecados e sarará a terra."

Como você pode se humilhar diante do Senhor neste momento?

....

....

....

....

....

....

....

....

Plano de leitura:
(Miqueias 1–7)

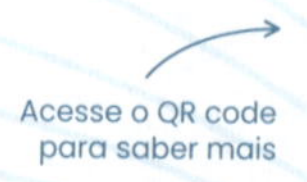

Acesse o QR code para saber mais

"E se o meu povo, que se chama pelo meu nome, se humilhar, e orar, e buscar a minha face e se converter dos seus maus caminhos, então eu ouvirei dos céus, e perdoarei os seus pecados, e sararei a sua terra" (2 Crônicas 7.14, ARC). Nesse versículo, vemos a clara instrução de Deus ao povo de Judá, quando lhe disse que o segredo para a reconstrução é se humilhar e orar, ou seja, buscar ao Senhor e se converter dos seus maus caminhos. Ele nos ouvirá, perdoará os nossos pecados e sarará a terra.

Acredito que todos querem receber o perdão dos pecados e ter a terra sarada, mas poucos compreendem que primeiro é necessário haver uma atitude por parte do povo de se humilhar e se reconhecer em total dependência de Deus.

O Senhor quer abençoar o seu povo, mas parece que a nossa terra fica infrutífera porque a maioria das pessoas vive trabalhando apenas para si e se esquece de buscar a Deus.

Por isso, ele está dizendo: "Quero abençoar vocês, sarar a terra, que sejam prósperos e felizes, mas primeiro vocês precisam se humilhar e buscar minha face, pois sem mim nada podem fazer".

CUIDADO COM AS RAPOSINHAS

"Por que a minha vida não prospera?"; "Por que não consigo sair do lugar?" Muitas pessoas fazem perguntas como essas, pois parece que, apesar de fazerem tudo certo, nunca conseguem desfrutar do que têm semeado.

Salomão escreveu: "Porque eis que passou o inverno: a chuva cessou e se foi. Aparecem as flores na terra, o tempo de cantar chega, e a voz da rola ouve-se em nossa terra. [...] Apanhai-me as raposas, as raposinhas, que fazem mal às vinhas, porque as nossas vinhas estão em flor" (Cântico dos Cânticos 2.11-12, 15, ARC). Observe que primeiro ele diz que está chegando um tempo de festa, pois é a época da colheita, em seguida alerta que se apanhem as raposinhas que fazem mal às vinhas, isto é, celebre, mas tome cuidado com as raposinhas.

As raposinhas entravam facilmente pelas cercas e acabavam com uma grande plantação. Em nossos dias, as raposinhas representam os pecados. Eles podem até passar despercebidos, todavia são perigosos, destroem e matam.

Portanto, cuidado com as raposinhas da mentira, do pensamento impuro, etc. Cerque bem a sua plantação para que nenhuma raposinha o impeça de desfrutar da grande colheita que vem chegando.

"Pequenos furos afundam grandes embarcações."

Há alguma raposinha passando despercebida ao seu redor que precisa ser eliminada?

Plano de leitura:
(Naum 1—3)

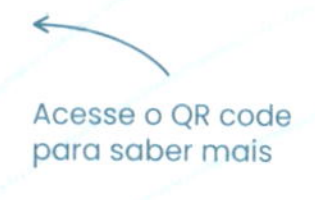

DEUS É NOSSO REFÚGIO

"O mundo pode estar em crise, mas escolha estar em Cristo."

Quem você procura nos momentos difíceis?

....

....

....

....

....

....

....

Plano de leitura:
(Habacuque 1—3)

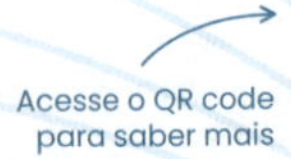

Acesse o QR code para saber mais

O salmista escreveu: "Deus é o nosso refúgio e fortaleza, socorro bem presente na angústia" (Salmos 46.1, ARC). O Senhor está sempre nos aguardando e pronto a nos socorrer. Desse modo, todos aqueles que passam por momentos difíceis podem encontrar nele um refúgio e lugar seguro.

Se você está enfrentando crises existenciais ou passando por alguma batalha, lembre-se de que Deus é um refúgio e fortaleza para todos os que nele confiam.

Quando assistimos a filmes de guerra, vemos que as pessoas buscam um refúgio para se proteger ou para se abrigar. Do mesmo modo, devemos buscar proteção no Senhor, pois somente ele pode nos guardar e nos livrar do mal. Portanto, vá até o Senhor, refugie-se e peça sabedoria para vencer as guerras que tem enfrentado. Passe mais tempo na presença de Deus, e terá descanso para a sua alma. Nele você encontrará paz e assim poderá renovar as suas forças para vencer as batalhas da vida.

Deus é refúgio e fortaleza, o socorro de que precisamos nos momentos de angústia. Lembre-se sempre de que ele não desistiu de você nem o abandonou. O Senhor o ama e está sempre à sua espera!

ALEGRE-SE COM OS QUE SE ALEGRAM

Deus sempre nos dá a instrução para celebrar as vitórias, principalmente a vitória dos nossos irmãos. Aliás, esse é um dos ensinamentos mais lindos da Bíblia. Diz respeito a compartilhar e se alegrar com a felicidade alheia. Isso não é muito comum em nossos dias, pois a maioria das pessoas tem muita dificuldade em aplaudir o sucesso do seu semelhante.

Paulo nos instrui a nos alegrarmos com os que se alegram e chorar com os que choram (Romanos 12.15), todavia vemos que é bem mais fácil chorar com os que estão tristes do que se alegrar quando outras pessoas estão prosperando.

Há pessoas que se dizem cristãs, mas quando veem o outro prosperando, colocam um sorriso amarelo no rosto. Deus está nos chamando para aplaudir o nosso irmão, para celebrar o sucesso alheio, porque isso revela maturidade. Nisto há um segredo, uma chave espiritual: todo aquele que tem maturidade suficiente para aplaudir o sucesso alheio e se alegrar com os que se alegram está apto para receber muito mais.

"Quem se alegra com a vitória dos outros está pronto para receber a sua!"

Qual foi a última vez em que você verdadeiramente se alegrou por alguém?

Plano de leitura:
(Sofonias 1—3)

Acesse o QR code para saber mais

DESAFIOS PROPORCIONAIS À PROMESSA

"Grandes batalhas são travadas por grandes guerreiros."

Precisamos entender, quando estamos enfrentando alguns desafios, que eles são proporcionais às promessas. É como uma pessoa que entrou no colégio e, para passar para outra série, precisa ser aprovada.

Quem vence os desafios ascende a um nível superior. Do mesmo modo que as promessas de Deus são grandiosas, os desafios também são proporcionais, ou seja, um grande desafio aponta para uma grande promessa.

Antes de possuírem a terra prometida, os israelitas tiveram que enfrentar gigantes. Foi nessa ocasião que muitos espias retrocederam — eles não entenderam que os desafios trazem grandes bênçãos, por isso desistiram e não possuíram a terra maravilhosa que haviam recebido como herança.

Ainda hoje, muitas pessoas desistem diante dos desafios porque não compreendem que se Deus permitiu uma grande guerra, é porque ele quer dar uma grande vitória.

Por isso, lembre-se: o tamanho do desafio é proporcional à promessa; então, não desista. Você não será envergonhado, pois o Senhor vai capacitá-lo.

Qual é o grande desafio à sua frente agora?

....

....

....

....

....

....

....

Plano de leitura:
(Ageu 1—2)

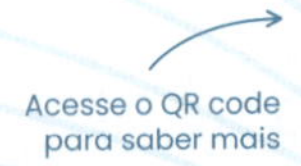

PLANEJANDO O SEU FUTURO

Você costuma planejar o seu futuro? Onde estará daqui a cinco ou dez anos? Quando fazem perguntas como essas, muitos não sabem responder, porque vivem como um barco à deriva, sem planos, sem objetivos e sem sonhos.

Eu já estive assim, à deriva, todavia compreendi que Deus tem planos grandiosos e deseja que o homem saiba planejar o seu futuro. Saber planejar o futuro é imprescindível para organizarmos os próximos passos em nossa vida, e isso não é errado. O homem pode fazer planos, contudo os planos de Deus sempre vão prevalecer.

Tiago 4 diz: "Vocês que dizem: 'Hoje ou amanhã iremos para esta ou aquela cidade, passaremos um ano ali, faremos negócios e ganharemos dinheiro'. Vocês nem sabem o que acontecerá amanhã. [...] Ao invés disso, deveriam dizer: 'Se o Senhor quiser, viveremos e faremos isto ou aquilo' (Tiago 4.13-15).

Muitas pessoas confundem essa passagem e vivem de forma equivocada, então, lá na frente, colhem os frutos da falta de planejamento. Pôr Deus acima de tudo e saber planejar o futuro é muito saudável. Portanto, agora, pegue papel e caneta, anote os seus planos futuros e coloque-os nas mãos do Senhor.

"É mais fácil chegar ao destino acompanhado de quem já conhece o caminho."

Quais são os seus planos para o futuro próximo?

....

....

....

....

Plano de leitura:
(Zacarias 1—5)

Acesse o QR code para saber mais

ESTÁ NA HORA DE CONFIAR EM DEUS

"Quem você procura nos momentos difíceis revela em quem você mais confia."

Você se lembra de uma situação recente em que confiou em Deus e valeu a pena?

....

....

....

....

....

Plano de leitura:
(Zacarias 6—10)

Acesse o QR code para saber mais

Em todo tempo, a nossa fé é posta em xeque, ou seja, ela é provada em diversas áreas ou circunstâncias. Por isso, não se entristeça quando estiver enfrentando adversidades, porque a sua fé pode estar sendo provada, e esse é o exato momento em que você deve confiar em Deus.

Ir à igreja, cantar hinos de louvor e confiar no Senhor quando está tudo bem é muito fácil, todavia é nos momentos difíceis que a fé se manifesta e a prova revela se confiamos realmente em Deus.

Certa vez, passei por uma experiência muito difícil. Meu filho estava brincando com os amigos no condomínio, quando de repente entrou em casa chorando, com muita dor na barriga. Fomos ao médico, e imediatamente ele foi levado à sala de cirurgia por uma apendicite e corria sério risco de morte. Enquanto aguardava a cirurgia, compreendi que a minha fé estava sendo provada e que era hora de confiar mais no Senhor. Deus me atendeu, e hoje posso dizer que felizes são os que confiam nele.

Por isso, incentivo você a confiar no Senhor, pois ele nunca desampara os seus. Confie e você verá a glória de Deus!

MUITAS SÃO AS AFLIÇÕES DO JUSTO

Precisamos entender que nossa vida não é um conto de fadas e passaremos por muitos momentos de angústia e aflições. Entretanto, Deus sempre tem um refrigério para nossa alma, um refúgio em meio à tempestade e um alívio para a dor. A Bíblia diz que as aflições dos justos são muitas, porém o Senhor os livra de todas (Salmos 34.19).

A palavra "aflição" significa sofrimento, preocupação, tristeza, e não é isso que Deus deseja para a nossa vida. Todavia, enquanto estivermos no mundo enfrentaremos algum tipo de aflição, seja física, seja emocional ou até mesmo na área espiritual. É por isso que não podemos desanimar, pois, apesar de enfrentar as aflições, podemos também ter certeza de que Deus nos dará o escape. Ou seja, ele não nos deixará sozinhos no meio da tempestade.

O Senhor está com você e promete lhe dar a vitória. Além disso, lemos no Novo Testamento que as aflições deste tempo presente não se comparam com a glória que há de ser revelada (Romanos 8).

Deus é fiel e lhe dará o escape; o Senhor o livrará das aflições e lhe dará a vitória, em nome de Jesus.

"Mares tranquilos nunca formaram bons marinheiros!"

Você consegue entregar suas aflições ao Senhor neste momento?

....

....

....

....

....

....

Plano de leitura:
(Zacarias 11—14)

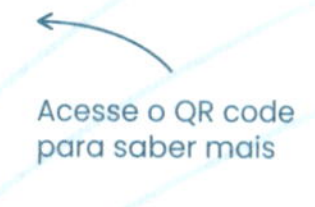

Acesse o QR code para saber mais

ISSO É PARA A GLÓRIA DE DEUS

"Por trás de cada impossibilidade existe um testemunho escondido."

Dar glória a Deus em todas as coisas é uma prática na sua vida?

....

....

....

....

....

Plano de leitura:
(Malaquias 1—4)

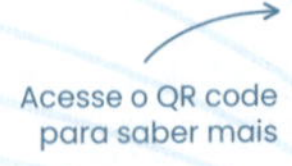

Acesse o QR code para saber mais

Muitas coisas acontecem em nossa vida e nem sempre entendemos os motivos; é fato que Deus permite que passemos por algumas situações difíceis, mas tudo é para a glória dele.

Certa vez, levaram um homem cego de nascença a Jesus e perguntaram quem havia pecado — ele ou seus pais — para que aquele mal ocorresse. Eles disseram isso porque queriam encontrar uma resposta para o sofrimento daquele homem.

No entanto, Jesus respondeu que nem ele nem seus pais haviam pecado, mas que isso acontecera para que nele se manifestasse a glória de Deus (João 9).

Frequentemente, quando passamos por algum sofrimento, temos a tendência de querer colocar a culpa em alguém ou até mesmo de perguntar o que há de errado, porém nos esquecemos de que muitas coisas acontecem para que o nome de Deus seja glorificado em nossa vida. Há coisas que não entendemos, mas futuramente poderemos testemunhar e dizer que aconteceu para a glória de Deus.

Então, descanse o seu coração e saiba que nem todo problema ou sofrimento é resultado do pecado; muitas vezes, é para que a glória de Deus se manifeste.

PARE DE SE PREOCUPAR

A preocupação é algo que tem se tornado o estilo de vida de muitas pessoas, isto é, muitos passam o tempo todo se preocupando e nem sequer conseguem dormir direito.

Há também muitas pessoas que perdem a paz, porque vivem preocupadas em resolver problemas futuros, ou seja, demandas de coisas que ainda nem aconteceram. Isso gera ansiedade, por isso a Palavra diz: “Lancem sobre ele [Deus] toda a sua ansiedade, porque ele tem cuidado de vocês” (1 Pedro 5.7).

Entregue a sua ansiedade ao Senhor, pare de se preocupar a respeito do futuro e viva o momento presente. Aprenda a desfrutar das bênçãos que Deus preparou para a sua vida. Não deixe que a preocupação roube o que você tem de melhor.

Muitas pessoas não conseguem desfrutar de um bom almoço, de uma conversa de qualidade, do relacionamento com a família, tudo porque deixam a preocupação tomar conta do coração.

Deus é com você e tem trabalhado a seu favor; ele o guardou e o livrará de todo mal, portanto preocupe-se menos e viva mais.

Pare de se preocupar e desfrute de tudo o que o Senhor já preparou para você.

“A preocupação veio revelar que não temos confiado a ponto de descansar.”

Qual preocupação você pode confiar ao Senhor neste dia?

Plano de leitura:
(Mateus 1—3)

Acesse o QR code para saber mais

SOMOS FILHOS

"Não basta ter identidade; é preciso desenvolver intimidade."

Quando você finalmente entendeu o que significa ser filho de Deus?

....
....
....
....
....
....

Plano de leitura:
(Mateus 4—6)

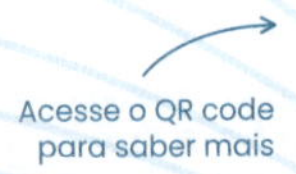

Conhecer a sua verdadeira identidade fará toda a diferença em sua vida. Você poderá caminhar de forma alegre sobre a terra e saberá tomar todas as suas decisões em paz, por saber de fato quem é o seu Pai e quem você é.

Quando sabemos que Deus é o nosso Pai, conhecemos também a nossa filiação e a nossa herança. O Evangelho diz que todo aquele que recebe Jesus tem o direito de se tornar filho de Deus.

Certa vez, eu estava atendendo a uma pessoa em meu gabinete pastoral e alguém entrou sem bater. Quando vi quem entrou, abri um largo sorriso, pois era o meu próprio filho. Descobri naquele momento que quem é filho tem acesso a lugares que outros não têm, simplesmente por causa da filiação. Você também tem acesso ao Pai e o direito de ser chamado de filho de Deus. Você tem direito à herança divina, conforme diz o salmista: "Tu és meu filho; eu hoje te gerei. Pede-me e te darei as nações como herança e os confins da terra como tua propriedade" (Salmos 2.7,8).

Deus tem tantas coisas preparadas para sua vida das quais talvez você não esteja desfrutando. Lembre-se de que o Senhor é seu Pai e que ele ama abençoar seus filhos.

O PAI DA MENTIRA É O DIABO

Hoje, quero alertá-lo de que, aconteça o que acontecer, você deve permanecer sempre na verdade. Ela é a maior arma do cristão, por isso nunca faça uso da mentira. A Bíblia diz: "Portanto, eu escrevo a vocês, mas não é porque não conhecem a verdade. Pelo contrário, é porque a conhecem e sabem que nunca nenhuma mentira vem da verdade" (1 João 2.21, NTLH).

Jesus afirmou que o pai da mentira é o Diabo, e quem vive na prática da mentira coloca-se na posição de filho dele (João 8.44). Esta é uma palavra muito forte, mas nos alerta e nos leva a entender que, além de a mentira ser um péssimo argumento, também nos deixa em uma situação vulnerável no mundo espiritual.

Somos filhos de Deus, portanto devemos andar na verdade e na luz.

Na Igreja Primitiva, um casal se utilizou da mentira para tentar enganar os discípulos, e o resultado foi que os dois morreram (Atos 5). Quem vive na prática da mentira permite que o Inimigo aja em sua vida, ou seja, a mentira abre uma lacuna para que o Inimigo destrua a vida da pessoa. Portanto, ande na verdade e lembre-se de que o pai da mentira é o Diabo.

"A mentira pode parecer salvar o presente, mas condena o futuro!"

Você já enfrentou problemas com a mentira?

....

....

....

....

....

....

....

Plano de leitura:
(Mateus 7—9)

Acesse o QR code para saber mais

PREOCUPE-SE COM OS OUTROS

"Mais difícil do que falar de amor é amar."

Qual é o amigo para quem você pode ligar e oferecer algo bom hoje?

....

....

....

....

....

....

....

....

....

Plano de leitura:
(Mateus 10—11)

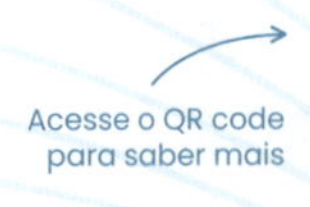

Vivemos num mundo em que as pessoas estão cada vez mais egocêntricas, isto é, vivem apenas preocupadas com seus próprios interesses e indiferentes aos problemas alheios.

Este não é o desejo de Deus para nós. Devemos nos importar com as pessoas e amá-las. O apóstolo Paulo, na carta que escreveu aos filipenses, diz o seguinte: "Cada um cuide, não somente dos seus interesses, mas também dos interesses dos outros" (Filipenses 2.4). Isso significa que devemos mostrar o nosso amor por meio do genuíno interesse em se preocupar com a dor e as necessidades do próximo.

Veja o exemplo de Neemias: ele era copeiro do rei e ocupava uma posição privilegiada; contudo, quando soube que seus irmãos estavam em dificuldades, ele chegou a largar tudo e ir reconstruir as muralhas de Jerusalém.

Enquanto você zela pelos outros, Deus também zela por você. Continue amando ao próximo e se preocupando com ele, pois isso revela que a essência divina e o amor do Pai estão em você. Preocupe-se com os outros, cuide do próximo e faça o bem a ele, pois essa é a vontade do Senhor para a sua vida.

DEFININDO A ESCALA DE VALORES

Saber organizar a nossa vida em uma escala de valores prioritários é um grande desafio, mas também uma das principais características de uma pessoa de sucesso. Muitas pessoas fracassam porque invertem os valores e a ordem natural daquilo que Deus criou como bom, perfeito e agradável

Nossa escala de valores deve ter prioritariamente o Senhor em primeiro lugar, em seguida a nossa família e o trabalho e depois as demais coisas. Portanto, mantenha o temor do Senhor em seu coração e organize corretamente a sua vida, pois quando você prioriza o Reino e busca a Deus, todas estas coisas lhe serão acrescentadas.

Lembre-se sempre de que o Reino de Deus e a sua justiça vêm em primeiro lugar; depois, a sua família, que é o principal projeto do Senhor aqui na Terra; somente então o trabalho, o ministério ou qualquer outra coisa que ele tenha colocado em suas mãos.

Aprender a definir corretamente a escala de valores é muito importante para que você consiga servir ao Senhor e viver com plenitude e êxito.

"Quando colocamos Deus em primeiro lugar, tudo volta a fazer sentido em nossa vida."

Como está a lista de prioridades da sua vida?

Plano de leitura:
(Mateus 12—13)

Acesse o QR code para saber mais

FORÇA PARA SEGUIR EM FRENTE

"Nem que seja degrau por degrau, o mais importante é não parar de subir."

Você precisa da força e da ajuda do Senhor em qual área atualmente?

....

....

....

....

....

Plano de leitura:
(Mateus 14—15)

Acesse o QR code para saber mais

Em nossa vida, passamos por muitas dificuldades, e frequentemente é preciso força para vencer e continuar seguindo em frente, apesar do cansaço. Nesse contexto, posso dizer que o momento em que nos sentimos mais fracos e que a luta parece mais intensa é quando Deus intervém para nos ajudar.

Foi isso que aconteceu com o apóstolo Paulo quando ele estava passando por um momento muito difícil e o Senhor se colocou ao lado dele e disse: "Coragem!". Essa palavra de incentivo deu-lhe forças para continuar seguindo sua missão firme na fé (Atos 23.11).

Em muitos momentos de nossa vida, também precisamos de forças para cumprir o nosso chamado. Nesse sentido, a Palavra diz que o Senhor fortalece o cansado e restaura as forças daquele que não tem nenhum vigor (Isaías 40).

Portanto, quando você estiver passando por momentos difíceis, lembre-se de que Deus o tem fortalecido e que ele envia anjos para ajudá-lo a fim de que você possa continuar a sua jornada.

Então, fortalecido pela força que vem de Deus, você pode continuar sua caminhada, cumprir o seu propósito e tomar posse das promessas.

O SENHOR DOS EXÉRCITOS ESTÁ CONOSCO

Quantas vezes enfrentamos guerras e batalhas em várias áreas distintas da nossa vida.

No casamento, na família, no trabalho, nas emoções, no ministério, enfim, em tantas áreas, guerras se levantam em momentos distintos da nossa vida. No entanto, há uma promessa: Deus está conosco.

Deus não nos desampara nos momentos difíceis. Ele está sempre presente. Além disso, Salmos 46.9,10 diz: "Ele faz cessar as guerras até os confins do mundo, quebra o arco e despedaça a lança; queima os carros no fogo. Aquietem-se e saibam que eu sou Deus; sou exaltado entre as nações, sou exaltado na terra" (NAA).

O Senhor faz cessar as guerras; Deus, o Senhor dos Exércitos, está conosco. Guarde sempre essa palavra em seu coração e seja encorajado por ela. O Senhor dos Exércitos é com você e lhe dará a melhor estratégia para vencer as batalhas do seu dia a dia.

Que o seu coração se anime, pois você não está sozinho; Deus é com você, e você não será envergonhado. Levante-se, seja forte e corajoso, pois Deus é quem luta a seu favor.

"Cada pequena conquista é um passo no caminho do sucesso."

Para você, o que significa ver Deus lutando em seu favor?

....

....

....

....

....

....

....

Plano de leitura:
(Mateus 16—18)

Acesse o QR code para saber mais

MOTIVAÇÃO CORRETA

"Motivação é quando a força de vontade é maior do que a habilidade."

Qual é a motivação do seu coração para viver?

Plano de leitura:
(Mateus 19—21)

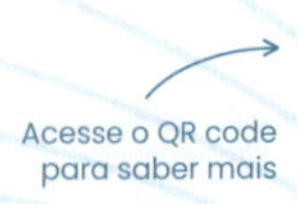

Acesse o QR code para saber mais

A motivação correta nos leva à vitória, principalmente no mundo espiritual, pois quando Deus percebe que alguém tem a motivação correta, ele abençoa e coloca essa pessoa em um patamar mais elevado.

Muitas pessoas, porém, fracassam porque não têm a motivação correta no coração. Querem fazer as coisas para serem vistas ou aprovadas pelos outros. Elas se esquecem de que Deus sonda o coração e sabe qual é a intenção de cada um.

O apóstolo Paulo ensinou que não importa se comemos, ou bebemos, ou fazemos qualquer outra coisa, tudo deve ser feito para que o nome do Senhor seja glorificado (1 Coríntios 10.31). Esta deve ser a nossa motivação: fazer tudo para a glória de Deus.

O salmista escreveu: "Agrada-te do Senhor e ele satisfará os desejos do seu coração" (Salmos 37.4, ARA). Isso mostra que quando você tem a motivação correta e faz as coisas com excelência, agrada a Deus. E quando você agrada ao Senhor, ele se agrada de você!

Portanto, mantenha a motivação correta, e a bênção do Senhor virá sobre a sua vida.

NÃO DIFAME A TERRA

Infelizmente, muitas pessoas, além de serem ingratas, difamam a terra. Quando os homens foram espiar a terra prometida, muitos começaram a difamar aquele lugar e, por esse motivo, não puderam entrar ali. Difamar significa tirar a fama, denegrir, falar mal; e isso não agrada a Deus.

Além disso, Jesus disse: "Eu, porém, vos digo: Amai a vossos inimigos, bendizei os que vos maldizem, fazei bem aos que vos odeiam e orai pelos que vos maltratam e vos perseguem; para que sejais filhos do vosso Pai que está nos céus" (Mateus 5.44,45, ARC).

Portanto, aprenda o princípio de bendizer. Bendiga o lugar que o sustenta, não fale mal do seu trabalho nem do lugar onde Deus o colocou. Não difame a sua cidade, não fale mal do seu cônjuge nem dos seus filhos, porque, ao difamar, você está quebrando um princípio, e quem difama não prospera. Bendiga a terra que o sustenta, o seu trabalho, o seu empregador, as autoridades, a sua família. Fale bem daqueles que o desprezam, pois quando você fala bem de alguém, Deus o exalta, para que você possa desfrutar do melhor da terra.

"Você não desfruta daquilo que você mesmo difama!"

Você já caiu ou tem caído na armadilha de falar mal de alguém?

....

....

....

....

....

....

Acesse o QR code para saber mais

A IMPORTÂNCIA DA INTERCESSÃO

"A intercessão tem o poder de mudar sentenças e alterar uma decisão."

Liste cinco motivos pelos quais você precisa interceder nesta semana.

....

....

....

....

....

Plano de leitura:
(Mateus 24—25)

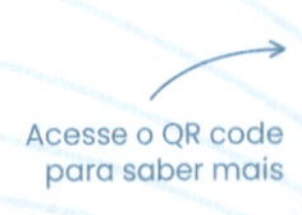

Muita gente ignora o poder que está por trás da intercessão, mas a verdade é que, quando intercedemos por alguém, o resultado é grandioso. A Bíblia diz que "a oração feita por um justo pode muito em seus efeitos" (Tiago 5.16, ARC).

No Antigo Testamento, lemos sobre uma cidade que estava prestes a ser destruída. Só não o foi porque alguém se colocou diante de Deus e intercedeu por ela (Gênesis 19). Também temos o exemplo de Jó, que intercedia por sua família, por seus filhos e, mesmo em meio a tanto sofrimento, intercedia por seus amigos. Foi nesse momento que o Senhor mudou a sua sorte (Jó 42).

Portanto, pare de reclamar da situação e seja um intercessor. Ponha-se em oração em prol de outra pessoa, interceda pela causa de alguém, ore por aqueles que estão passando por crises no casamento ou por dificuldades financeiras. Interceda, pois enquanto você intercede pelos outros, Deus se levanta e age em seu favor.

A importância da intercessão está no fato de que ela aproxima as pessoas do Senhor e as põe em sintonia com ele, fazendo com que a vontade divina se manifeste em nossa vida.

DEIXANDO UM LEGADO

Quando penso em quão breve é a nossa vida, mais me conscientizo da importância de deixar um legado para as próximas gerações.

O legado é tudo aquilo que construímos na nossa história que vai impactar e influenciar o estilo de vida de outras pessoas. Legado é diferente de herança; na verdade, ele está acima da herança, porque uma herança pode ser perdida, mas o legado é o que está impregnado no coração, e isso ninguém pode tirar. Que legado você tem construído?

A Bíblia diz que o homem bom deixa herança para os filhos de seus filhos (Provérbios 13.22). O meu desejo é que, mais do que uma herança, você deixe um legado de fé.

Procure viver de forma a ser lembrado como uma pessoa temente a Deus, como alguém que ama a Deus e ama o próximo, e que a sua marca seja o amor e a santidade.

Então, não se preocupe em deixar apenas uma herança baseada em coisas corruptíveis; busque, acima de tudo, construir um legado.

Pois o tempo não pode apagar nem destruir o legado. Ele estará para sempre marcado nos corações, pois legado é isto: é o que deixamos nas pessoas, e não para as pessoas.

"Herança é o que você deixa para alguém; legado é aquilo que você deixa em alguém."

Que legado você tem preparado para as próximas gerações?

....

....

....

....

....

Plano de leitura:
(Mateus 26)

Acesse o QR code para saber mais

IMPROVÁVEL, MAS ESCOLHIDO

"As pessoas improváveis são aquelas que vencem os maiores desafios."

Você reconhece o valor e as vitórias da sua história?

....

....

....

....

....

Plano de leitura:
(Mateus 27—28)

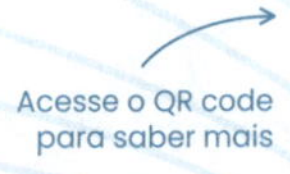

Deus escolhe pessoas que podemos chamar de improváveis: aquelas a quem ninguém dá nenhum crédito, contudo são vasos escolhidos para manifestar a glória do Senhor. Aliás, essa é uma estratégia divina para confundir aqueles que se julgam sábios segundo a sabedoria deste mundo.

O apóstolo Paulo diz: "E Deus escolheu as coisas vis deste mundo, e as desprezíveis, e as que não são, para aniquilar as que são" (1 Coríntios 1.28, ACF). Ou seja, Deus escolhe pessoas improváveis, pessoas que ninguém imagina, para que possam fazer a obra.

Temos como exemplo Davi, um jovem franzino, que Deus usou para derrotar um gigante, e mais: Deus o tirou de trás das malhadas para fazer dele rei de Israel.

Jesus também era um homem improvável: nasceu e viveu em um lugar que todos desmereciam. Todavia, ele mudou o rumo da história. Lembre-se de que o lugar onde você nasceu não pode limitá-lo; você pode até ser improvável, mas é um escolhido de Deus para fazer a diferença.

Quando disserem que você não é ninguém, lembre-se de quantas coisas você venceu para chegar até aqui. Você pode ser improvável, mas foi escolhido para ser filho do Rei!

DEUS PROVERÁ

Vemos em todo o curso da humanidade que Deus sempre se apresentou como provedor. Aliás, esta é uma palavra para a sua vida: nos próximos dias, creia que ele providenciará os recursos necessários para que você chegue ao lugar que ele tem preparado.

O patriarca Abraão, nosso pai na fé, subiu ao monte para sacrificar o seu único filho. Quando o rapaz perguntou onde estava o cordeiro, o pai lhe respondeu: "Deus proverá" (Gênesis 22.7, ARA). Abraão sabia que o Senhor é fiel e iria prover todos os recursos necessários para a sua vida. Deus cuida de nós em todos os momentos e sempre provê o necessário.

Hoje, talvez o seu coração esteja angustiado, por estar enfrentando algum tipo de dificuldade, porém olhe para a sua história e lembre-se de quantas vezes você passou por situações que pareciam impossíveis e o Senhor entrou com providência.

Nunca se esqueça de que existe um Deus que cuida de você e está sempre provendo os recursos necessários. Então, diante das dificuldades, independentemente do cenário, aprenda a dizer como Abraão: "Deus proverá".

"Muitas vezes, Deus permite situações sobre as quais você não tem mais o controle para mostrar que é ele quem está no controle."

Relembre alguns momentos milagrosos de provisão que você viveu.

Plano de leitura:
(Marcos 1—2)

Acesse o QR code para saber mais

VENCENDO A PERSEGUIÇÃO

"Lembre-se: ninguém joga pedras em árvore sem frutos."

Como você pode se defender das perseguições contra sua vida?

....

....

....

....

....

....

....

....

Plano de leitura:
(Marcos 3—4)

Acesse o QR code para saber mais

Muitos homens de Deus enfrentam algum tipo de perseguição. Na Bíblia Sagrada, vemos que isso aconteceu com José (Gênesis 37). Por causa de seus sonhos, ele foi perseguido pelos próprios irmãos e chegou a ser lançado dentro de uma cova. José foi enterrado literalmente, todavia ele era semente, e Deus fez com que ele prosperasse na terra da aflição.

Então, quando o perseguirem, lembre-se de que você é como uma semente. Ainda que todos pensem que o estão destruindo, na verdade, mesmo enterrado, você pode prosperar, porque o poder de Deus está em seu DNA. Assim como José, depois de ser perseguido, enterrado e caluniado, se tornou governador do Egito, você também será colocado em uma posição de destaque.

Não guarde mágoa ou ressentimento em seu coração, tampouco deixe o que os outros fazem de mal alterar a sua essência.

Mesmo perseguido, você pode vencer, não na força do seu braço, mas no poder e na força que vem de Deus. Conforme escreveu Paulo, "[em tudo somos] perseguidos, porém não desamparados; abatidos, porém não destruídos" (2 Coríntios 4.9, ARA).

DESVIE OS OLHOS DOS OBSTÁCULOS

Quem fica olhando para os obstáculos não consegue alcançar a vitória. As dificuldades antecedem as grandes conquistas; ou seja, para vencer, você precisa superar os obstáculos.

Pode ser que você esteja enfrentando um entrave muito grande na saúde, nas finanças ou até mesmo na sua vida emocional, mas você ainda não percebeu que isso é apenas um sinal de que a sua vitória será muito maior.

Antes de herdar a terra prometida, o povo de Israel teve de enfrentar os gigantes, e isso serve como uma alegoria para os nossos dias: antes de alcançarmos as promessas, temos de enfrentar grandes obstáculos. Naquela época, muitos não puderam tomar posse da promessa porque olharam para o gigante; hoje, muita gente também não é abençoada porque olha somente para os obstáculos. Veja o exemplo da mulher que sofria com um fluxo de sangue havia doze anos. Um dia, ela decidiu romper a multidão e, ao tocar na veste de Jesus, foi curada (Marcos 12).

Se aquela mulher ficasse olhando para os obstáculos, com certeza não teria recebido o milagre. Então, desvie os olhos dos obstáculos e olhe para a promessa.

"Caminhos sem obstáculos provavelmente não o levarão a lugar algum."

O que tem atrapalhado você de enxergar o cumprimento da sua promessa?

....

....

....

....

Plano de leitura:
(Marcos 5—6)

Acesse o QR code para saber mais

NÃO FIQUE PARALISADO

"O obstáculo geralmente é o último estágio em direção à promessa."

Anote três estratégias para você se movimentar a fim de alcançar sua promessa.

....

....

....

....

....

....

Plano de leitura: (Marcos 7—8)

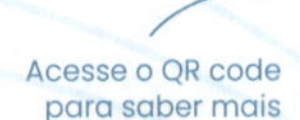

Muitas vezes, a nossa realidade não condiz com o que desejamos. Apesar de isso acontecer com frequência, não podemos ficar paralisados. A Bíblia conta que Deus falou a Elias que havia preparado uma viúva para que o sustentasse (1 Reis 17). Quando ele foi ao encontro daquela mulher, viu que ela estava pegando alguns gravetos para fazer uma fogueira, assar um bolo e depois morrer. Como poderia uma pessoa que estava quase morrendo de fome ser instrumento para sustentar um profeta?

Se Elias soubesse da condição daquela viúva, talvez tivesse ido em outra direção ou até mesmo ficado paralisado, mas com isso teria perdido a oportunidade de abençoar aquela viúva e seu filho. Portanto, não permita que aquilo que você está vendo o faça ficar paralisado ou em dúvida diante das promessas de Deus.

A sua realidade pode ser diferente daquilo que Deus prometeu, mas creia na promessa. Creia que o Senhor vai abençoá-lo para que você abençoe muita gente.

Aquilo que você enxerga hoje nunca poderá invalidar a promessa de Deus; então, não se deixe paralisar: o seu momento atual não define como será o seu futuro. Creia, pois o Senhor ainda vai surpreendê-lo muito.

ESFORCE-SE E TENHA BOM ÂNIMO

A Bíblia diz que Deus liberou uma palavra sobre a vida de Josué. Ele tinha sido escolhido para alcançar grandes conquistas, todavia as coisas não aconteceriam automaticamente. A chave para que isso acontecesse foi o que Deus disse: "Esforça-te!".

Nós também temos muitas promessas e podemos conquistar grandes coisas, mas para isso precisamos nos esforçar.

Veja a história de Zaqueu: ele era um homem rico, mas, por ser de pequena estatura, não conseguia enxergar Jesus no meio da multidão. Então, ele se esforçou e subiu em uma árvore para conseguir alcançar o seu objetivo.

Pode ser que você esteja lutando há muito tempo para conseguir algo. Não desista, esforce-se mais um pouco. Se for necessário, acorde mais cedo ou durma um pouco mais tarde. Tenha fé; o seu esforço vai valer a pena. Você será recompensado, pois Deus tem visto o fruto do seu trabalho.

Muitas vezes, tudo de que você precisa é se esforçar e ter bom ânimo, conforme Deus disse a Josué. Então, embora pareça que tudo acabou e que não há mais solução, Deus está agindo.

Não se precipite, está chegando a hora. Creia que você vai colher muitos frutos.

"O sucesso é resultado do seu esforço dia após dia."

Que lição você pode aprender com a vida de Zaqueu?

Plano de leitura:
(Marcos 9—10)

Acesse o QR code para saber mais

ESTÁ CHEGANDO A HORA

"Nada nem ninguém pode interferir nos planos de Deus."

Qual promessa de Deus você está aguardando se cumprir na sua vida?

....

....

....

....

....

....

Plano de leitura:
(Marcos 11—12)

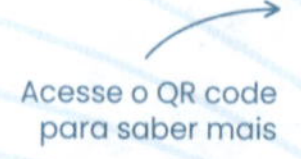

Muitas vezes, aguardamos ansiosos pelos frutos do nosso árduo trabalho e, quando não vemos resultados, ficamos angustiados. Afinal, todo aquele que semeia tem a intenção de obter uma boa colheita. Nesse contexto, encontramos as palavras de Jesus em João 12.24: "Em verdade, em verdade vos digo: se o grão de trigo, caindo na terra, não morrer, fica ele só; mas, se morrer, produz muito fruto" (ARA).

Que palavra maravilhosa! O Senhor está nos ensinando que, quando um grão de trigo cai na terra, ele precisa morrer para poder gerar frutos. O mesmo acontece com a nossa semente. Fazemos o bem e semeamos com generosidade, mas, muitas vezes, nada ocorre. Parece que nada está acontecendo, mas isso se dá porque desejamos colher rapidamente.

Precisamos compreender que existe um tempo entre o cultivo e a colheita. Portanto, se você ainda não vê resultados, saiba que a hora está chegando! Acredite, porque a semente já germinou e em breve dará muitos frutos.

Não desanime, não se apresse, não olhe para o lado, nem se compare às pessoas que já conquistaram as bênçãos.

Creia que a hora está próxima, e Deus trará grandes conquistas para a sua vida!

DECIDA PAGAR O PREÇO

Muitos querem ter sucesso, mas poucos estão dispostos a pagar o preço. Refiro-me à decisão de investir tempo e recursos trabalhando, estudando e se dedicando para alcançar determinado objetivo.

Há uma história que fala de um jovem que procurou um sábio para saber como alcançar o sucesso. Eles foram até a beira de um lago, e o sábio pediu que o jovem pulasse. Assim que ele pulou, o sábio pegou-o pelo pescoço como se quisesse afogá-lo. O jovem, desesperado, começou a ser debater.

Depois de um tempo, o sábio puxou a cabeça do rapaz para fora da água. Indignado, o garoto falou: "O senhor é maluco? Quase me matou afogado!". Então o sábio perguntou: "Enquanto lutava para sobreviver, o que você mais queria?". O jovem respondeu: "Eu lutei com todas as minhas forças porque apenas queria respirar". "Pois bem", disse o sábio, "agora você descobriu o segredo do sucesso. Se você deseja alcançá-lo, tem que lutar com todas as suas forças para conseguir!".

Você quer ter sucesso? Esteja disposto a pagar o preço!

"É preciso pagar o preço para descobrir o valor."

Vale a pena pagar o preço pelo sucesso que você almeja?

Plano de leitura:
(MARCOS 13—14)

Acesse o QR code para saber mais

O PODER DO SANGUE DE JESUS

"O preço da sua salvação custou o sangue de Jesus Cristo."

Você entende o significado do sangue de Jesus derramado na cruz por nós?

....

....

....

....

....

....

....

....

Plano de leitura:
(Marcos 15—16)

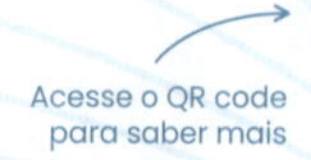

É somente no poder do sangue de Jesus que estamos protegidos do Maligno. Antigamente, em muitas igrejas, havia o costume de professar que havia poder no sangue do Cordeiro de Deus. Sim, há poder no sangue de Jesus, porém devemos dizer isso com propriedade, não por um simples costume.

A Bíblia diz que a celebração da Páscoa veio com o espargir o sangue do cordeiro nos umbrais das portas das casas para que o anjo da morte não entrasse (Êxodo 12). Precisamos entender que tudo o que está no Antigo Testamento aponta para o Novo Testamento. Desse modo, o sangue de Jesus, como de um cordeiro puro e imaculado, garante proteção para que o mal não nos toque.

A partir de hoje, comece a pedir o sangue de Jesus sobre a sua vida, a sua família, o seu lar, as suas finanças, enfim, declare que há poder no sangue de Jesus. Quando acordar e quando for se deitar, peça: "Senhor Jesus, cobre-me com teu sangue poderoso. Amém".

Clame pelo poder do sangue de Jesus, pois, assim como aconteceu no Egito, ainda hoje todo aquele que é coberto com o sangue de Jesus está livre e protegido do Maligno.

NÃO DESPREZE A INSTRUÇÃO

A instrução é tão poderosa que pode salvar uma vida.

Certa vez, passei muito mal e, quando fui ao médico, ele me instruiu a mudar a minha alimentação. Apliquei a instrução em minha vida, passei a me alimentar melhor, minha saúde melhorou e eu passei a ter mais qualidade de vida. Ou seja, uma instrução dada pela pessoa certa fez com que a minha vida melhorasse.

Deus também tem instruções claras para que tenhamos vida abundante. É o caso dessa instrução de Deus a Josué: “Não se aparte da tua boca o livro desta Lei; antes, medita nele dia e noite, para que tenhas cuidado de fazer conforme tudo quanto nele está escrito; porque, então, farás prosperar o teu caminho” (Josué 1.8, ARC).

Observe que uma das instruções é: faça tudo conforme está escrito. Portanto, leia, medite e coloque em prática a Palavra de Deus todos os dias de sua vida. Esteja atento às instruções divinas, preste atenção ao que elas dizem, para que possa entrar nos lugares que o Senhor prometeu e preparou.

Deus o instrui porque não quer que você se perca; portanto, preste atenção à instrução para que possa viver.

“A instrução de Deus é o GPS que nos leva em direção à vitória.”

A que instrução você tem mais dificuldade de obedecer?

Plano de leitura:
(Lucas 1)

Acesse o QR code para saber mais

HAVERÁ GRANDE COLHEITA

"Quem sabe o que planta não teme a colheita."

Observada a forma com que você tem semeado, qual a expectativa da sua colheita?

Plano de leitura:
(LUCAS 2—3)

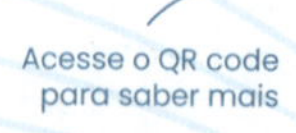

Quem semeia boas sementes não teme a colheita. Por isso, escolha bem as suas sementes, com fé de que haverá uma grande colheita!

Eu vivo com grande expectativa acerca da colheita, pois diariamente tenho semeado as sementes da Palavra de Deus. Por esse motivo, tenho colhido, isto é, recebido muitos testemunhos, principalmente de pessoas que se dedicam a ler o meu devocional diário. Assim, se você tem semeado as boas sementes do Reino, aumente também as suas expectativas, pois haverá uma grande colheita em sua vida. Deus o recompensará por tudo o que você fizer.

Provérbios 11.25 diz: "O generoso prosperará; quem dá alívio aos outros, alívio receberá". Portanto, esteja atento: tem muita coisa boa para acontecer em seu futuro, está chegando o tempo de colher o que você tem semeado. Tenho certeza de que você está semeando coisas boas, por isso alegre-se e prepare-se para a boa colheita.

Continue semeando, mesmo em meio às tempestades, com fé em que uma grande colheita está chegando.

ESSA EU NÃO IMAGINAVA

Muitas vezes, entristecemo-nos porque esperávamos um elogio, mas em vez disso recebemos críticas. São coisas que acontecem que a gente não imagina, por isso precisamos ter maturidade para não absorver esse tipo de decepção. Com certeza, você já foi criticado e passou por uma situação como essa que não imaginava.

Certa vez, Davi estava feliz e vinha bailando na presença de Deus, mas Mical, sua esposa, o chamou de vadio por isso, ou seja, o rei recebeu um duro golpe e passou por uma situação que não imaginava (2 Samuel 6.20). Davi era um adorador e estava dançando na presença de Deus, mas foi criticado. Muitas vezes, isso acontece em nossa vida, quando as pessoas mais próximas são as que mais nos criticam.

Se isso acontecer em sua vida, continue adorando ao Senhor e perdoe quem o ofendeu. Afinal, pode ser que essa pessoa esteja passando por um momento difícil; então, seja amoroso e compreensivo, não pague o mal com o mal.

Faça o bem e nunca pare de fazer o que Deus colocou em seu coração, mesmo que você passe por uma situação que não imaginava.

Alegre-se na presença do Senhor, pois ele conhece o seu coração.

"Aquele que fala mal do seu irmão revela o próprio coração."

Você consegue reagir de forma positiva às críticas?

....

....

....

....

....

....

....

Plano de leitura:
(Lucas 4—5)

AUTOIMAGEM DISTORCIDA

"Quando você descobre quem realmente é, a opinião dos outros não faz a mínima diferença."

Você já teve problemas com a sua autoimagem? Se sim, conseguiu superar isso?

....

....

....

Plano de leitura:
(Lucas 6—7)

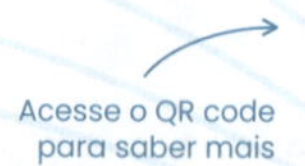

Muitas pessoas vivem infelizes e aquém do que Deus preparou para sua vida, porque têm a autoimagem totalmente distorcida. Precisamos entender que Deus nos criou à sua imagem e semelhança, ou seja, nossa verdadeira imagem é ser semelhante ao nosso Criador. Entretanto, muitas vezes, ao passarmos por períodos de frustração, decepção e até de desilusão, isso faz com que a nossa autoimagem cada vez mais se distancie da nossa verdadeira essência.

Muitas pessoas não conseguem tomar posse do que Deus tem preparado porque se julgam incapazes. Ter uma autoimagem positiva e verdadeira é muito importante na tomada de decisão e na conquista das promessas.

A Bíblia diz que muitos israelitas não puderam entrar na terra prometida porque se viam como gafanhotos, isto é, enxergavam-se como insignificantes e incapazes de vencer os gigantes, mesmo sabendo que Deus já lhes havia concedido a vitória (Números 13.33).

Não tenha uma autoimagem distorcida. Você é mais que vencedor. Não deixe a sua visão ser distorcida; peça ao Senhor que lhe mostre a sua verdadeira identidade para que possa desfrutar de tudo o que ele preparou.

BOA COMUNICAÇÃO

Ter uma boa comunicação é fundamental para alcançar patamares mais elevados de vida. Isso diz respeito a saber colocar bem as palavras, algo muito importante para que você seja aceito e requisitado em muitos lugares. Portanto, aprenda a se comunicar melhor, pois isso é um diferencial.

Provérbios 12.18 diz: "Há palavras que ferem como espada, mas a língua dos sábios traz a cura". Isso mostra que as palavras de quem sabe se comunicar produzem vida. Lembro-me de uma história que reproduzo de forma bem resumida: certo rei sonhou que perdia todos os seus dentes e, perturbado, mandou chamar dois sábios para que lhe dessem a interpretação.

O primeiro disse que todos os seus parentes morreriam. O rei, furioso, mandou prender e chicotear o sábio. O segundo sábio disse: "Ó rei, alegre-se porque haverás de sobreviver a todos os teus parentes".

O rei se agradou e mandou presentear o sábio com cem moedas de ouro. Indignado, um homem disse: "Não é possível, a interpretação do sonho foi a mesma". Ao que o sábio respondeu: "Tudo depende do modo como você se comunica".

"Uma boa comunicação tem o poder de abrir um coração."

Como você poderia usar suas palavras para abençoar alguém hoje?

Plano de leitura:
(Lucas 8—9)

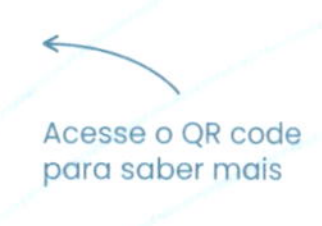

Acesse o QR code para saber mais

VOCÊ PODE CRESCER MUITO

"Você nunca conseguirá alcançar seu máximo potencial até que o seu melhor se torne um hábito."

Em que área da sua vida você precisa focar o crescimento?

....

....

....

Plano de leitura:
(Lucas 10—11)

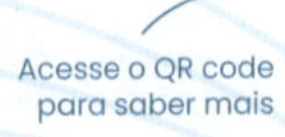

Acesse o QR code para saber mais

Precisamos entender que quando Deus quer que cresçamos, ele gera uma situação difícil; ou seja, é nos momentos de dificuldades que crescemos.

A Bíblia diz que os egípcios passaram a afligir com dureza os israelitas, mas "quanto mais os afligiam, tanto mais se multiplicavam e tanto mais cresciam; de maneira que se enfadavam por causa dos filhos de Israel" (Êxodo 1.12, ARC).

Não importa o tamanho da sua aflição, o Senhor pode fazer com que você cresça muito. Crescer é uma característica do povo de Deus, pois é o Todo-Poderoso quem faz que ele cresça.

Por isso, preste atenção: acredito que quanto maior for a sua aflição, maior será o seu crescimento. Então, se você tem enfrentado um momento complicado em sua vida, creia que em breve terá um grande testemunho a contar.

Nesse sentido, creia que quanto mais tentarem derrubá-lo ou diminuí-lo, mais Deus fará com que você cresça e multiplique. Portanto, prepare-se, pois pode ser que um tempo de crescimento muito grande esteja chegando em sua vida.

NÃO AME O MUNDO

Deus nos exorta a não amar o mundo, pois o amor do Pai não está em quem ama o sistema pecaminoso que nos cerca.

O mundo é atraente — são muitas as coisas que tentam nos seduzir. Contudo, Tiago 4.4 diz: "Adúlteros, vocês não sabem que a amizade com o mundo é inimizade com Deus? Quem quer ser amigo do mundo faz-se inimigo de Deus".

Certa vez, ao evangelizar um amigo, ele me respondeu: "Eu quero servir a Deus, mas é muito difícil, porque amo o mundo, gosto das baladas, de cerveja, de ir com amigos a lugares onde o pecado impera". Entendi a sinceridade da resposta, mas disse-lhe que suas atitudes o estavam impedindo de receber o amor de Deus e de ser transformado por ele.

O pecado leva à morte e à condenação. Paulo escreveu que "Demas, amando este mundo, abandonou-me" (2 Timóteo 4.10). Infelizmente, muitas pessoas têm agido como Demas, amando mais este mundo do que a Deus. Aquele homem poderia ter sido abençoado se andasse com Paulo nos caminhos do Senhor, mas preferiu abortar seu ministério e fazer as vontades da carne.

Cuidado para não amar o mundo. Sua vida deve glorificar a Deus e cumprir o seu propósito.

"O mundo pode levá-lo tão distante de Deus a ponto de você não conseguir voltar e exigir um preço que você jamais conseguirá pagar."

Você ainda se sente atraído pelas coisas do mundo? Quais?

Plano de leitura:
(Lucas 12—13)

Acesse o QR code para saber mais

NÃO TIRE CONCLUSÕES PRECIPITADAS

"Quem tira conclusões precipitadas acaba tomando decisões equivocadas!"

Você se considera paciente antes de tomar uma decisão?

Plano de leitura:
(Lucas 14—15)

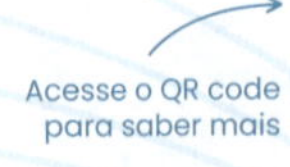

Temos a tendência de tirar conclusões precipitadas e só depois de termos feito julgamento equivocado é que vamos entender que erramos. É por isso que Deus nos exorta a não julgarmos ninguém.

Do mesmo modo, aquilo que você muitas vezes julga ser um grande problema pode ser um tratamento dado pelo Senhor para que você comece uma nova história. Tirar conclusões precipitadas é muito perigoso porque, ao julgarmos, nos colocamos no lugar de Deus. Devemos nos lembrar de que a última palavra vem do Senhor, pois somente ele é o supremo e justo Juiz.

A Bíblia conta a história de Joquebede, que deu à luz um filho chamado Moisés. Por causa do mandado do faraó de matar todos os meninos israelitas, ela colocou seu filho em um cesto e depois o lançou no rio (Êxodo 2). No entanto, o que parecia o fim da história era apenas o começo. A filha do faraó encontrou a criança no cestinho e o criou como se fosse o seu filho, e Moisés se tornou o libertador do povo de Israel.

Portanto, não tire conclusões precipitadas: se a sua história ainda não acabou, é porque Deus não deu a última palavra. Confie no Senhor.

LUTE CONTRA O INIMIGO CERTO

Se quiser ser vitorioso, você deve lutar contra o inimigo certo. Infelizmente, muitas pessoas têm sido derrotadas porque estão lutando contra o inimigo errado. Lutam contra os seus familiares ou contra as pessoas com as quais convivem e se esquecem do que diz a Bíblia: “Porque não temos que lutar contra carne e sangue, mas, sim, contra os principados, contra as potestades, contra os príncipes das trevas deste século, contra as hostes espirituais da maldade, nos lugares celestiais” (Efésios 6.12, ARC).

Compreenda que não é contra os seres humanos que você deve lutar, mesmo que em algumas situações eles queiram desestabilizá-lo.

Tenha misericórdia e ame as pessoas; elas merecem perdão. A nossa luta não é contra aqueles que falam mal de nós ou até mesmo nos prejudicam, pois essas pessoas podem ter sido influenciadas pelo Inimigo.

É por isso que Deus está lhe dando estratégias para vencer as lutas diárias e as batalhas espirituais. Ele quer que você vença com as armas certas e lute contra o inimigo certo.

“Jesus não lutou contra pessoas, mas contra o mal que tentava dominá-las.”

Você já foi tentado a discutir com pessoas? Quais lições tirou disso?

Plano de leitura:
(Lucas 16—18)

Acesse o QR code para saber mais

NÃO SE PRENDA A UM JUGO DESIGUAL

"Não coloque no seu barco alguém que não está disposto a remar junto."

Você já teve alguma experiência ruim ao fazer uma aliança? O que aprendeu com isso?

....

....

....

....

....

Plano de leitura:
(Lucas 19—20)

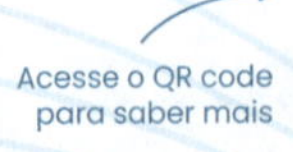

Acesse o QR code para saber mais

A aliança é algo muito poderoso. É por isso que Deus zela pelo cumprimento das suas alianças. O apóstolo Paulo nos ensina a não fazer alianças com pessoas infiéis e a não nos prendermos em um jugo desigual com aqueles que não têm comunhão com Deus. Afinal, que sociedade tem a justiça com a injustiça? Que aliança pode haver entre a luz e as trevas? (2 Coríntios 6.14).

Quem faz aliança com pessoas infiéis atrai muito sofrimento para sua vida, pois os infiéis não respeitam os princípios de Deus. É por isso que devemos fazer alianças corretas, pois elas têm o poder de nos conduzir aos lugares que Deus preparou.

Muitas pessoas me procuram pedindo que eu ore acerca das alianças que estabeleceram, contudo respondo que a oração não tem mais poder do que o princípio da aliança. Porque elas só me procuram depois de já terem feito uma aliança.

Primeiro busque Deus e peça orientação ao Espírito Santo, para depois fazer uma aliança. Não quebre esse princípio. Se você quer ser bem-sucedido, mantenha sua aliança com o Senhor e seja fiel nas que estabeleceu, nunca se pondo em jugo desigual com os infiéis.

NOSSO PRINCIPAL CHAMADO

Precisamos compreender que todos nós temos um chamado; existe o chamado coletivo e o individual. Um exemplo disso pode ser visto quando Jesus subiu ao monte e chamou os que ele quis. Lá nomeou doze apóstolos para que estivessem com ele e pregassem o Evangelho (Marcos 3).

Perceba que, antes de sermos chamados para a grande missão, fomos convocados para estar com ele. Muitas pessoas saem correndo para fazer as coisas e não entendem que o principal chamado que recebemos é para estar na presença de Jesus — o maior segredo da nossa vida. Aliás, este é o nosso principal chamado: estar sempre na presença de Deus.

O Novo Testamento diz que, naquele dia, muitos dirão: "Senhor, eu profetizei em teu nome, em teu nome eu expulsei demônios, curei os enfermos, falei novas línguas"; mas Jesus lhes dirá: "Afastem-se de mim, não os conheço" (Mateus 7.22,23).

Isso mostra que, antes de sermos chamados para fazer, devemos estar na presença de Deus, conhecendo-o e sendo conhecidos por ele.

Hoje, você é chamado para ter um tempo a sós com Deus, um tempo de adoração e devoção, pois, afinal, esse é o seu maior chamado.

"Deus o chamou para estar com ele, não para trabalhar para ele."

O que você precisa fazer para viver plenamente o seu chamado?

Plano de leitura:
(Lucas 21—22)

Acesse o QR code para saber mais

O PREÇO DA DESOBEDIÊNCIA

"A desobediência pode custar um preço tão alto, que você não consiga pagar."

Você obedece rapidamente a uma direção de Deus ou tem dificuldade de fazer isso?

Desobedecer pode ter consequências devastadoras. Ao não seguir as ordens de Deus, muitas pessoas acabam presas em ciclos de perdas constantes. Isso foi exemplificado na história do filho pródigo, que, ao sair da casa de seu pai, acabou perdendo e desperdiçando tudo o que havia recebido (Lucas 15). Essa é uma estratégia do Inimigo, que sempre busca nos afastar da presença de Deus. Além disso, a desobediência gera prejuízos e impedimentos, tornando a prosperidade algo inalcançável para aqueles que desobedecem.

Um exemplo adicional de desobediência pode ser encontrado na história do profeta Jonas, que foi enviado por Deus a um lugar específico, mas decidiu ir para outro. Sua desobediência trouxe grandes prejuízos, uma vez que todos os ocupantes do navio em que ele embarcou tiveram de lançar suas cargas ao mar. É inegável que a desobediência tem um alto custo.

É importante lembrar que a desobediência, além de resultar em perdas, também traz consigo maldição. No entanto, você não precisa pagar esse preço. Jesus assumiu a maldição em nosso lugar; ele pagou o preço para que pudéssemos ser abençoados.

Portanto, aceite o sacrifício de Cristo e caminhe em obediência, e assim você será ricamente abençoado.

Plano de leitura:
(Lucas 23—24)

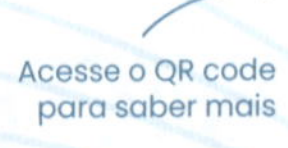

Acesse o QR code para saber mais

DEUS ESTÁ FORJANDO A SUA VIDA

Todos os dias, Deus nos molda e nos transforma. Isso significa que ele está constantemente trabalhando em nossa vida, preparando-nos e aprimorando-nos.

Contudo, o processo de moldagem de Deus nem sempre é convencional; muitas vezes, ele ocorre por meio do sofrimento. É por isso que, às vezes, somos retirados de nossa zona de conforto, simbolizada pelo "ar-condicionado", e levados ao deserto.

Eu me lembro de uma ocasião em que estava tomando um caldo de cana e percebi que a cana precisou ser moída e espremida para produzir um caldo tão doce e agradável. Da mesma forma, muitas vezes somos espremidos por situações desconfortáveis e difíceis, mas precisamos entender que Deus está nos moldando para que nossa verdadeira essência se manifeste.

Até mesmo nosso Senhor Jesus passou por esse processo; ele foi espremido para que pudesse derramar seu sangue sobre nós. Depois de passar pelo processo de moagem e ser aprovado, Jesus recebeu um nome que está acima de todos os nomes. Portanto, lembre-se de que o objetivo da moagem de Deus não é nos destruir, mas, sim, nos preparar para grandes coisas que estão por vir.

"O que você chama de provação Deus pode chamar de preparação."

Como você tem se preparado para o futuro?

....

....

....

....

....

....

Plano de leitura:
(João 1—2)

Acesse o QR code para saber mais

NÃO PERMITA SER INFLUENCIADO

"Existem dois tipos de pessoas: as que influenciam e as que são influenciadas. Decida de que lado você estará."

Cite três pessoas que você considera que mais exercem influência sobre a sua vida.

....

....

Plano de leitura:
(João 3—4)

Acesse o QR code para saber mais

Com frequência, quando Deus coloca algo em nosso coração, o Inimigo tenta nos influenciar negativamente por meio de comentários e críticas, a fim de nos fazer desistir e perder a visão daquilo que Deus deseja nos entregar.

Quando Neemias se levantou para reconstruir os muros de Jerusalém, algumas pessoas tentaram desanimá-lo, dizendo que os muros cairiam facilmente e que ele deveria parar. Mas Neemias não se deixou influenciar pelas palavras dos inimigos.

Da mesma forma, quando Josué e Calebe se preparavam para tomar posse da terra prometida, muitos dos espias ficaram com medo e tentaram influenciá-los negativamente, fazendo-os se enxergarem como gafanhotos. No entanto, Josué e Calebe não desistiram e permaneceram firmes na promessa.

Não permita que influências negativas o afetem. Saiba que o Inimigo fará de tudo para paralisá-lo e fazê-lo desistir, por isso não dê ouvidos a críticas negativas. Entenda que muitas pessoas não estão no mesmo nível que você e não enxergam as coisas da mesma forma. Tudo o que você precisa fazer é continuar acreditando na promessa, pois se Deus prometeu, ele cumprirá; se ele mostrou, ele proverá. Permaneça firme!

DESFAÇA OS LAÇOS COM O PASSADO

Deus nos chama para viver algo novo, no entanto muitas vezes nos apegamos ao passado. Se quisermos experimentar algo novo da parte de Deus, é preciso romper os laços com o passado, quebrar as pontes que nos prendem à antiga vida, pois aqueles que não desfazem as malas têm uma tendência de retornar para o mesmo lugar.

A Bíblia traz um exemplo interessante na história de Eliseu. Ele estava trabalhando com os bois quando foi chamado pelo profeta Elias; no entanto, ele queimou todas as suas carroças (1 Reis 19). Isso mostra que ele estava disposto a assumir a posição de profeta e viver o novo que Deus havia preparado para sua vida. Ele estava dizendo: "Não voltarei atrás".

Aqueles que não quebram os laços com o passado não conseguem viver plenamente seu chamado; eles ficam paralisados, assim como a esposa de Ló.

Pode ser que Deus esteja chamando você para viver algo novo. Quebre os laços com os aspectos negativos do passado, não seja como a esposa de Ló, mas siga o exemplo de Eliseu: elimine todas as possibilidades de voltar atrás. Devemos seguir em frente, olhando firmemente para as promessas, pois em um futuro próximo elas se cumprirão.

"Não permita que as tristezas do passado e as incertezas do futuro roubem a alegria do presente."

Em que área da sua vida você ainda se sente preso ao passado?

Plano de leitura:
(João 5—6)

Acesse o QR code para saber mais

AGORA VAI DAR CERTO!

"Existe um plano que pode dar errado: aquele que não está nos planos de Deus."

O que você aprendeu com as tentativas que não deram certo?

....

....

....

....

....

Plano de leitura:
(João 7—8)

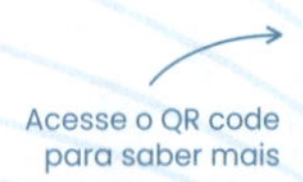

Acesse o QR code para saber mais

Quando desejamos algo segundo a vontade de Deus, nem sempre conseguimos na primeira tentativa, mas não podemos desistir, pois um dia tudo dará certo.

Deus havia prometido introduzir o povo de Israel em uma terra maravilhosa, no entanto o povo não acreditou. Apesar de o Senhor sempre ter sido fiel e nunca ter falhado em nenhuma de suas promessas, eles não tiveram fé suficiente para entrar naquele lugar que Deus havia preparado. Contudo, o Senhor é bom e nunca desiste do seu povo. Então, depois de muitos anos, ele chama Josué e diz: "Esforça-te e tem bom ânimo, porque tu farás a este povo herdar a terra que jurei a seus pais lhes daria" (Josué 1.6, ARC).

Era como se o Senhor estivesse dizendo: "Lá atrás não deu certo, mas agora vai! Meu povo vai possuir a terra que prometi". Talvez, em sua vida, alguns projetos não tenham dado certo, mas hoje Deus está dizendo: "Agora vai dar certo!". Você conseguirá, porque ele está trazendo um novo tempo para a sua vida, e tudo aquilo que foi complicado no passado o Senhor vai descomplicar, segundo a sua soberana vontade.

A FÉ SOBRENATURAL

Precisamos entender que a fé é a base que sustenta toda a nossa vida. Existem diferentes tipos de fé: a natural e a sobrenatural. A fé natural é aquela que exercemos naturalmente, como o próprio nome sugere; por exemplo, quando programamos o despertador para o dia seguinte. Isso mostra que acreditamos que estaremos vivos e que o despertador vai tocar. Portanto, a fé natural se apoia em fatos, evidências e comprovações de que aquilo funciona.

Já a fé sobrenatural é diferente. Ela é um dom, e a Bíblia diz que sem fé é impossível agradar a Deus (Hebreus 11.6). Um exemplo de fé sobrenatural que chamou a atenção de Jesus foi o da mulher que acreditava que, ao tocar na orla da veste de Jesus, seria curada. Não havia nenhuma comprovação científica de que esse gesto resultaria em cura. Mesmo assim, aquela mulher creu e alcançou seu milagre.

Como podemos ver, uma pequena fé pode gerar um grande milagre. É por isso que a Bíblia diz que tudo é possível àquele que crê.

"Caminhe por fé, não pela opinião dos outros!"

Em que área da sua vida você precisa exercer a fé sobrenatural para vencer nos próximos dias?

....

....

....

....

....

....

....

Acesse o QR code para saber mais

"TUA ORAÇÃO FOI OUVIDA"

"*A oração é a chave que abre todas as portas.*"

Você já fez algum propósito de oração? Quais lições aprendeu com esse propósito?

....

....

....

....

....

....

....

Plano de leitura:
(João 11—12)

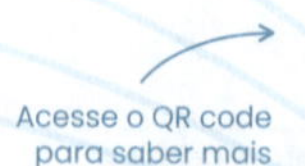

Deus responde às orações. Aliás, não há oração a que ele não responda. No entanto, isso não significa que a resposta será sempre positiva.

Há um episódio bíblico que me tocou profundamente quando aprendi sobre o princípio da oração. Zacarias e sua esposa já eram de idade avançada, mas desejavam ter um filho. Isso era impossível, mas um anjo apareceu a Zacarias e disse: "Não tenha medo [...]; sua oração foi ouvida" (Lucas 1.13).

O que você faria se um anjo do Senhor aparecesse agora e lhe dissesse essas palavras? Creio que muitos não acreditariam nas palavras do anjo, nem sequer acreditariam que Deus ouvira suas orações. Falo isso porque muitas pessoas nem sequer oram.

A maioria não encontra tempo para orar pelos filhos, pela família, pela vida financeira ou pela empresa em que trabalha. Ou seja, há pessoas que passariam vergonha se um anjo aparecesse.

A oração de Zacarias foi ouvida. Vemos que, mesmo em circunstâncias adversas, ele continuou a servir a Deus e nunca deixou de orar. Sirva ao Senhor de todo o coração e ore incessantemente.

TODOS HÃO DE VER

Muitas vezes, anunciamos as verdades de Deus e ninguém acredita. A Bíblia diz que o apóstolo Paulo foi preso e, quando entrou em um navio, falou o que Deus havia revelado: que seria uma viagem muito perigosa e com muitos danos (Atos 27). O centurião dava mais crédito ao piloto do que a Paulo, mas de repente começou uma grande tempestade, e as pessoas que estavam a bordo ficaram desesperadas. Isso durou muitos dias, de modo que não tinham mais esperança de salvação.

Paulo lhes disse que, se o tivessem ouvido, teriam evitado tudo aquilo, e mais uma vez garantiu que o anjo de Deus apareceu a ele dizendo que nenhuma vida se perderia, mas somente o navio.

Muita coisa aconteceu porque não deram ouvidos ao que Paulo dissera; no entanto, quando chegaram a terra salvos, tiveram de reconhecer que Deus era com ele.

Por isso, quando você falar e as pessoas não lhe derem crédito, não se preocupe nem se entristeça. Assim como Deus era na vida de Paulo, ele também é na sua vida. Continue sonhando e planejando. Declare as verdades da Palavra de Deus, porque em breve todos hão de ver que Deus é com você.

"Deus jamais mostrará algo que ele não tenha poder para entregar!"

Como você reage quando as pessoas não acreditam na sua mensagem?

Plano de leitura:
(João 13–14)

Acesse o QR code para saber mais

COMPANHIAS CERTAS

"Basta as pessoas erradas irem embora para as coisas certas começarem a acontecer."

Existe alguém na sua vida cuja companhia Deus tem orientado você a evitar?

Plano de leitura:
(João 15—18)

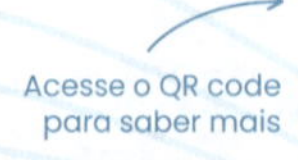

Existem companhias que são uma bênção em nossa vida, aquelas que fazem bem até para nossa alma. Por isso, é fundamental escolhermos cuidadosamente nossas companhias. Além disso, a Palavra nos adverte: "Não vos enganeis: as más conversações corrompem os bons costumes" (1 Coríntios 15.33, ARC).

Portanto, devemos selecionar com sabedoria as pessoas que permitimos entrar em nossa casa. Deus falou para Abraão que ele deveria deixar sua cidade e sua parentela, pois tinha promessas para sua vida (Gênesis 12). No entanto, Abraão levou consigo seu sobrinho Ló.

No início, eles não tinham muitos recursos, e tudo estava indo bem. No entanto, à medida que prosperaram, surgiram desavenças entre eles e tiveram de se separar.

Embora Ló não tivesse recebido uma promessa específica, por estar ao lado de Abraão, ele também foi abençoado.

Quem são as suas companhias? Diga-me quem são elas, e eu lhe direi aonde você chegará. Dependendo da companhia, você pode ser abençoado ou amaldiçoado.

A companhia certa traz bênçãos, por isso ande sempre com aqueles que estão em comunhão com Deus.

NÃO ANDE EM CÍRCULOS

Quando não ouvimos as instruções de Deus, é comum nos encontrarmos andando em círculos. Isso foi o que aconteceu com o povo de Israel, que durante quarenta anos perambulou pelo deserto, pois não deram ouvidos às instruções do Senhor.

A Bíblia nos diz: "E não murmureis, como alguns deles murmuraram e pereceram pelo destruidor" (1 Coríntios 10.10, ARC).

Às vezes, parece que a vida está estagnada, como se estivéssemos caminhando em círculos, e isso ocorre porque não percebemos as orientações de Deus. Ele havia prometido que o povo alcançaria a terra prometida, mas eles não prestaram atenção e passaram décadas murmurando, o que resultou em uma peregrinação pelo deserto.

Observe se você também não está preso em um ciclo semelhante, pois muitas vezes não avançamos não por falta de esforço, mas por causa da murmuração. Quem murmura quebra um princípio divino e atrai sobre si uma sentença.

Deus não desejava que o povo perecesse no deserto, mas, em razão da constante murmuração, eles não puderam desfrutar da promessa.

O Senhor tem bênçãos reservadas para você. Portanto, não murmure e siga em frente, crendo no agir soberano de Deus.

"Na maioria das vezes, a melhor saída está em seguir em frente."

Você sente que está andando em círculos? Quais atitudes poderia tomar para dar fim a esse ciclo?

Plano de leitura:
(João 19—21)

Acesse o QR code para saber mais

FASCINADOS POR RIQUEZAS

"Você pode até ter dinheiro, porém jamais permita que o dinheiro o controle."

Você separa uma parte dos seus recursos para ajudar a obra de Deus e as pessoas?

....

....

....

....

....

....

Plano de leitura:
(Atos 1—2)

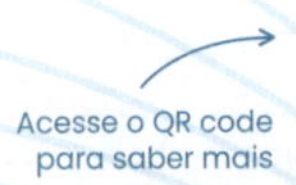

Atualmente, é comum vermos muitas pessoas com sua atenção voltada para o dinheiro, para as riquezas e aquisições materiais. Nas redes sociais, é frequente a ostentação dos bens adquiridos por outros indivíduos. Muitos se sentem fascinados pelas riquezas alheias e deslumbrados com o que os outros possuem, o que os leva a desejar cada vez mais.

Ter dinheiro não é pecado; o pecado está em ser dominado pelo dinheiro. A fascinação pelas riquezas tem desviado muitas pessoas e as afastado do caminho da fé.

Jesus contou a parábola do semeador que lançou sua semente em diferentes tipos de solo. Parte da semente caiu entre espinhos, mas não conseguiu crescer, pois foi sufocada pelos cuidados deste mundo e pela fascinação pelas riquezas (Mateus 3).

Precisamos ter muito cuidado, pois onde está o nosso coração, ali também está o nosso tesouro. Portanto, não se impressione; mantenha seu coração voltado para as coisas do Senhor.

As riquezas servem apenas para potencializar o propósito de sua vida. Sirva a Deus com todo o seu coração, pois ele ama a fidelidade daqueles que o amam.

PARECE POUCO, MAS É SUFICIENTE

Acredite: o pouco que você tem em suas mãos é suficiente para um grande milagre. Essa é uma verdade que muitas vezes não compreendemos, pois somos constantemente estimulados a almejar grandes conquistas e posses.

Entretanto, para realizar um grande milagre, Deus não precisa de muito; o pouco é suficiente. Houve uma ocasião em que uma grande multidão estava ouvindo Jesus. As pessoas estavam com fome, mas apenas um menino possuía cinco pães e dois peixes. Parecia ser pouco para tantas pessoas, no entanto ele entregou tudo nas mãos de Jesus, e aquela multidão foi alimentada, sobrando ainda doze cestos cheios (João 6).

Isso nos ensina que o Senhor não precisa de muito para realizar um milagre. Portanto, creia que o pouco que você tem é suficiente.

Quando Deus deseja agir, ele não requer uma grande quantidade; apenas espera que coloquemos nas suas mãos o que possuímos.

Portanto, use sua fé, pois, sintonizada à vontade de Deus, ela pode muito! Além disso, entregue tudo ao Senhor, mesmo que seja pouco, e esteja certo de que isso é o suficiente para que um grande milagre ocorra.

"Deus nunca precisou de muito para fazer muito!"

O que você precisa entregar nas mãos de Jesus hoje?

....

....

....

....

....

....

....

....

Plano de leitura:
(Atos 3—5)

Acesse o QR code para saber mais

VISÃO POSITIVA DO FUTURO

“Sua visão é apenas um retrato do seu futuro.”

Você tem um mural com sua visão positiva do futuro?

....

....

....

....

....

....

....

....

....

Plano de leitura:
(Atos 6—7)

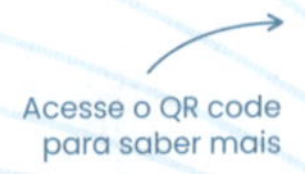

Muitas pessoas perderam a perspectiva de seu futuro porque não planejam e não colocam seus sonhos no papel. Deus depositou em nosso coração algo grandioso sobre o futuro, mas o Inimigo tenta roubar nossa visão, levando-nos a acreditar que nossos planos nunca se concretizarão.

É por isso que é essencial restaurar e registrar nossa visão construtiva do futuro, como menciona o profeta Habacuque: “Escreve a visão e torna-a bem legível sobre tábuas, para que a possa ler o que passa correndo. Porque a visão é ainda para o tempo determinado” (Habacuque 2.2,3, ARC).

Certa vez, atendi a uma jovem que estava em estado de depressão, e ela me disse que não queria mais viver. Então, perguntei-lhe qual era o seu maior sonho, e ela olhou para mim sem resposta. Insisti, e ela respondeu que queria ser médica. Então, pedi que ela fizesse um belo desenho e escrevesse uma mensagem em um cartão. No dia seguinte, ela trouxe o desenho, com o semblante completamente transformado. Ela me contou que uma chama havia se reacendido em seu coração ao escrever a visão daquilo que Deus havia colocado nele.

Jamais perca a perspectiva positiva do seu futuro!

VOCÊ AINDA NÃO TEM FÉ?

Jesus fez uma pergunta aos seus discípulos, e eles não souberam responder. Mesmo andando durante tanto tempo com o Mestre e tendo a oportunidade de ver os mortos ressuscitarem, os cegos enxergarem, os paralíticos andarem, Jesus precisou lhes dizer: "Vocês ainda não têm fé?".

Jesus e seus discípulos entram no barquinho para atravessar para o outro lado do mar, mas uma enorme tempestade se levanta. A tempestade é tão forte a ponto de as águas entrarem no barco. Então, os discípulos começam a gritar e a dizer que o Mestre não se importa que pereçam. Diante daquela cena, Jesus lhes diz: "Por que vocês estão com tanto medo? Ainda não têm fé?" (Marcos 4.40).

Jesus pode resolver toda e qualquer situação. Por isso, quando Jesus faz a pergunta, ele está querendo dizer aos discípulos: "Vocês viram tantas intervenções sobrenaturais e mesmo assim ainda não acreditam no meu poder?".

Se Jesus mandou que você entrasse no barco, não tenha medo. Ele não deixará que você morra; levante-se e repreenda o mar, pois ele é com você e já lhe deu autoridade para vencer essa tempestade.

"A incredulidade é o grande obstáculo na estrada da fé!"

Você se encontra em algum problema e tem dificuldade de confiar em Deus?

....

....

....

....

....

....

Plano de leitura:
(Atos 8—9)

Acesse o QR code para saber mais

RECONHEÇA SUAS FALHAS

"O orgulho é a maior distância entre duas pessoas."

Você tem facilidade de reconhecer suas falhas?

....

....

....

....

....

....

....

....

Plano de leitura:
(Atos 10—11)

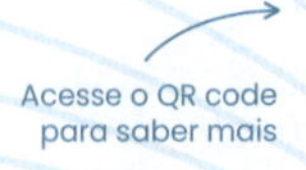

Acesse o QR code para saber mais

A maioria das pessoas tem dificuldade em reconhecer suas falhas, por isso estão sempre transferindo para o outro a sua responsabilidade.

As Escrituras mostram o exemplo de Isaías. Ele tinha um forte senso de justiça e dizia sempre "ai, ai". Enquanto ele tinha esse comportamento, nada mudava em sua vida, até que um dia ele teve um encontro com o Senhor, e tudo mudou.

Em Isaías 6.5, ele registrou: "Então, disse eu: ai de mim, que vou perecendo! Porque eu sou um homem de lábios impuros e habito no meio de um povo de impuros lábios; e os meus olhos viram o rei, o Senhor dos Exércitos!" (ARC).

No momento em que ele reconheceu que era um homem de lábios impuros, Deus enviou um anjo com uma brasa e tocou em seus lábios.

Quando reconhecemos nossas falhas, Deus nos ajuda em nossas fraquezas. Deus sempre vai tocar naquilo que reconhecemos como falha; ou seja, precisamos reconhecer que existem áreas da nossa vida que são deficientes e não conseguimos mudar sozinhos.

Portanto, reconheça que existem áreas em que você ainda não está completamente aprovado. Reconhecer é a medida para que Deus possa tocar e transformar sua vida.

ASSIM COMO A CORÇA

Em Salmos 42.1, o salmista expressa: "Como a corça anseia por águas correntes, a minha alma anseia por ti, ó Deus". Certa vez, tive a oportunidade de estar em Israel, onde passei alguns dias estudando a terra santa, os desertos e as regiões montanhosas.

Durante essa experiência, presenciei algo novo para mim. Vi um animal de porte médio correndo entre os penhascos e perguntei ao guia que me acompanhava que animal era aquele. Ele me informou que se tratava de uma corça.

A corça exala um odor tão forte que os predadores o sentem de longe. Sendo assim, a única alternativa que a corça possui para sobreviver é encontrar uma corrente de água e mergulhar várias vezes, a fim de que o odor desapareça e os predadores não consigam mais encontrá-la.

Assim como a corça, nossa natureza humana busca o pecado e constantemente deseja o que é mau. No entanto, quando encontramos a corrente de águas tranquilas que é a presença de Deus e mergulhamos nela, o Inimigo não pode mais nos atacar.

Portanto, precisamos aprender esse segredo e ser como a corça. Corra para a presença de Deus, pois quanto mais tempo você passar com ele, menos vontade terá de pecar.

"Quanto mais sedentos estivermos de Deus, mais saciados seremos por ele."

Qual é a sua maior experiência com Deus?

Plano de leitura:
(Atos 12—13)

Acesse o QR code para saber mais

SAINDO DO FUNDO DO POÇO

"Deus tem poder para tirá-lo do fundo do poço e fazer o Sol da Justiça brilhar sobre você."

Deus já o ajudou a sair de uma situação difícil? Quais lições positivas você tirou dessa situação?

....

....

....

....

Plano de leitura:
(Atos 14—15)

Acesse o QR code para saber mais

Às vezes, passamos por situações que nos levam ao fundo do poço. O poço pode ser representado por algo ruim que jamais imaginávamos que iríamos enfrentar. O profeta Jeremias foi lançado no fundo de um poço, e ali havia somente lama (Jeremias 38). É por isso que, quando alguém passa por uma adversidade muito grande, costumamos dizer que está no fundo do poço.

Atualmente, muitas pessoas estão no fundo do poço. Quanto mais tentam sair, mais se afundam. Por isso, se você estiver enfrentando um momento ruim, lembre-se de Jeremias e confie no Senhor de todo o coração.

Assim como um homem recebeu ordem para tirar Jeremias daquele lugar, Deus dará ordem para que alguém o ajude. Não se desespere, pois, assim como Jeremias, você também não vai morrer no fundo do poço, porque Deus vai preparar pessoas para ajudá-lo a sair dessa situação.

Não importa se o seu fundo do poço é emocional, físico ou espiritual, Deus está vendo a sua situação e agindo a seu favor, pois o fundo do poço não é o seu lugar.

TODO PROBLEMA TEM UM PROPÓSITO

Deus não permite que passemos por alguma dificuldade se ele não tiver um propósito, ou seja, todo o desafio traz uma bênção consigo.

Nesse sentido, posso dizer que todo problema tem no mínimo quatro propósitos.

O primeiro propósito é que todo problema serve para provar a nossa fé. É na adversidade que sabemos se nossa fé é genuína ou não.

O segundo propósito é o de corrigir, ou seja, muitas vezes passamos por um problema para que possamos receber uma correção. O salmista diz: "Foi-me bom ter sido afligido, para que aprendesse os teus estatutos" (Salmos 119.71, ARC) .

O terceiro propósito é que todo problema serve para nos aperfeiçoar. Assim como uma lagarta sofre para sair do casulo, o problema também tem a capacidade de nos aperfeiçoar para sermos quem Deus nos criou para ser.

O quarto propósito é que todo problema serve para que o nome de Deus seja glorificado.

Portanto, alegre-se quando estiver enfrentando algum problema e, em vez de reclamar, pergunte qual é o propósito desse problema que você está enfrentando.

"Deus o conduz por caminhos que você não entende, para levá-lo a lugares que você não imagina."

Você já parou para pensar em qual será o propósito do problema que está enfrentando?

....

....

....

Plano de leitura:
(Atos 16—19)

Acesse o QR code para saber mais

DE VOLTA AO PRIMEIRO AMOR

"Se a fogueira do amor a Deus estiver apagando, reabasteça-a com a lenha da oração."

Do que mais você sente saudade quando se lembra do primeiro amor?

Plano de leitura:
(Atos 20—21)

Acesse o QR code para saber mais

Quando vivenciamos a experiência do primeiro amor, tudo que queremos é estar perto da pessoa amada, ligar e conversar com ela. Contamos os segundos para podermos estar juntos.

Entretanto, conforme o tempo passa, aquela paixão dá lugar ao conformismo, acostumamos-nos com a convivência e aos poucos o primeiro amor vai esfriando.

Foi isso que aconteceu com uma igreja, conforme está escrito em Apocalipse 2.4: "Tenho, porém, contra ti que deixaste o teu primeiro amor" (ARC). Deus conhecia as obras daqueles cristãos, mas estava vendo que eles tinham perdido a intensidade do primeiro amor.

Atualmente, também vemos que muitas pessoas não buscam mais Deus com o mesmo fervor de quando aceitaram Cristo. O que acontece é que, conforme o tempo passa, as pessoas mergulham cada vez menos no rio da graça, que é Jesus. Elas deixam de orar e meditar na Palavra; dedicam-se mais aos seus interesses e menos ao compromisso com Deus.

Hoje, o convite é: volte ao primeiro amor! Volte a buscar Jesus Cristo com toda a intensidade, ame-o de toda a sua alma, de todo o seu pensamento e com todas as suas forças.

TENHA A VISÃO DE CONQUISTA

Recebemos muitas promessas de Deus, mas muitas vezes não conseguimos tomar posse simplesmente pelo fato de perdermos a visão de conquista.

Foram muitos os que espiaram a terra prometida, mas somente Josué e Calebe tiveram a visão de conquista. Mesmo sabendo que enfrentaria gigantes, Calebe disse: "Subamos e tomemos posse da terra. É certo que venceremos!" (Números 13.30).

Precisamos urgentemente ter essa visão de conquista para que possamos tomar posse de tudo aquilo que Deus prometeu e preparou para nós.

Lembro-me de muitas pessoas que, quando eram mais jovens, tinham sonhos, queriam conquistar, ganhar almas para Jesus, ter bons empregos, comprar casa, carro e fazer a diferença no mundo. Contudo, com o passar do tempo, elas se acomodaram e não sonham mais em conquistar absolutamente nada.

Deus tem grandes promessas para a nossa vida. O nosso futuro pode ser glorioso, mas, para isso, precisamos ter uma visão de conquista, pois só assim poderemos tomar posse e desfrutar de tudo o que o Senhor preparou para nós.

"Quem tem uma visão não para diante de nenhuma discussão."

Onde e como você se vê daqui a dez anos?

....

....

....

....

....

....

....

Plano de leitura:
(Atos 22—23)

Acesse o QR code para saber mais

COMO VOCÊ TEM SIDO LEMBRADO?

"Sua presença não precisa ser notada, mas sua ausência deve sempre ser sentida."

É muito bom quando estamos em uma roda de amigos e, durante as conversas, temos boas lembranças de alguma pessoa. A pessoa agradável é sempre lembrada com carinho, respeito e satisfação.

O apóstolo João, na terceira de suas cartas, fala a respeito de um homem chamado Gaio. Ele era amável e um exemplo para muitas pessoas. Por onde passava, além de inspirar, deixava sempre boas lembranças.

Gaio era um homem de Deus que amava as pessoas, e a forma amorosa com que ele tratava os outros era algo memorável. Em contrapartida, o mesmo apóstolo fala de um homem chamado Diótrefes, que, ao contrário de Gaio, era egoísta, queria ter a primazia e não tinha consideração por ninguém. Pessoas assim não deixam boas lembranças.

Como você tem sido lembrado? O que as pessoas falam a seu respeito?

Desejo que você viva de tal maneira que o seu estilo de vida amoroso o faça ser alguém inesquecível e que, assim como Gaio, você seja reconhecido pelo amor que demonstra aos outros, de modo que todos tenham boas lembranças a seu respeito e glorifiquem a Deus por sua vida.

Quais aspectos da vida de Gaio você precisa imitar?

....

....

....

....

....

Plano de leitura:
(Atos 24—28)

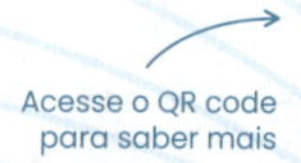

Acesse o QR code para saber mais

CONSTRUA PONTES E DERRUBE MUROS

As pontes proveem acessos, e os muros interrompem a caminhada. Precisamos desenvolver habilidades para derrubar os muros e construir pontes. Todavia, muitas pessoas não compreendem que, para tomar posse do que Deus entregou, é preciso construir pontes, mas teimam em erguer muros

Provérbios 18.19 diz que o irmão ofendido é mais difícil de conquistar do que uma cidade murada ou fortificada.

A pessoa ofendida ou magoada constrói muros em torno de si; ela não quer mais se relacionar com ninguém, e o muro é uma forma de proteção. No entanto, o mesmo muro que protege também limita, ou seja, quem constrói muros ao redor de si deixa de ter acesso às pontes que levam ao novo de Deus.

As pontes servem para nos impulsionar, para nos levar ao lugar desejado, por isso derrube os muros e construa pontes. Mesmo que alguém o tenha traído ou decepcionado, Deus preparou novas amizades para a sua vida.

Faça conexões com novas pessoas e creia que elas podem levá-lo aos lugares que Deus preparou. Um novo tempo vem chegando, por isso construa mais pontes e derrube todos os muros que o impedem de avançar.

"Está na hora de derrubar os muros do orgulho e construir as pontes do amor."

Você tem construído pontes? Mencione três pessoas que conheceu nos últimos dias.

Plano de leitura:
(Romanos 1—3)

Acesse o QR code para saber mais

DEUS AGE DE REPENTE

"Quem confia em Deus vive sempre na expectativa de que a qualquer momento ele vai agir."

Você já foi surpreendido com algo que Deus fez de repente? Que lições aprendeu por ter aguardado a ação divina?

....

....

....

Plano de leitura:
(Romanos 4—6)

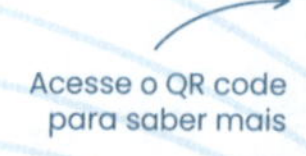

Acesse o QR code para saber mais

Muitas pessoas desistem antes do que deveriam. E, às vezes, não percebem que estavam bem perto do que Deus preparou para elas.

Deus age de repente, como diz a Bíblia: "Ao cumprir-se o dia de Pentecostes, estavam todos reunidos no mesmo lugar; de repente, veio do céu um som, como de um vento impetuoso, e encheu toda a casa onde estavam assentados. [...] Todos ficaram cheios do Espírito Santo" (Atos 2.1-4, ARA).

Deus mudou todo o curso da história. Foi de repente que, com uma pregação de Pedro, três mil almas aceitaram Jesus Cristo. Isso mostra que, de repente, Deus pode mudar qualquer cenário.

Creia que assim será em sua vida: de repente, Deus pode mudar a sua história, a sua vida financeira, o coração do seu cônjuge. Tudo o que precisamos fazer para que o "de repente" de Deus aconteça é permanecer na presença dele.

Esteja sempre no centro da vontade divina e creia que, em breve, ele agirá a seu favor. E quando ele age, é surpreendente, sobrenatural. Por isso, mesmo que pareça demorado, não desista, pois, de repente, o poder de Deus pode se manifestar em sua vida e mudar toda a sua história.

RECARREGUE SUA BATERIA

Provavelmente, você tem um aparelho celular com muitas funções e aplicativos, os quais precisam sempre ser atualizados. Certa vez, tentei usar uma função e não consegui, porque precisava de atualização. Como o celular estava com pouca bateria, descobri que não era possível realizar a atualização.

Podemos comparar os seres humanos com um telefone celular que tem uma capacidade incrível; no entanto, se estiver com pouca bateria, isso influenciará no seu desempenho.

Deus é a nossa fonte. Então, quando nos conectamos à fonte, que é Deus, temos a capacidade de ser um instrumento poderoso nas mãos dele. Para isso, você precisa recarregar a sua bateria, isto é, se conectar à Fonte, passar tempo na presença de Deus.

Pense comigo: o seu celular recarrega toda a bateria rapidamente? Com certeza, não. Assim é em sua vida. Você precisa dedicar mais tempo para falar com Deus, ler a sua Palavra, pois quanto mais completa sua "bateria" estiver, maior será o seu desempenho nas mãos do Senhor.

"Quem anda conectado com Deus sempre estará com a bateria recarregada."

Você sente sua bateria carregada ou descarregada nos últimos dias?

....

....

....

....

....

Plano de leitura:
(ROMANOS 7—9)

Acesse o QR code para saber mais

DEUS LHE PREPAROU ALGO ESPECÍFICO

"Aquilo que Deus preparou para você homem nenhum pode roubar."

Existe algum sonho que Deus colocou no seu coração que hoje parece ser difícil de se realizar?

....

....

....

....

....

Plano de leitura:
(Romanos 10—12)

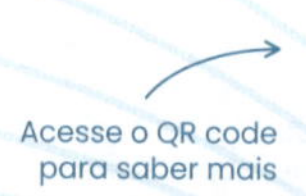

Acesse o QR code para saber mais

O que Deus lhe preparou é específico para você viver e desfrutar; não é para outra pessoa. José era muito amado por seu pai, Jacó, que fez uma túnica de várias cores e lhe deu de presente. Aquela túnica causou grande inveja e ciúmes nos irmãos de José, de forma que eles passaram a persegui-lo. A Bíblia relata: "E aconteceu que, chegando José a seus irmãos, tiraram de José a sua túnica, a túnica de várias cores, que trazia. E tomaram-no, e lançaram-no na cova; porém a cova estava vazia, não havia água nela" (Gênesis 37.23,24, ARC).

O seu propósito é único, algo que ninguém jamais viveu nem viverá.

Saiba, porém, que muitas pessoas vão ter inveja da sua "túnica", do seu propósito, e podem até querer lhe fazer mal.

No entanto, não tenha medo! Você é amado pelo Pai celestial e pode usar a túnica que ele lhe deu e cumprir o seu propósito. Ainda que você sofra perseguições ou que as pessoas fiquem chateadas com os seus sonhos, não se aborreça, foque as bênçãos e lembre-se de que Deus preparou algo específico só para você.

APROVADO EM CRISTO

A aprovação de Cristo a nosso respeito é suficiente. Todo cristão deveria se preocupar mais em estar agradando a Cristo, não simplesmente com a aprovação de homens.

Paulo fala sobre um homem chamado Apeles, de quem talvez você nunca ouviu falar. O versículo diz assim: "Saúdem Apeles, aprovado em Cristo" (Romanos 16.10). Que maravilhosa a forma como Apeles era reconhecido pelas pessoas! Com certeza, o comportamento dele deixou um legado de fé que até hoje inspira os cristãos a buscarem a aprovação de Deus, não a dos homens.

Peça ao Senhor que o direcione em todas as áreas da sua vida, quer na forma de agir, quer na de pensar, quer na de vestir, quer no seu falar, quer no seu trabalho, enfim, busque a aprovação dele. Não faça algo apenas com o intuito de ser aceito por determinada pessoa ou grupo. Que tudo o que você fizer seja para glorificar e agradar a Deus.

Um dia, todos nós estaremos diante de Deus, e Cristo irá aferir, em seu julgamento, se de fato agimos de acordo com os padrões celestiais ou em conformidade com o padrão do mundo.

O meu desejo é que a sua marca como cristão seja "aprovado em Cristo".

"Ou você vive para agradar a Deus ou para impressionar os homens."

Suas atitudes, seus pensamentos e suas palavras têm agradado a Deus?

....

....

....

....

....

....

Plano de leitura:
(Romanos 13—16)

Acesse o QR code para saber mais

NÃO ACEITE A AFRONTA

"O silêncio do leão intimida mais do que o latido de um cachorro."

Quais afrontas você tem enfrentado nos últimos dias?

....

....

....

....

....

....

....

Plano de leitura:
(1 Coríntios 1—3)

Acesse o QR code para saber mais

A Bíblia nos fala de um homem chamado Ezequias, que foi afrontado por um inimigo. Esse lhe enviou uma carta dizendo que acabaria com a história dele. Contudo, Ezequias resistiu ferozmente àquela afronta e foi buscar Deus: "Recebendo, pois, Ezequias as cartas das mãos dos mensageiros e lendo-as, subiu à Casa do Senhor; e Ezequias as estendeu perante o Senhor. E orou Ezequias perante o Senhor e disse: Ó Senhor, Deus de Israel, que habitas entre os querubins, tu mesmo, só tu és Deus de todos os reinos da terra; tu fizeste os céus e a terra. Inclina, Senhor, o teu ouvido e ouve; abre, Senhor, os teus olhos e olha: e ouve as palavras de Senaqueribe, que ele enviou para afrontar o Deus vivo" (2 Reis 19.14-16, ARC).

Ezequias orou, jejuou e venceu aquela guerra, ou seja, aquela afronta.

Talvez o Inimigo o esteja afrontando, dizendo que vai acabar com a sua família, com o seu casamento, com a sua empresa; não aceite essas palavras de derrota e afronta.

Não tenha medo. Deus deu vitória a Ezequias. Eu creio que você também irá vencer, em nome de Jesus.

COMUNHÃO COM DEUS

Comunhão com Deus é tudo o que precisamos para termos uma vida feliz. Vivemos em uma geração muito agitada, que não tem tempo para orar e conversar com Deus, e com isso a comunhão vai se perdendo.

Certa vez, ouvi a história de um homem chamado José, que vivia em uma cidade do interior. Todos os dias, rigorosamente ao meio-dia, José entrava na igreja, tirava o chapéu, ajoelhava-se, ficava ali uns trinta segundos e saía. Depois de muitos anos, um dia ele não apareceu, e todos ficaram preocupados, pois aquele ritual era sagrado.

As pessoas ficaram preocupadas e descobriram que José estava internado. O mais incrível era que, mesmo no hospital, ele alegrava muitas pessoas. Um dia, alguém lhe perguntou: "Qual é o segredo da sua alegria?". Ele respondeu: "Talvez vocês não acreditem, mas todos os dias, exatamente ao meio-dia, um homem de branco vem aqui e me faz uma visita, e eu fico muito feliz!".

Isso é comunhão com Deus. Quem honra ao Senhor é agraciado por ele: "Honrarei aqueles que me honram, mas aqueles que me desprezam serão tratados com desprezo" (1 Samuel 2.30).

Busque sempre a comunhão com o Senhor.

"Quanto mais perto da luz você estiver, mais distante das trevas estará."

O que você poderia fazer hoje para ter mais comunhão com Deus?

....

....

....

....

....

....

....

Plano de leitura:
(1 Coríntios 4—7)

Acesse o QR code para saber mais

NÃO PERCA A MOTIVAÇÃO

"A motivação é a força que o levanta do chão."

Em que áreas da sua vida você precisa de mais motivação?

....

....

....

....

....

....

....

....

Plano de leitura:
(1 Coríntios 8—9)

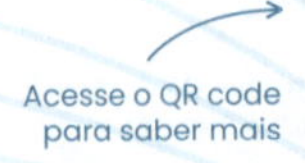

A motivação é essencial para que você consiga chegar aos lugares que Deus colocou no seu coração. A palavra "motivação" deriva do latim *motivus, movere*, que significa "mover", ou "mover-se por algum motivo". Como anda a sua motivação? Eu, por exemplo, todos os dias me movo de forma agitada, pois preciso alcançar o máximo de pessoas para Cristo Jesus. Não sei quanto tempo tenho, e essa motivação me consome.

O apóstolo Paulo, perante o rei Agripa, disse não ter sido desobediente à visão celestial que tivera. Ou seja, por não desistir de sua motivação, ele correu risco de vida, foi apedrejado, mas permaneceu firme, porque tinha um motivo que gerava uma ação.

Você precisa estar motivado a buscar seus sonhos, projetos e promessas. Quem tem esse foco acaba fazendo um esforço maior para alcançar seus objetivos.

Quando você está motivado para participar de algo, por exemplo, é bem comum que acorde mais cedo, cheio de disposição. É esse ânimo que Deus deseja despertar em nós. Assim como Paulo não foi desobediente à visão celestial, não seja você também em relação à visão que o Senhor pôs no seu coração.

QUE ELE CRESÇA, E EU DIMINUA

Em nossos dias, muitas pessoas querem que o seu próprio nome apareça e esteja nos principais livros, jornais, revistas e *blogs*; a maioria quer ter sucesso e fama.

Entretanto, aprendo algo muito importante com João Batista. Ele queria viver para a glória de Deus; ele não tinha nenhum orgulho, nenhuma soberba; simplesmente queria ver o nome do Senhor ser glorificado.

Por isso, disse: "É necessário que ele cresça e que eu diminua. Aquele que vem de cima é sobre todos; aquele que vem da terra é da terra e fala da terra. Aquele que vem do céu é sobre todos" (João 3.30,31, ARC).

Quem vive segundo o curso deste mundo quer atrair a glória para si, e isso não é bom. Não há nada de errado em querer ser conhecido, famoso e admirado, mas a glória deve ser dada somente a Deus.

Jesus deve receber a maior glória por tudo o que fazemos. Não é o nosso nome que deve ficar para sempre na história, e sim o nome de Jesus — o nome que está acima de todo nome.

Viva de tal modo que Cristo seja glorificado por meio da sua vida.

"Faça Deus ser glorificado por meio da sua vida."

O que você poderia fazer para que Deus seja mais glorificado por meio da sua vida?

....

....

....

....

....

....

....

....

Plano de leitura:
(1 Coríntios 10—13)

Acesse o QR code para saber mais

"VAI-TE, E NÃO PEQUES MAIS"

"Ninguém precisa estar preso para aprender a valorizar a liberdade."

Existe algo em sua vida de que você precisa que Jesus Cristo o liberte?

....

....

....

....

....

Plano de leitura:
(1 Coríntios 14—16)

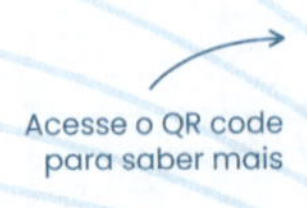

Jesus tem o poder de transformar qualquer história. O Novo Testamento conta a história de uma mulher que foi pega em flagrante adultério. As pessoas a levaram até Jesus, e todos estavam com pedras nas mãos para apedrejá-la. Enquanto as pessoas a acusavam invocando a lei e querendo que Jesus se manifestasse sobre o caso, ele apenas escrevia com o dedo na terra. "E, como insistissem, perguntando-lhe, endireitou-se e disse-lhes: Aquele que dentre vós está sem pecado seja o primeiro que atire pedra contra ela" (João 8.7, ARC).

Ao ouvirem isso, aquelas pessoas ficaram constrangidas e foram saindo, uma a uma, até que ficaram só Jesus e a mulher. Ele então lhe pergunta: "Mulher, onde estão aqueles teus acusadores? Ninguém te condenou? E ela disse: Ninguém, Senhor. E disse-lhe Jesus: Nem eu também te condeno; vai-te, e não peques mais" (João 8.10,11, ARC).

Jesus sempre nos dá a oportunidade de vivermos uma nova história. Talvez você não tenha cometido um pecado como o daquela mulher, talvez você tenha errado em outra coisa, mas Jesus lhe diz: "Levante a cabeça, você está perdoado, vá e não peque mais".

VOCÊ VAI TERMINAR BEM

Em uma maratona, vemos tantas pessoas que começam muito bem, mas que infelizmente não conseguem completar a prova; e há também aquelas que começam com um mau desempenho e no final acabam vencendo.

Jó 8.7 registra o seguinte: "O teu princípio, na verdade, terá sido pequeno, porém o teu último estado crescerá em extremo" (ARC).

Também encontramos na Bíblia outro texto relacionado a isso, no qual o apóstolo Paulo diz: "Combati o bom combate, completei a carreira, guardei a fé" (2 Timóteo 4.7, ARC).

Note que o final é mais importante do que o início. Isto é, se ao longo da sua jornada você estiver debaixo dos princípios da Palavra de Deus, ainda que caia, levante-se, e tenha certeza de que vai concluir com êxito a sua missão.

A nossa vida não é um mar de rosas — todos os dias enfrentamos desafios. O próprio Jesus disse que teríamos aflições, mas devemos ter bom ânimo, porque o mais importante é concluir a carreira da fé.

Siga firme e constante, crendo que você vai terminar bem, pois a bênção do Senhor está sobre a sua vida.

"É preciso motivação para começar, mas perseverança para continuar."

O que gostaria que Deus fizesse por você nos próximos dias?

....

....

....

....

....

....

....

Plano de leitura:
(2 Coríntios 1—3)

Acesse o QR code para saber mais

ALMA ABATIDA

"Na presença de Deus, até a tristeza salta de alegria."

Você sente sua alma abatida quando tem de esperar algo acontecer?

Plano de leitura:
(2 Coríntios 4—7)

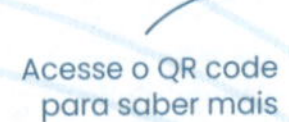

Muitas vezes, as pessoas se encontram abatidas e não sabem o motivo, haja vista que o problema não está no corpo e não é espiritual. De acordo com a visão tricotomista na teologia, somos corpo, alma e espírito. Então, pode-se deduzir que o problema pode estar na alma.

O salmista pergunta: "Por que estás abatida, ó minha alma, e por que te perturbas em mim? Espera em Deus, pois ainda o louvarei pela salvação da sua presença" (Salmos 42.5, ARC).

Ele estava com a alma abatida, e, da mesma forma, hoje em dia muitas pessoas estão assim, em virtude de situações e momentos difíceis que estão enfrentando.

A nossa alma também sente o desgaste emocional, e quando a alma está abatida, o semblante logo denuncia, pois a pessoa não consegue mais sorrir, não quer mais conviver com muita gente, entre outros comportamentos. Mas o salmista nos mostra o remédio para essa alma abatida: "Espera em Deus, pois ainda o louvarei", ou seja, o remédio está em Deus; só ele tem o poder de curar a nossa alma.

O segredo está em esperar em Deus, pois o Senhor jamais o desamparará. Espere em Deus, crendo que você ainda dará um lindo testemunho.

"LEVANTE-SE E ANDE"

Quantas pessoas estão paralisadas e não saem mais do lugar? Quantas pessoas estão há tanto tempo na mesma situação e não têm mais sonhos nem expectativa de vida?

Isso aconteceu com um homem aleijado de nascença, cuja história está escrita em Atos 3. Pedro e João subiam juntos ao templo à hora da oração. Lá encontraram esse homem, que era levado todos os dias à porta do templo para pedir esmola aos que entravam.

Naquele dia, Pedro e João iam entrando no templo quando aquele homem pediu-lhes esmola. "Pedro, no entanto, disse: 'Não tenho prata nem ouro, mas lhe dou o que tenho. Em nome de Jesus Cristo, o nazareno, levante-se e ande!'" (Atos 3.6, NVT). Pedro e João o ajudaram a se levantar, e logo os seus pés se firmaram e o homem começou a andar! Ele entrou no templo saltando e dando glória a Deus.

Se Pedro e João dessem uma esmola ao homem, ele ficaria lá para sempre, e sua vida não teria mudado. Deus não quer apenas suprir sua necessidade; ele quer que você ande, desfrute das bênçãos que ele lhe preparou e glorifique os nome dele depois de alcançá-las.

"Levantar-se pode ser difícil, porém mais difícil ainda é viver uma vida inteira rastejando."

Existem áreas da sua vida que estão paralisadas há muito tempo?

....

....

....

Acesse o QR code para saber mais

SEU PROPÓSITO É ÚNICO

"Cansaço contínuo revela que você está carregando uma carga que não foi Deus quem preparou para você carregar."

Você está vivendo plenamente o propósito de Deus na sua vida?

Plano de leitura:
(GÁLATAS 1—4)

Acesse o QR code para saber mais

Muitas pessoas, por não descobrirem o seu propósito, vivem tentando imitar aquilo que o outro está fazendo. Mas quero lhe dizer que o seu propósito é único.

Certa vez, minha esposa me pediu para trocar um sifão, aquele objeto que fica embaixo da pia. Eu sempre fui muito dedicado aos estudos e à leitura, e por meio disso milhares de pessoas têm sido abençoadas. Esse é o meu chamado. No entanto, ao pensar que muitos maridos fazem esse serviço, eu também quis fazer. Quando me abaixei para trocar a peça, minhas costas travaram, e eu fiquei ali paralisado, cheio de dor. Foi como se Deus me dissesse: "Meu filho, eu não o chamei para fazer tudo. Dentro do seu propósito, você não se machuca; você só se machuca quando sai dele".

Davi queria construir um palácio para Deus; sua motivação era boa, mas não era o propósito do Senhor para ele. Deus disse a Davi que quem edificaria o templo seria o seu filho, não ele. Então, viva apenas o seu propósito, livre-se de todo peso desnecessário, e assim a sua vida se tornará leve e abençoada.

Seu propósito é único — viva-o conforme aquilo que o Senhor determinou para você.

VENCENDO AS CRISES EXISTENCIAIS

A Bíblia fala de uma mulher chamada Agar, que enfrentou uma crise muito grande (Gênesis 21). Ela morava na casa de Abraão, pois era serva de Sara, sua mulher. Sara fez com que Abraão tivesse um filho com Agar, já que ela não conseguia gerar, pois sua idade era avançada. O menino recebeu o nome de Ismael.

Mais tarde, Deus cumpriu sua promessa, e Sara teve um filho, a quem chamou de Isaque. Sara viu que o filho de Agar zombava do seu, por isso disse a Abraão que mandasse Agar e Ismael embora. Abraão deu-lhes pão e água e os despediu.

Agar saiu sem rumo pelo deserto de Berseba. "E consumida a água do odre, lançou o menino debaixo de uma das árvores. E foi assentar-se em frente [...] porque dizia: Que eu não veja morrer o menino. [...] e levantou a sua voz, e chorou" (Gênesis 21.15,16, ACF).

Entretanto, em seguida um anjo apareceu para ela e disse: "Não temas, porque Deus ouviu a voz do menino" (v. 17). Deus abriu-lhe os olhos para que vissem um poço de água. Ela então encheu o odre e deu de beber ao menino, e ali o Senhor prometeu que faria dele uma grande nação.

Deus cuidou de Agar e de seu filho; ele está cuidando de você. Aquilo que você gerou não vai morrer.

"Quando enfrentamos uma grande crise, verdadeiramente conhecemos a Cristo."

Jesus Cristo já o ajudou a superar alguma crise? Que lições você aprendeu?

Acesse o QR code para saber mais

AMAR, MANTER E HONRAR

"Quem cumpre os princípios desfrutará das promessas."

Você tem conseguido respeitar essa escala de valores?

....

....

....

....

....

....

....

....

Plano de leitura:
(Efésios 1—4)

Acesse o QR code para saber mais

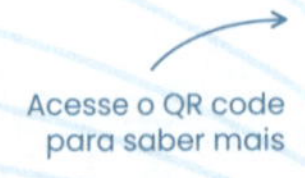

Pela Palavra de Deus, podemos ver que o nosso Pai celestial espera que todo ser humano guarde três princípios, que são: amar a Deus sobre todas as coisas; mantê-lo em primeiro lugar; honrá-lo em tudo.

Em primeiro lugar, está *amar*. Nós nascemos para amar a Deus, e este é o primeiro mandamento: "Amarás o Senhor, teu Deus, de todo o teu coração, e de toda a tua alma, e de todo o teu pensamento" (Mt 22.37, ARC). Então, amar a Deus é o principal.

Em segundo lugar, precisamos *manter*, porque não adianta amar por um dia. É preciso ser constante em mantê-lo em primeiro lugar durante toda a vida.

Em terceiro lugar, *honrar* a Deus. Todas as vezes que honramos a Deus, ele também nos honra. A Palavra do Senhor diz assim: "[...] porque aos que me honram honrarei, porém os que me desprezam serão desprezados" (1 Samuel 2.30, ACF).

Deus está lhe dando uma chave para que você viva feliz: ame a Deus acima de todas as coisas, mantenha-o em primeiro lugar e honre-o em tudo que fizer.

Assim, você será próspero e verá a plenitude de Deus, pois ele ainda vai abençoá-lo muito.

PARAR OU CONTINUAR

Muitas pessoas vivem este dilema: será que eu devo continuar ou será que eu devo parar?

A Bíblia nos conta a história de dois homens que exemplificam muito bem o tempo de parar e o tempo de continuar.

O primeiro homem é Sansão, que foi chamado por Deus e impulsionado para ser um instrumento em sua geração. Mas Sansão começou a quebrar as regras e fazer o que não agradava a Deus. Em vez de parar com tais atitudes, ele continuou e sofreu as consequências.

O outro homem é o profeta Elias, que estava passando por uma crise e entrou em uma caverna, pois não queria mais continuar a servir segundo o seu chamado, mas ele não deveria parar.

Vimos duas situações diferentes: na primeira, Sansão deveria ter parado, mas não parou; na segunda, Elias não deveria ter parado, mas parou.

Devemos prestar atenção sobre se estamos quebrando os princípios de Deus. Quando quebramos os princípios divinos e pecamos contra o Senhor, devemos parar, pois do contrário o pecado há de nos parar. Mas se você não está quebrando um princípio e está fazendo a vontade de Deus, então eu lhe digo: não pare, porque a vitória é certa.

"Às vezes, é a última chave do chaveiro que abre a porta."

Com qual dos dois personagens você mais se identifica? Por quê?

....

....

....

....

....

....

....

Plano de leitura:
(Efésios 5—6)

Acesse o QR code para saber mais

RESISTA AO DIABO, E ELE FUGIRÁ

"A forma com que você rejeita o pecado revela quanto verdadeiramente você ama a Deus."

Você tem conseguido resistir às tentações do Inimigo?

....

....

....

....

Plano de leitura:
(Filipenses 1—4)

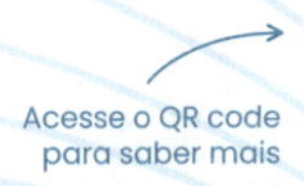

Acesse o QR code para saber mais

A Palavra de Deus diz assim; "Portanto, submetam-se a Deus. Resistam ao Diabo, e ele fugirá de vocês" (Tiago 4.7).

Para que o Inimigo fuja de nós, precisamos resistir, firmes na fé.

A palavra "resistir" significa "permanecer firme, perseverar", ou seja, não se dar por vencido nem entregar os pontos.

Existem momentos em que nós precisamos resistir fortemente ao Inimigo.

Certa vez, passei por uma situação muito difícil com o meu filho. Ele estava tendo crises emocionais de madrugada, e isso durou cerca de seis meses. Naquele momento, além de orar, entendi que precisava resistir ao Diabo, pois ele estava querendo me fazer desistir e desanimar. Para alcançar esse objetivo, ele lutava contra a minha vida e a da minha família, de modo que tudo que eu tinha a fazer era permanecer firme.

Talvez o Inimigo se tenha levantado contra a sua vida e está tentando ganhar território, mas a palavra de Deus para você é: "Resista ao Diabo, e ele fugirá de você".

Lute de joelhos, em oração e jejum, clame a Deus e permaneça firme, em busca da vitória.

MUDANÇA DE MENTALIDADE

Deus deseja mudar a nossa realidade, mas, antes de realizar tal mudança, ele mudará primeiro a nossa mentalidade.

A Bíblia conta a história de um homem paralítico que era levado todos os dias até a entrada do templo. Certa vez, Pedro e João estavam indo para o templo, na hora da oração, e quando chegaram lá encontraram esse paralítico, provavelmente de cabeça baixa.

O paralítico estendeu as mãos pedindo-lhes esmola. Aqui percebemos que ele não tinha expectativas de mudança em sua vida, mas naquele dia dois homens cheios do Espírito Santo chegaram até ele e disseram: "Olhe para nós".

Ou seja, antes de algo sobrenatural acontecer na vida dele, Deus queria que ele mudasse a sua mentalidade, que levantasse a cabeça e olhasse para cima. E quando ele olhou para Pedro e João, recebeu uma palavra profética e no mesmo instante o milagre aconteceu: ele começou a andar!

Talvez você tenha condicionado a sua mentalidade a pensar que tudo vai dar errado, que você não nasceu para isso ou para aquilo, mas Deus está dizendo: é tempo de mudar a sua mentalidade!

Quando você começar a olhar para cima, Deus mudará a sua realidade.

"Sua mentalidade determina sua felicidade."

Sua mentalidade tem sido a de um vencedor ou a de um derrotado?

Plano de leitura:
(Colossenses 1—4)

Acesse o QR code para saber mais

TEMPO DE SAIR DO NINHO

"Sua felicidade começa onde sua zona de conforto termina."

A que lugares você ainda almeja chegar?

Plano de leitura:
(1 Tessalonicenses 1—5)

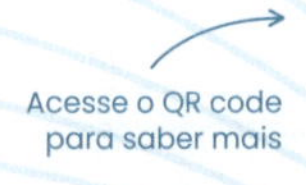

Acesse o QR code para saber mais

Muitas vezes, acomodamos-nos com a nossa forma de viver. Para nós, tem sido tão confortável que nem imaginamos que Deus tem algo maior para nossa vida.

Deus tem algo extraordinário para você, mas antes ele vai tirá-lo do conforto, assim como fez na vida de Saul (1 Samuel 9). Deus permitiu que as jumentas do pai de Saul se perdessem. Então, o pai de Saul pediu-lhe que fosse atrás delas. Era tempo de Saul ter novas experiências, pois por meio disso Deus tinha um propósito.

No meio do percurso em busca das jumentas, Saul conheceu o profeta Samuel e retornou ungido como rei de Israel. Tudo o que Deus queria era tirá-lo do conforto.

As águias, quando filhotes, ficam muito tempo no ninho até que a mãe começa a expulsá-las dali, porque a águia foi feita para voar.

Deus quer que você viva algo novo, experiências novas, e é por isso que muitas vezes ele permite que algumas coisas saiam do lugar. Então, não se preocupe com a situação que você está vivendo; apenas creia que algo novo do Senhor está para chegar.

SERÁ QUE ISSO NÃO É ESPIRITUAL?

Muitas vezes, lutamos contra problemas espirituais com armas carnais e tentamos resolver tudo do nosso jeito. Na maioria das vezes, esses problemas perduram por muito tempo.

A Bíblia diz que certa mulher andava encurvada havia dezoito anos — esse era o seu problema. Muito provavelmente, ela já tinha ouvido várias ministrações. Também acredito que tenha ido aos melhores médicos, mas não conseguia solucionar o seu problema. Mas, certo dia, na sinagoga em que ela estava, Jesus olhou para aquela mulher, orou e ela se endireitou (Lucas 13).

Ninguém até então havia notado que aquele problema era espiritual. A pergunta é: será que o problema que você está enfrentando hoje também não é espiritual?

Será que você não está lutando contra questões espirituais com as armas erradas, no caso com a força do seu braço?

Problemas espirituais só se resolvem por meio do nome de Jesus. Talvez você esteja enfrentando esse momento tão difícil e não percebeu que isso na verdade é uma batalha espiritual. Por isso, levante-se, separe um tempo para orar, para buscar a face de Deus, pois esse problema será vencido, em nome do Senhor Jesus.

"Naturalizar o mundo espiritual é tudo que resta para aquele que não conhece Deus."

Qual problema você identificou como espiritual?

....

....

....

....

....

Plano de leitura:
(2 Tessalonicenses 1—3)

Acesse o QR code para saber mais

UMA HISTÓRIA TRANSFORMADA

"Uma história transformada é resultado de uma mente que já não é mais quadrada."

Que transformação você precisa buscar nos próximos dias?

....

....

....

....

Plano de leitura:
(1 Timóteo 1—6)

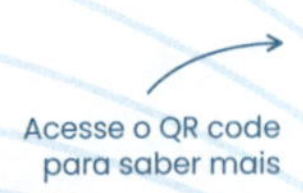

A maioria das pessoas quer uma transformação em sua vida e busca isso em Deus. E ele faz coisas sobrenaturais: transforma momentos de fracasso em triunfo, momentos de tristeza em alegria, e o luto em vida.

Isso aconteceu na vida de Rute. Ela teve uma vida muito difícil, pois, quando se casou, após pouco tempo seu marido faleceu. O marido dela era filho de uma mulher chamada Noemi. Mesmo com o falecimento do marido, Rute não abandonou a sua sogra e ainda lhe disse: "Aonde fores irei, onde ficares ficarei! O teu povo será o meu povo, e o teu Deus será o meu Deus!"(Rute 1.16).

Rute tinha princípios e, mesmo em meio às adversidades, foi uma companheira fiel à sua sogra. Por ser persistente e fiel, Deus preparou um homem chamado Boaz para se casar com ela. Boaz foi o sustentador, um remidor daquela mulher.

Deus pode preparar um "Boaz" na sua vida, alguém que vai ajudá-lo e será uma bênção a ponto de a sua história ser transformada. Creia que Deus pode levantar pessoas para o abençoar e prepare-se: ele vai surpreendê-lo!

ANTES QUE SEJA TARDE

Frequentemente, pensamos que temos todo o tempo do mundo e deixamos de executar tarefas importantes dentro de determinado período. Deixamos sempre para depois, mas às vezes esse "depois" pode ser tarde demais.

Jesus contou uma parábola a respeito de um homem muito rico, que se vestia de púrpura e linho fino e vivia no luxo todos os dias. Até que esse homem faleceu e foi levado para um lugar de tormento; de lá ele olhou para cima e começou a pedir misericórdia, suplicando também para ir à sua casa e alertar seus familiares para que eles não fossem para o mesmo lugar de tormento, ou seja, para que vivessem da forma correta, seguindo as leis de Deus.

Entretanto, já era tarde demais. O Senhor já tinha dado a ele oportunidades de fazer o certo enquanto estava vivo, mas ele estava ocupado demais com as coisas da Terra (Lucas 16).

O Evangelho precisa ser pregado com urgência, pois um dia será tarde demais, e Deus irá nos cobrar. Não deixe para evangelizar depois, não deixe para abraçar depois, não deixe para dizer que ama quando for tarde demais; depois você ficará com remorso. Faça isso hoje, antes que seja tarde demais.

"Abraça o fracasso aquele que diz: 'Amanhã eu faço'."

Deus pôs algum projeto no seu coração para fazer hoje e você tem deixado para amanhã?

Plano de leitura:
(2 Timóteo 1—4)

Acesse o QR code para saber mais

POR QUE PAROU?

"Quem para no meio do caminho será sempre reconhecido como apenas um coitadinho."

Você conclui aquilo que começa ou sempre para no meio do caminho?

....

....

....

Plano de leitura:
(Tito 1—3)

Acesse o QR code para saber mais

Por que em algumas áreas da sua vida você parou? Por que isso aconteceu? A Bíblia conta sobre um homem que se chamava Terá. Ele era o pai de Abraão (muito provavelmente, você conhece a história do patriarca Abraão).

Terá estava indo para a terra de Canaã (Gênesis 11.31) com seu filho, seu neto e sua nora. Eles partiram de Ur dos caldeus, e no percurso, pararam na cidade de Harã e ali habitaram. Mas a Bíblia diz que mais tarde Terá morreu naquela cidade. Observe que o destino dele era Canaã, mas ele parou em outro lugar. A pergunta é: por que ele parou?

Muitas vezes, paramos em lugares que não deveríamos ficar. Veja que, no lugar em que Terá parou, ele morreu. Depois disso, Deus chamou Abraão e ordenou-lhe que saísse daquela terra e do meio da sua parentela. O patriarca obedeceu e chegou a Canaã.

Portanto, não pare agora. Se o seu destino é Canaã, não pare, continue sua jornada.

QUANDO SE QUER, DÁ-SE UM JEITO

A Bíblia conta a história de um homem que deu um jeito para alcançar o seu objetivo: seu nome era Zaqueu. Ele era chefe dos publicanos e era um homem rico. Certa ocasião, ele procurava ver quem era Jesus, mas, por ser de baixa estatura, a multidão o impedia de enxergar.

Imagino esse homem tentando ficar na ponta dos pés, procurando um espaço entre a multidão, porque tudo o que ele queria era ver Jesus; talvez depois de algumas tentativas, ele até tenha pensado em desistir, mas teve uma ideia: ele subiu em uma árvore. Zaqueu tinha uma alta posição na sociedade e, pela lógica, ele não subiria em árvore em razão do seu *status*. No entanto, a vontade de ver Jesus era maior, e ele não se importou com isso.

A Bíblia diz que Jesus, vendo aquela atitude, disse: “Zaqueu, desce depressa, porque, hoje, me convém pousar em tua casa” (Lucas 19.5, ARC).

Você já ouviu o ditado “quando se quer, dá-se um jeito; quando não se quer, desculpas é que não faltam!”.

Quero lhe dizer que a sua ação vai gerar uma reação. Jesus entrou na casa de Zaqueu, mas primeiro Zaqueu deu um jeito de ir até Jesus. Vá até Jesus, e ele também irá até você.

“Você sempre apresentará desculpas ou resultados, nunca os dois!”

Quais desculpas você precisa eliminar da sua vida?

Plano de leitura:
(Filemom 1)

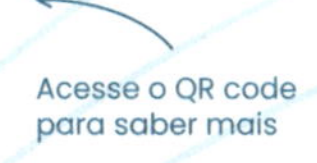

Acesse o QR code para saber mais

QUANDO DEUS FALA, ACONTECE!

"Se Deus falou, já aconteceu, apenas ainda não se manifestou!"

Você consegue se lembrar de algumas promessas que Deus tem para você? Quais?

....

....

....

....

....

....

Plano de leitura:
(HEBREUS 1—4)

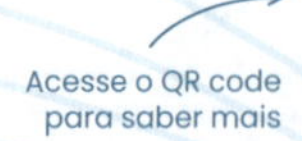

Quando Deus libera uma palavra sobre alguém, podem passar os céus e a Terra, mas essa palavra não passará.

Foi assim com Paulo. Deus lhe havia dito que convinha que ele fosse a Roma. Ele estava preso, e colocaram-no em um navio com destino à Itália. Durante a viagem, houve uma grande tempestade, e as pessoas começaram a lançar fora as coisas do navio, tentando aliviar a carga.

Por fim, chegaram a uma ilha. Paulo ajuntou um monte de gravetos e, quando os colocava no fogo, uma víbora, fugindo do calor, prendeu-se à sua mão. Quando os habitantes da ilha viram a cobra agarrada na mão de Paulo, disseram uns aos outros: "Certamente este homem é assassino, pois, tendo escapado do mar, a Justiça não lhe permite viver" (Atos 28.4).

Todos pensaram que Paulo morreria, mas nada aconteceu, pois o Senhor preservou a sua vida, para que ele pudesse chegar nos lugares que Deus havia preparado.

O que o Senhor diz acontece. Talvez alguma cobra o tenha picado ou a sua embarcação esteja afundando, mas calma: se Deus falou, você vai chegar são e salvo.

SEJA PROFETA DA SUA PRÓPRIA EXISTÊNCIA

Tudo que você pedir a Deus pode acontecer em sua vida, pois as suas petições têm grande peso no mundo espiritual.

Muitas pessoas, antes de entrarem em um negócio, dizem: "Eu acho que isso vai dar errado" e não percebem que já lançaram uma sentença sobre aquilo. Depois, quando tudo dá errado mesmo, elas dizem: "Eu falei que isso aconteceria".

Se você sabe que aquilo que você pede a Deus tem um grande poder, então seja um profeta da sua própria existência. A Escritura nos mostra diversos exemplos do poder que existe nas orações.

Elias, certa vez, lançou uma palavra sobre a nação, dizendo que não choveria por três anos (1 Reis 17). Depois disso, Deus mandou-o ir para o ribeiro, e lá, enquanto ele olhava a água correr, a Bíblia diz que o ribeiro secou. Isso quer dizer que Elias foi o primeiro a provar da sua própria palavra.

Se você pedir a Deus chuva, pode ser que receba dele uma grande inundação de bênçãos. Comece a profetizar sobre a sua vida, sobre a sua família, sobre o seu emprego, libere palavras de bênçãos e creia que o que pedir pode acontecer, em nome de Jesus.

"Hoje é dia de acreditar que uma nova estação chegou à sua vida."

Você já clamou hoje pelas bênçãos que gostaria que Deus derramasse sobre sua vida?

....

....

....

....

....

....

Plano de leitura:
(Hebreus 5—9)

Acesse o QR code para saber mais

NÃO VIVA DE CABEÇA QUENTE

"Uma mente agitada gera decisões precipitadas."

O que mais o tem tirado do sério nos últimos dias? O que você poderia fazer para vencer isso?

....

....

....

....

....

....

....

Plano de leitura:
(Hebreus 10—11)

Acesse o QR code para saber mais

Viver de cabeça quente é um perigo. As pessoas mais velhas já diziam que é melhor esfriar a cabeça, porque qualquer hora você pode explodir como uma bomba-relógio, seja no trânsito, seja em situações dentro de casa. Você deve aprender esse princípio.

A Bíblia nos mostra o exemplo de José, um homem que foi traído por seus irmãos e jogado dentro de uma cisterna. Quando esteve na casa de Potifar, onde trabalhava, a mulher de Potifar mentiu contra ele. José tinha tudo para andar com a cabeça quente, mas ele se mantinha calmo.

Depois de algum tempo, José reencontrou os seus irmãos, mas não pagou o mal com o mal. Ele perdoou e abençoou seus irmãos e disse: "Vocês planejaram o mal contra mim, mas Deus o tornou em bem, para que hoje fosse preservada a vida de muitos" (Gênesis 50.20).

Você precisa aprender que a vida está nas mãos do Senhor e que não existe nada que Deus faça que não tenha um propósito. Por isso, o salmo diz: "Entrega o teu caminho ao Senhor; confia nele, e ele tudo fará" (Salmos 37.5, ARC).

Não viva de cabeça quente, mas entregue sua vida ao Senhor, pois Deus tem cuidado de tudo.

FÉ APROVADA

Eu me recordo do tempo das provas na escola, quando ficava muito nervoso e inseguro. Isso acontecia porque testes são sempre importantes. Assim como ocorre no sistema estudantil, Deus prova a nossa fé para ver se seremos aprovados.

A esse respeito, a Bíblia registra: "Para que a prova da vossa fé, muito mais preciosa do que o ouro que perece e é provado pelo fogo, se ache em louvor, e honra, e glória na revelação de Jesus Cristo"(1 Pedro 1.7, ARC).

Vemos também como Deus provou a fé de Jó, permitindo que ele perdesse tudo o que tinha, mas ele permaneceu fiel. Outro exemplo é o de Abraão. O Senhor lhe prometeu um filho e provou a sua fé, e só no tempo determinado o patriarca de Israel recebeu a sua promessa.

Talvez a situação que você está vivendo seja uma prova de fé, mas você não está sozinho nessa jornada. Deus está com você, e, se você permanecer firme, terá a aprovação do Senhor e será recompensado.

"Sua fé será provada antes de ser aprovada."

Qual foi o maior teste da sua fé? Que lições você aprendeu?

....

....

....

....

....

....

....

....

....

....

Plano de leitura:
(Hebreus 12—13)

Acesse o QR code para saber mais

NÃO DESPREZE OS PEQUENOS SINAIS

"*Esteja atento aos pequenos sinais de Deus.*"

Você tem percebido alguns sinais do Senhor nos últimos dias?

Plano de leitura:
(Tiago 1—5)

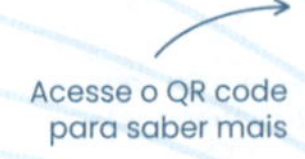

Acesse o QR code para saber mais

Quando algo grande está prestes a acontecer, Deus nos dá pequenos sinais.

Isso aconteceu com o profeta Elias. Ele havia profetizado que não haveria chuva sobre a terra, e assim aconteceu. Mas depois de muito tempo sem chuva, aproximadamente três anos e meio, Elias subiu ao monte para falar com Deus, e o Senhor lhe mandou um sinal de uma pequena nuvem, como a mão de um homem (1 Reis 18.44). Aquele era um sinal de que Deus mandaria chuva.

Não despreze os pequenos sinais que o Senhor lhe dá; fique atento, porque podem indicar abundante chuva sobre a sua vida.

Às vezes, um pequeno sinal aponta grande chuva de bênçãos, por isso não despreze os sinais de Deus. Pode ser que a bênção chegue por meio de uma pessoa que o Senhor pôs em sua vida. Pode ser um lugar que você visitou, algo que Deus lhe permitiu ver, que são pequenos sinais que apontam para o milagre.

Assim como aquela pequena nuvem se transformou em uma abundante chuva, isso pode acontecer em sua vida. O Senhor pode abrir portas e preparar um caminho no deserto, mas, por favor, não despreze os pequenos sinais de Deus.

PARE DE DAR DESCULPAS

Quem arranja desculpas para tudo é péssimo em argumentos. Além disso, as desculpas muitas vezes impedem as pessoas de desfrutarem do que Deus tem preparado.

Deus conhece a nossa situação, ao contrário do nosso semelhante; então, ele sabe quando nós não queremos fazer algo e arranjamos desculpas. O Senhor contou uma parábola de que havia um grande banquete, e certo homem começou a chamar algumas pessoas, mas elas começaram a dar desculpas. Um disse que não poderia ir porque havia comprado um campo e precisava vê-lo. Outro disse que havia comprado uma junta de bois e que precisava experimentá-la. As duas eram desculpas esfarrapadas, porque ninguém comprava terra ou gado sem olhar antes. Outro convidado ainda disse que havia se casado e que, portanto, não poderia ir (Lucas 14).

Deus o está chamando para a grande ceia, para as Bodas do Cordeiro, para um momento de comunhão, mas às vezes você arruma tantas desculpas, diz que está cansado demais para orar, atarefado demais para ir à igreja, enfim, essas desculpas o impedem de viver algo maravilhoso com Deus. Atenda ao chamado do Senhor.

"Quem é bom em dar desculpas geralmente não é bom em mais nada!"

Você tem dado algumas desculpas para não se envolver mais com Deus? Quais?

....

....

....

....

....

Plano de leitura:
(1 Pedro 1—3)

Acesse o QR code para saber mais

AS MURALHAS VÃO CAIR

"Antes de Deus cumprir uma grande promessa, ele pode permitir um grande desafio!"

Qual muralha você precisa derrubar para tomar posse de uma promessa?

....

....

....

Plano de leitura:
(1 Pedro 4—5)

Acesse o QR code para saber mais

Antes de tomar posse das promessas, precisamos entender que existem grandes desafios a serem superados.

O povo estava prestes a desfrutar da promessa, mas as muralhas de Jericó impediam o povo de conquistar o que Deus havia prometido.

Então, Deus disse a Josué: "Olhe! Eu estou entregando a você a cidade de Jericó, o seu rei e os seus corajosos soldados. Agora você e os soldados israelitas marcharão em volta da cidade uma vez por dia, durante seis dias. Na frente da arca da aliança, irão sete sacerdotes, cada um levando uma corneta de chifre de carneiro. No sétimo dia você e os seus soldados marcharão sete vezes em volta da cidade, e os sacerdotes tocarão as cornetas. Quando eles derem um toque longo, todo o povo gritará bem alto, e então a muralha da cidade cairá" (Josué 6.2-5, NTLH).

O Senhor deu a estratégia: ele não disse que era para correr, e sim para caminhar. Deus disse também que ficassem em silêncio. Já pensou que na sua vida esta pode não ser a hora de falar, apenas de continuar caminhando, em silêncio? Se Deus quiser, na hora certa as muralhas cairão, e você poderá conquistar o que o Senhor prometeu.

O INIMIGO NÃO VAI MATÁ-LO

Sempre que Deus levanta uma pessoa, a estratégia do Inimigo é tentar acabar com a vida dela.

Isso aconteceu com Moisés. Deus já o tinha escolhido para que ele fosse libertador de seu povo, mas quando ele nasceu, havia uma ordem para matar todos os meninos israelitas assim que nascessem. Assim também aconteceu com Jesus. Logo depois de seu nascimento, o rei Herodes mandou matar todos os meninos com menos de 2 anos em Belém e nas vizinhanças (Mateus 2). Davi também passou por isso. Ele tinha sido ungido rei, e por diversas vezes o Inimigo tentou matá-lo.

O Maligno veio para matar, roubar e destruir, por isso tenta de todas as formas impedir o grande propósito que Deus tem na sua vida.

O Senhor, porém, continua sendo Deus, ele é maior do que tudo. Não esteja desatento, pois grandes perseguições virão, e a forma como você nasceu já revela que ele tem algo muito especial com você.

O Inimigo vai tentar matá-lo, mas nunca conseguirá, porque, quando Deus escolhe e levanta alguém, ele guarda e protege. Por isso, não tenha medo da perseguição. O Inimigo não vai tirar a sua vida, pois maior é o que o guarda.

"Ninguém conseguirá derrotar aquele que Deus escolheu para vencer."

Por quais caminhos o Inimigo tem tentado entrar para destruir você?

Plano de leitura:
(2 João 1—3)

Acesse o QR code para saber mais

PROSPERANDO EM TEMPOS DE CRISE

"Vivemos na Terra, mas dependemos do Céu."

Você já desperdiçou alguma oportunidade?

...

Plano de leitura:
(1 João 1—5)

Acesse o QR code para saber mais

A Bíblia narra a história de Isaque, que nos ensina que, ao seguir as instruções de Deus, é possível prosperar mesmo durante uma crise. Isaque escavava poços e, constantemente, seus inimigos vinham e os obstruíam.

O poço simboliza refrigério, uma fonte de água que alivia a sede. No entanto, cada vez que Isaque abria um, seus inimigos brigavam e o entulhavam com terra. Mesmo assim, Isaque não entrava em conflito; ele simplesmente escavava outro. E assim continuou até que, finalmente, cavou um poço onde não houve briga. Esse foi chamado de Reobote, que significa "lugar amplo". Isaque declarou: "Agora o SENHOR nos abriu um espaço e prosperaremos na terra!" (Gênesis 26.22).

A palavra "oportunidade" tem sua origem em *opportunus*, que significa "favorável". Isso ocorre porque ela representava um vento oportuno e favorável para os navios naquela época.

Portanto, creio que isso também pode acontecer em sua vida. Você poderá prosperar, pois os céus não estão em crise. Deus controla todas as coisas e trará ventos favoráveis. Se ele permitir, você se surpreenderá e será capaz de prosperar mesmo em tempos de crise.

SEJA AGRADÁVEL

Já reparou que uma pessoa agradável é sempre requisitada na roda de amigos? É muito bom encontrar pessoas agradáveis, mas você sabe por que algumas pessoas deixam de ser agradáveis e se tornam amargas?

O livro de Rute conta a história de uma mulher chamada Noemi, que perdeu seu marido e seus dois filhos. Ela enfrentou dor e tristeza e, quando foi chamada pelo nome, disse: "Não me chamem Noemi, chamem-me Mara, pois o Todo-poderoso tornou minha vida muito amarga! De mãos cheias eu parti; mas de mãos vazias o SENHOR me trouxe de volta" (Rute 1.20,21). *Noemi* significa "agradável", mas agora ela estava se sentindo *Mara*, isto é, uma pessoa "amarga".

Muitas vezes, quando algumas coisas ruins acontecem, as pessoas se tornam amargas e falam como Noemi. Pensam que a vida acabou, mas se esquecem que Deus tem o poder de transformar vidas e mudar o rumo da história.

Aconteceu na vida de Noemi e pode acontecer na sua. Deus não deixará que a sua história seja alterada por algo ruim. Vem muita coisa boa por aí; por isso, você já pode se tornar uma pessoa agradável novamente.

"Tudo que você sofreu, se não o matou, com certeza o fortaleceu!"

Qual foi o momento mais difícil de sua vida? Como você o superou?

Plano de leitura:
(2 JOÃO 1)

Acesse o QR code para saber mais

CUIDADO COM OS HOMENS DO CEMITÉRIO!

"Não ouça críticas construtivas de quem nunca construiu nada!"

Você reage de modo positivo às críticas dos outros?

....

....

....

....

....

Plano de leitura:
(3 João 1)

Quando falo acerca de ter cuidado com os homens do cemitério, é por causa da passagem bíblica que narra o episódio da unção de Saul para ser o rei de Israel (1 Samuel 10).

Logo após ungi-lo, o profeta Samuel dá uma instrução a Saul. De forma resumida, era como se ele dissesse assim: "Quando saíres daqui, passarás pelos homens do cemitério. Não pare nem ouça os homens do cemitério. Eles estão junto ao sepulcro de Raquel. Cuidado com os homens do cemitério! Prossiga e você encontrará os homens de Deus".

Deus sempre nos orienta, e muito provavelmente você também vai encontrar pelo caminho os homens do cemitério, que são aquelas pessoas que querem matar os seus sonhos e os seus projetos. Você já ficou entusiasmado e contou seus sonhos para alguém, mas de repente aquela pessoa jogou um balde de água fria?

Infelizmente, muitas vezes, essas pessoas são da própria família ou amigos próximos. Esses são os homens do cemitério: não dê ouvidos a eles. A instrução de Deus foi: "Não pare".

O VINHATEIRO AMOROSO

Jesus contou a seguinte parábola: "Um certo homem tinha uma figueira plantada na sua vinha e foi procurar nela fruto, não o achando. E disse ao vinhateiro: Eis que há três anos venho procurar fruto nesta figueira e não o acho; corta-a. Por que ela ocupa ainda a terra inutilmente? E, respondendo ele, disse-lhe: Senhor, deixa-a este ano, até que eu a escave e a esterque; e, se der fruto, ficará; e, se não, depois a mandarás cortar" (Lucas 13.6-9, ARC).

Esse vinhateiro amoroso chama-se Jesus Cristo. É ele que pede a Deus que nos dê mais uma chance. Somos como uma figueira e nascemos para dar frutos, mas, muitas vezes, os nossos frutos não aparecem.

Então, entra em ação esse vinhateiro amoroso chamado Jesus, aquele que intercede por nós quando todos acham que a nossa história já acabou.

Sim, Jesus acredita em nós. Ele acredita na nossa capacidade de produzir muitos frutos, mesmo quando ninguém mais acredita. Por isso, o Senhor diz: "Creia que vai dar certo; daqui a pouco, você vai frutificar, e ninguém vai arrancá-lo daí".

"Se Jesus Cristo o preservou até aqui, ele deve ter algo grandioso para você."

Em que área da sua vida você está determinado a dar frutos?

....

....

....

....

....

Plano de leitura:
(Judas 1)

PRESERVE SUA ESSÊNCIA

"Não permita que a essência alheia contamine a sua."

Como você reage quando uma pessoa paga o bem com o mal?

Plano de leitura:
(Apocalipse 1—4)

Acesse o QR code para saber mais

Nós temos a essência divina, ou seja, todo ser humano possui algo que vem de Deus, e isso precisa ser preservado. No entanto, muitas coisas ruins acontecem para que as pessoas percam a essência divina. Por exemplo, há muitas pessoas boas de coração, que ajudavam o próximo com doações e orações, levantavam quem estivesse caído, mas que foram traídas e injustiçadas.

Talvez você seja essa pessoa, e este devocional é para você que se decepcionou.

Lembro-me de que eu costumava cumprimentar determinada pessoa. Ela é muito ranzinza e dificilmente sorri, às vezes chega até a virar o rosto quando alguém a cumprimenta. Então, meu filho uma vez perguntou: "Pai, por que você sempre cumprimenta essa pessoa? O senhor não vê que ela não gosta?". Respondi: "Meu filho, cada um tem a sua essência. Não posso mudar ou perder a minha essência porque aquela pessoa perdeu a dela". Compreende que você deve preservar a sua essência, mesmo quando as pessoas não retribuem nem reconhecem o que você faz?

Mantenha a sua essência, ame as pessoas e faça o bem ao maior número de pessoas que puder, pois é o Senhor quem o recompensará.

LEVANTE A CABEÇA

Atualmente, vemos muitas pessoas caminhando cabisbaixas, que não têm coragem de levantar a cabeça e olhar para cima.

A Bíblia fala acerca de uma mulher que andava encurvada e não conseguia se endireitar, de modo que ela sempre olhava para o chão (Lucas 13). Ainda hoje, tem muita gente servindo a Deus sem coragem de levantar a cabeça, mas quem tem um encontro com Jesus passa a viver de cabeça erguida.

Jesus encontrou aquela mulher que havia dezoito anos andava de cabeça baixa. Há quantos anos você está olhando para baixo e não consegue olhar para o alto? Você precisa olhar para Deus e olhar para os céus. O Senhor quer que você levante a cabeça. Chega de viver de cabeça baixa!

Quando Jesus passa pela nossa vida, nós levantamos a cabeça. Existe um inimigo que quer que você ande bem envergonhado, olhando para baixo, só que Deus quer levantar a sua cabeça.

Quando Deus chamou Abraão, mandou que ele olhasse para as estrelas. É isso que Deus quer que você faça sempre. Levante a cabeça e saiba, como o salmista, que o seu socorro vem do alto.

"Somente quando levantamos a cabeça passamos a enxergar as novas oportunidades."

O que o tem deixado cabisbaixo nos últimos dias?

Plano de leitura:
(Apocalipse 5—7)

Acesse o QR code para saber mais

EM MEIO ÀS CRISES, JESUS SEMPRE APARECE

"*É nas noites mais escuras que conseguimos enxergar as estrelas.*"

Qual foi a maior crise que você já superou?

....

....

....

....

....

Plano de leitura:
(Apocalipse 8—10)

Acesse o QR code para saber mais

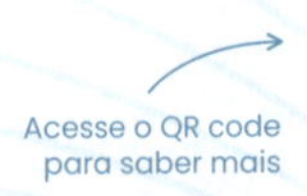

Jesus nunca nos deixa sozinhos em meio às dificuldades.

Certa vez, ele ordenou aos discípulos que passassem para o outro lado (Marcos 4). Então, eles entraram no barco e faziam uma navegação tranquila, até que uma grande tempestade se levantou. Aqueles homens ainda estavam no meio do trajeto; ou seja, entre o começo e o final existe sempre o meio, e geralmente é nesse meio que vem a crise, e precisamos romper em fé.

É no meio da corrida que nos sentimos mais cansados, pois no começo estamos empolgados. Além disso, o início de uma nova jornada é sempre mais fácil, mas no meio, quando nos aproximamos da linha de chegada, surgem os problemas e se levanta aquela grande tempestade. Jesus Cristo apareceu aos discípulos e disse-lhes que tivessem fé e não fossem tímidos.

É isto que quero lhe dizer: não se desespere quando estiver em adversidade. Jesus sempre aparece no meio da tempestade, e quando você pensa que está sozinho, ele ordena que o mar se acalme. Jesus não o deixa só. Portanto, se estiver no meio da crise, não tenha medo. Ele diz a você: "Calma, tudo vai terminar bem".

DEPENDA DE DEUS

Muitas pessoas vivem na dependência dos outros e estão sempre à procura de alguém que possa tirá-las do lugar em que estão e levá-las para outro lugar.

Atos 3 diz que havia um coxo que todos os dias era levado e colocado à porta do templo. Ou seja, aquele homem dependia de outras pessoas para sair do lugar e dependia também das esmolas que elas lhe davam para poder sobreviver.

É por isso que, quando Pedro disse "Olha para nós", o coxo criou expectativas, na esperança de que receberia uma esmola. No entanto, Pedro disse: "Não tenho prata nem ouro para lhe dar! Mas aquilo que tenho lhe dou: em nome de Jesus Cristo de Nazaré, levante-se e ande!". Ou seja, levante-se e aprenda a não depender das pessoas. Levante-se e ande. Dependa somente de Deus e não coloque a sua expectativa em homens.

Nesse contexto, Salmos 118.8,9 diz: "É melhor buscar refúgio no Senhor do que confiar nos homens. É melhor buscar refúgio no Senhor do que confiar em príncipes".

"Você precisa de pessoas, mas depende de Deus."

Antes de tomar decisões, você pensa em quantas pessoas estão ao seu lado ou confia que Deus está?

....

....

....

....

....

....

....

Plano de leitura:
(Apocalipse 11—14)

LIVRE-SE DA INCREDULIDADE

"Sem fé é impossível agradar a Deus."

Qual foi seu maior ato de fé?

....

....

....

....

....

....

....

....

....

Plano de leitura:
(Apocalipse 15—17)

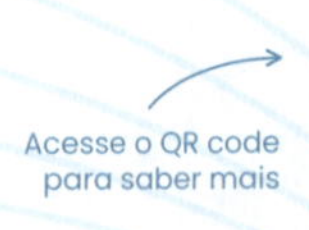

Você sabia que está exatamente onde a sua fé o conduziu?

O maior obstáculo da conquista se chama incredulidade. Por causa dela, muita gente não prospera, não avança, não conquista e vive em completa estagnação. Deus tem grandes bênçãos preparadas para sua vida, portanto livre-se da incredulidade.

Mateus 13.58 diz que Jesus não pôde fazer naquele local muitas maravilhas por causa da incredulidade das pessoas.

Deus sempre quer abençoar, mas Jesus não pôde manifestar o seu poder, porque as pessoas que estavam naquele ambiente bloquearam o agir do Senhor por causa da incredulidade e da falta de fé.

Jesus deseja curar, salvar, libertar, dar vitória, transformar vidas e proporcionar grandes conquistas, porém precisamos crer e entender que sem fé isso é impossível, conforme diz a Palavra: "Sem fé é impossível agradar a Deus, pois quem dele se aproxima precisa crer que ele existe e que recompensa aqueles que o buscam" (Hebreus 11.6).

Então, creia que Deus pode operar milagres e maravilhas.

VIVENDO UMA VIRADA

Se você quer uma virada em sua vida, prepare-se, pois, em breve, ela pode acontecer. Quando falo sobre esse tema, lembro-me da história de Ester. A Bíblia diz que havia um homem muito mau chamado Hamã. Ele queria de todo jeito prejudicar o povo de Deus, por isso fez uma forca para enforcar Mardoqueu, o primo de Ester.

Contudo, Hamã não sabia que, quando Deus escolhe alguém, ele mesmo protege essa pessoa. Então, apesar de Hamã ter arquitetado muito bem um plano para acabar com o povo de Deus, o plano fracassou, pois a história teve uma virada.

Deus, de antemão, já havia colocado Ester no palácio para livrar sua vida, a vida de Mardoqueu e todo o seu povo. E Hamã foi enforcado na força que ele mesmo havia preparado.

Portanto, não se preocupe. Não existem reuniões secretas que possam impedir as bênçãos de Deus sobre você. Veja o que diz a Palavra de Deus: "[...] nenhuma arma forjada contra você prevalecerá, e você refutará toda língua que a acusar. Esta é a herança dos servos do SENHOR, e esta é a defesa que faço do nome deles, declara o SENHOR" (Isaías 54.17).

"Deus transforma luto em luta, lágrimas em sorriso, dor em testemunho."

Escreva cinco atitudes que o ajudarão a viver uma virada em sua vida.

....

....

....

....

Plano de leitura:
(APOCALIPSE 18—20)

TEMPO DE CONQUISTA

"Chegou a hora de contar o próprio testemunho."

Qual é a sua maior conquista?

....

....

....

....

....

....

....

....

Plano de leitura:
(Apocalipse 21—22)

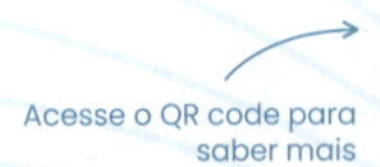

É possível que esteja chegando um tempo de conquista, um tempo de colher o que você plantou há muitos anos. Prepare-se para esse novo tempo.

Deus disse a Josué: "Todo o lugar que pisar a planta do vosso pé, vo-lo tenho dado" (Josué 1.3, ARA). O Senhor tinha feito uma promessa e estava dizendo que era hora de Josué mudar a sua postura, ter um novo posicionamento, parar de viver ciclos repetitivos e romper no sobrenatural.

Então, se você quer desfrutar do melhor da terra, também precisa mudar seu comportamento e ser ousado para tomar posse de tudo o que Deus prometeu. Por isso, agora, creia que Deus lhe deu todo lugar em que pisar a planta do seu pé!

Não duvide, tome posse da vitória, pois Deus é com você!

Se ele permitir, você viverá algo extraordinário, portanto chega de viver desanimado. Aumente as suas expectativas e coloque sua confiança em Deus, porque um tempo de conquista extraordinário pode vir a qualquer momento sobre a sua vida.

Versículos de auxílio

QUANDO SENTIR ANSIEDADE

- Quem de vocês, por mais que se preocupe, pode acrescentar uma hora que seja à sua vida? Visto que vocês não podem sequer fazer uma coisa tão pequena, por que se preocupar com o restante?

Lucas 12.25,26

- Lancem sobre ele toda a sua ansiedade, porque ele tem cuidado de vocês.

1 Pedro 5.7

- Não andem ansiosos por coisa alguma, mas em tudo, pela oração e súplicas, e com ação de graças, apresentem seus pedidos a Deus. E a paz de Deus, que excede todo o entendimento, guardará o coração e a mente de vocês em Cristo Jesus.

Filipenses 4.6,7

- Se vocês, apesar de serem maus, sabem dar boas coisas aos seus filhos, quanto mais o Pai de vocês, que está nos céus, dará coisas boas aos que lhe pedirem!

Mateus 7.11

- Quando a ansiedade já me dominava no íntimo, o teu consolo trouxe alívio à minha alma.

Salmos 94.19

Quem de vocês, por mais que se preocupe, pode acrescentar uma hora que seja à sua vida?

Mateus 6.27

- Levanto os meus olhos para os montes e pergunto: De onde me vem o socorro? O meu socorro vem do Senhor, que fez os céus e a terra.

Salmos 121.1-2

- O coração ansioso deprime o homem, mas uma palavra bondosa o anima.

Provérbios 12.25

QUANDO SENTIR TRISTEZA

- Aqueles que semeiam com lágrimas, com cantos de alegria colherão. Aquele que sai chorando enquanto lança a semente, voltará com cantos de alegria, trazendo os seus feixes.

Salmos 126.5,6

- O Senhor é a minha força e o meu escudo; nele o meu coração confia, e dele recebo ajuda. Meu coração exulta de alegria, e com o meu cântico lhe darei graças.

Salmos 28.7

- Não se perturbe o coração de vocês. Creiam em Deus; creiam também em mim.

João 14.1

- Pois a sua ira só dura um instante, mas o seu favor dura a vida toda; o choro pode persistir uma noite, mas de manhã irrompe a alegria.

Salmos 30.5

- Por que você está assim tão triste, ó minha alma? Por que está assim tão perturbada dentro de mim? Ponha a sua esperança em Deus! Pois ainda o louvarei; ele é o meu Salvador e o meu Deus.

Salmos 43.5

- E o Senhor é o que vai adiante de ti; ele estará contigo, não te deixará, nem te desamparará; não temas, nem te espantes.

Deuteronômio 31.8

- Este é o meu conforto na minha aflição, pois a tua palavra me vivificou.

Salmos 119.50

- O ladrão não vem senão para roubar, matar e destruir; eu vim para que tenham vida e a tenham em abundância.

João 10.10

- Versículo quando precisar de uma cura Cura-me, Senhor, e serei curado; salva-me, e serei salvo, pois tu és aquele a quem eu louvo.

Jeremias 17.14

- É ele que perdoa todos os seus pecados e cura todas assuas doenças.

Salmos 103.3

- Ele enviou a sua palavra e os curou, e os livrou da morte.

Salmos 107.20

- Ele mesmo levou em seu corpo os nossos pecados sobre o madeiro, a fim de que morrêssemos para os pecados e vivêssemos para a justiça; por suas feridas vocês foram curados.

1 Pedro 2.24

- Certamente ele tomou sobre si as nossas enfermidades e sobre si levou as nossas doenças; contudo nós o consideramos castigado por Deus, por Deus atingido e afligido. Mas ele foi traspassado por causa das nossas transgressões, foi esmagado por causa de nossas iniquidades; o castigo que nos trouxe paz estava sobre ele, e pelas suas feridas fomos curados.

Isaías 53.4,5

- Prestem culto ao Senhor, o Deus de vocês, e ele os abençoará, dando a vocês alimento e água. Tirarei a doença do meio de vocês.

Êxodo 23.25

QUANDO SENTIR GRATIDÃO

- Como é bom render graças ao Senhor e cantar louvores ao teu nome, ó Altíssimo; anunciar de manhã o teu amor leal e de noite a tua fidelidade.

Salmos 92.1,2

- Deem graças em todas as circunstâncias, pois esta é a vontade de Deus para vocês em Cristo Jesus.

1 Tessalonicenses 5.18

- Bendiga o Senhor a minha alma! Não esqueça nenhuma de suas bênçãos!

Salmos 103.2

- Este é o dia em que o Senhor agiu; alegremo-nos e exultemos neste dia.

Salmos 118.24

- Tudo o que fizerem, seja em palavra seja em ação, façam-no em nome do Senhor Jesus, dando por meio dele graças a Deus Pai.

Colossenses 3.17

- Deem graças ao Senhor, porque ele é bom. O seu amor dura para sempre!

Salmos 136.1

- Portanto, já que estamos recebendo um Reino inabalável, sejamos agradecidos e, assim, adoremos a Deus de modo aceitável, com reverência e temor.

Hebreus 12.28

- [...] dando graças constantemente a Deus Pai por todas as coisas, em nome de nosso Senhor Jesus Cristo.

Efésios 5.20

QUANDO PRECISAR DE ENCORAJAMENTO

- Sejam fortes e corajosos. Não tenham medo nem fiquem apavorados por causa delas, pois o Senhor, o seu Deus, vai com vocês; nunca os deixará, nunca os abandonará.

Deuteronômio 31.6

- Espere no Senhor. Seja forte! Coragem! Espere no Senhor.

Salmos 27.14

- Diga aos que têm o coração temeroso: "Sejam fortes, não temam; seu Deus virá, ele virá com vingança; com retribuição divina, ele virá para salvá-lo.

Isaías 35.4

- Deixo com você a paz; minha paz eu te dou. Eu não dou a você como o mundo dá. Não deixe seus corações ficarem perturbados e não tenha medo.

João 14.27

● Embora eu caminhe pelo vale mais escuro, não temerei mal algum, pois você está comigo; sua vara e seu cajado, eles me confortam.

Salmos 23.4

● Busquei ao Senhor, e ele me respondeu; ele me livrou de todos os meus medos.

Salmos 34.4

● O Senhor é minha luz e minha salvação – a quem temerei? O SENHOR é a fortaleza da minha vida — de quem terei medo?

Salmos 27.1

● O Senhor é minha força e minha canção, e ele se tornou minha salvação; este é o meu Deus e eu o louvarei, o Deus de meu pai, e o exaltarei.

Êxodo 15.2

● Finalmente, seja forte no Senhor e na força de seu poder.

Efésios 6.10

QUANDO ENFRENTAR ADVERSIDADES

● O Senhor é refúgio para os oprimidos, uma torre segura na hora da adversidade. Os que conhecem o teu nome confiam em ti, pois tu, Senhor, jamais abandonas os que te buscam.

Salmos 9.9,10

● Deus é o nosso refúgio e a nossa fortaleza, auxílio sempre presente na adversidade. Por isso não temeremos, embora a terra trema e os montes afundem no coração do mar, embora estrondem as suas águas turbulentas e os montes sejam sacudidos pela sua fúria.

Salmos 46.1-3

● Pois no dia da adversidade ele me guardará protegido em sua habitação; no seu tabernáculo me esconderá e me porá em segurança sobre um rochedo.

Salmos 27.5

● Do Senhor vem a salvação dos justos; ele é a sua fortaleza na hora da adversidade. O Senhor os ajuda e os livra; ele os livra dos ímpios e os salva, porque nele se refugiam.

Salmos 37.39,40

● Ouve a minha oração, Senhor! Chegue a ti o meu grito de socorro! Não escondas de mim o teu rosto, quando estou atribulado. Inclina para mim os teus ouvidos; quando eu clamar, responde-me depressa!

Salmos 102.1,2

- Exultarei com grande alegria por teu amor, pois viste a minha aflição e conheceste a angústia da minha alma. Não me entregaste nas mãos dos meus inimigos; deste-me segurança e liberdade.

Salmos 31.7,8

- O justo passa por muitas adversidades, mas o Senhor o livra de todas.

Salmos 34.19

- Nenhuma arma forjada contra você prevalecerá, e você refutará toda língua que a acusar. Esta é a herança dos servos do Senhor, e esta é a defesa que faço do nome deles" declara o Senhor.

Isaías 54.17

Plano anual de leitura bíblica

POR QUE LER A BÍBLIA

- Porque por meio dela conhecemos a Deus e ficamos sabendo o que ele exige de nós e o que ele nos promete: 2 Timóteo 3.16; João 5.39; 2 Pedro 1.4.

- Porque nela se encontra revelado o amor de Deus pelo ser humano: João 3.16; 20.30,31.

- Porque nela somos ensinados e habilitados a viver o mais alto conceito de amor: Mateus 5.43-48; 1 Coríntios 13; Romanos 12.9-21.

- Porque nela encontramos mensagens de consolo e paz: João 14.

- Porque suas palavras falam ao coração angustiado e o consolam: Salmos 103.

- Porque nela se encontram os princípios para uma vida de felicidade e harmonia no lar: Efésios 5.22–6.4.

COMO LER A BÍBLIA

- Antes de iniciar, ore para que Deus o oriente e abençoe na leitura e, ao terminar, agradeça-lhe as bênçãos recebidas por meio dela.

- Leia com reverência e humildade e, sempre que possível, procure ler trechos que tenham sentido completo.

- Leia a sua Bíblia todos os dias, medite naquilo que você está lendo e construa sua vida sobre as promessas e os ensinamentos que ela apresenta.

JANEIRO			
Dia	**Livro**	**Capítulo**	**X**
1	Gênesis	1–3	
2	Gênesis	4–6	
3	Gênesis	7–9	
4	Gênesis	10–12	
5	Gênesis	13–16	
6	Gênesis	17–19	
7	Gênesis	20–22	
8	Gênesis	23–24	
9	Gênesis	25–27	
10	Gênesis	28–30	
11	Gênesis	31–32	
12	Gênesis	33–35	
13	Gênesis	36–37	
14	Gênesis	38–40	
15	Gênesis	41–42	
16	Gênesis	43–45	
17	Gênesis	46–47	
18	Gênesis	48–50	
19	Êxodo	1–4	
20	Êxodo	5–7	
21	Êxodo	8–10	
22	Êxodo	11–13	
23	Êxodo	14–16	
24	Êxodo	17–20	
25	Êxodo	21–23	
26	Êxodo	24–26	
27	Êxodo	27–29	
28	Êxodo	30–32	
29	Êxodo	33–35	
30	Êxodo	36–38	
31	Êxodo	39–40	

FEVEREIRO			
Dia	**Livro**	**Capítulo**	**X**
1	Levítico	1–4	
2	Levítico	5–7	
3	Levítico	8–10	
4	Levítico	11–12	
5	Levítico	13–15	
6	Levítico	16–18	
7	Levítico	19–20	
8	Levítico	21–23	
9	Levítico	24–25	
10	Levítico	26–27	
11	Números	1–2	
12	Números	3–4	
13	Números	5–7	
14	Números	8–10	
15	Números	11–12	
16	Números	13–15	
17	Números	16–18	
18	Números	19–21	
19	Números	22–24	
20	Números	25–26	
21	Números	27–30	
22	Números	31–32	
23	Números	33–34	
24	Números	35–36	
25	Deuteronômio	1–2	
26	Deuteronômio	3–4	
27	Deuteronômio	5–7	
28	Deuteronômio	8–10	
29	Deuteronômio	11–13	

MARÇO			
Dia	**Livro**	**Capítulo**	**X**
1	Deuteronômio	14–18	
2	Deuteronômio	19–22	
3	Deuteronômio	23–25	
4	Deuteronômio	26–28	
5	Deuteronômio	29–31	
6	Deuteronômio	32–34	
7	Josué	1–4	
8	Josué	5–8	
9	Josué	9–11	
10	Josué	12–14	
11	Josué	15–16	
12	Josué	17–19	
13	Josué	20–22	
14	Josué	23–24	
15	Juízes	1–3	
16	Juízes	4–7	
17	Juízes	8–9	
18	Juízes	10–12	
19	Juízes	13–16	
20	Juízes	17–18	
21	Juízes	19–21	
22	Rute	1–4	
23	1 Samuel	1–4	
24	1 Samuel	5–7	
25	1 Samuel	8–10	
26	1 Samuel	11–14	
27	1 Samuel	15–17	
28	1 Samuel	18–20	
29	1 Samuel	21–24	
30	1 Samuel	25–27	
31	1 Samuel	28–31	

ABRIL			
Dia	**Livro**	**Capítulo**	**X**
1	2 Samuel	1–4	
2	2 Samuel	5–7	
3	2 Samuel	8–10	
4	2 Samuel	11–14	
5	2 Samuel	15–17	
6	2 Samuel	18–19	
7	2 Samuel	20–22	
8	2 Samuel	23–24	
9	1 Reis	1–2	
10	1 Reis	3–5	
11	1 Reis	6–7	
12	1 Reis	8–9	
13	1 Reis	10–11	
14	1 Reis	12–13	
15	1 Reis	14–17	
16	1 Reis	18–20	
17	1 Reis	21–22	
18	2 Reis	1–4	
19	2 Reis	5–7	
20	2 Reis	8–10	
21	2 Reis	11–14	
22	2 Reis	15–17	
23	2 Reis	18–19	
24	2 Reis	20–23	
25	2 Reis	24–25	
26	1 Crônicas	1–2	
27	1 Crônicas	3–5	
28	1 Crônicas	6	
29	1 Crônicas	7–9	
30	1 Crônicas	10–11	

MAIO			
Dia	**Livro**	**Capítulo**	**X**
1	1 Crônicas	12–15	
2	1 Crônicas	16–18	
3	1 Crônicas	19–21	
4	1 Crônicas	22–25	
5	1 Crônicas	26–29	
6	2 Crônicas	1–4	
7	2 Crônicas	5–7	
8	2 Crônicas	8–11	
9	2 Crônicas	12–14	
10	2 Crônicas	15–19	
11	2 Crônicas	20–23	
12	2 Crônicas	24–26	
13	2 Crônicas	27–29	
14	2 Crônicas	30–33	
15	2 Crônicas	34–36	
16	Esdras	1–2	
17	Esdras	3–6	
18	Esdras	7–10	
19	Neemias	1–3	
20	Neemias	4–7	
21	Neemias	8–10	
22	Neemias	11–13	
23	Ester	1–3	
24	Ester	4–10	
25	Jó	1–2	
26	Jó	3–5	
27	Jó	6–8	
28	Jó	9–11	
29	Jó	12–14	
30	Jó	15–19	
31	Jó	20–25	

JUNHO			
Dia	**Livro**	**Capítulo**	**X**
1	Jó	26–28	
2	Jó	29–31	
3	Jó	32–34	
4	Jó	35–37	
5	Jó	38–40	
6	Jó	41–42	
7	Salmos	1–7	
8	Salmos	8–13	
9	Salmos	14–17	
10	Salmos	18–23	
11	Salmos	24–29	
12	Salmos	30–33	
13	Salmos	34–37	
14	Salmos	38–43	
15	Salmos	44–48	
16	Salmos	49–51	
17	Salmos	52–58	
18	Salmos	59–65	
19	Salmos	66–69	
20	Salmos	70–73	
21	Salmos	74–78	
22	Salmos	79–82	
23	Salmos	83–89	
24	Salmos	90–94	
25	Salmos	95–102	
26	Salmos	103–105	
27	Salmos	106–107	
28	Salmos	108–112	
29	Salmos	113–118	
30	Salmos	119	

JULHO			
Dia	Livro	Capítulo	X
1	Salmos	120–128	
2		129–135	
3		136–143	
4		144–147	
5		148–150	
6	Provérbios	1–3	
7		4–6	
8		7–8	
9		9-11	
10		12–15	
11		16–18	
12		19–21	
13		22–24	
14		25–27	
15		28–31	
16	Eclesiastes	1–4	
17		5–8	
18		9–12	
19	Cântico dos Cânticos	1–4	
20		5–8	
21	Isaías	1–3	
22		4–7	
23		8–10	
24		11–13	
25		14–19	
26		20–24	
27		25–28	
28		29–33	
29		34–36	
30		37–39	
31		40–43	

AGOSTO			
Dia	Livro	Capítulo	X
1	Isaías	44–47	
2		48–51	
3		52–56	
4		57–61	
5		62–66	
6	Jeremias	1–3	
7		4–6	
8		7–9	
9		10–13	
10		14–17	
11		18–21	
12		22–25	
13		26–28	
14		29–32	
15		33–36	
16		37–40	
17		41–43	
18		44–48	
19		49–50	
20		51–52	
21	Lamentações	1–3	
22		4–5	
23	Ezequiel	1–4	
24		5–7	
25		8–12	
26		13–15	
27		16–19	
28		20–23	
29		24–26	
30		27–30	
31		31–33	

SETEMBRO			
Dia	Livro	Capítulo	X
1	Ezequiel	34–36	
2		37–39	
3		40–42	
4		43–44	
5		45–48	
6	Daniel	1–4	
7		5–6	
8		7–9	
9		10–12	
10	Oseias	1–4	
11		5–9	
12		10–14	
13	Joel	1–3	
14	Amós	1–4	
15		5–9	
16	Obadias	1	
17	Jonas	1–4	
18	Miqueias	1–7	
19	Naum	1–3	
20	Habacuque	1–3	
21	Sofonias	1–3	
22	Ageu	1–2	
23	Zacarias	1–5	
24		6–10	
25		11–14	
26	Malaquias	1–4	
27	Mateus	1–3	
28		4–6	
29		7–9	
30		10–11	

OUTUBRO			
Dia	Livro	Capítulo	X
1	Mateus	12–13	
2		14–15	
3		16–18	
4		19–21	
5		22–23	
6		24–25	
7		26	
8		27–28	
9	Marcos	1–2	
10		3–4	
11		5–6	
12		7–8	
13		9–10	
14		11–12	
15		13–14	
16		15–16	
17	Lucas	1	
18		2–3	
19		4–5	
20		6–7	
21		8–9	
22		10–11	
23		12–13	
24		14–15	
25		16–18	
26		19–20	
27		21–22	
28		23–24	
29	João	1–2	
30		3–4	
31		5–6	

NOVEMBRO			
Dia	Livro	Capítulo	X
1	João	7–8	
2		9–10	
3		11–12	
4		13–14	
5		15–18	
6		19–21	
7	Atos	1–2	
8		3–5	
9		6–7	
10		8–9	
11		10–11	
12		12–13	
13		14–15	
14		16–19	
15		20–21	
16		22–23	
17		24–28	
18	Romanos	1–3	
19		4–6	
20		7–9	
21		10–12	
22		13–16	
23	1 Coríntios	1–3	
24		4–7	
25		8–9	
26		10–13	
27		14–16	
28	2 Coríntios	1–3	
29		4–7	
30		8–13	

DEZEMBRO			
Dia	Livro	Capítulo	X
1	Gálatas	1–4	
2		5–6	
3	Efésios	1–4	
4		5–6	
5	Filipenses	1–4	
6	Colossenses	1–4	
7	1 Tessalonicenses	1–5	
8	2 Tessalonicenses	1–3	
9	1 Timóteo	1–6	
10	2 Timóteo	1–4	
11	Tito	1–3	
12	Filemom	1	
13	Hebreus	1–4	
14		5–9	
15		10–11	
16		12–13	
17	Tiago	1–5	
18	1 Pedro	1–3	
19		4–5	
20	2 Pedro	1–3	
21	1 João	1–5	
22	2 João	1	
23	3 João	1	
24	Judas	1	
25	Apocalipse	1–4	
26		5–7	
27		8–10	
28		11–14	
29		15–17	
30		18–20	
31		21–22	

Conclusão

Fico muito feliz que você chegou ao fim desta jornada de um ano em intimidade com Deus! Tenho certeza de que você experimentou os benefícios do devocional diário!

Vivemos em tempos difíceis, nos quais as más notícias circulam a uma velocidade impressionante, e enfrentamos constantemente grandes desafios.

Por isso, alegro-me que você tenha se juntado àqueles que priorizam o relacionamento com Deus todas as manhãs!

Priorize Deus é uma ferramenta poderosa para todo aquele que deseja cumprir o propósito para o qual foi criado e ser guiado pela voz do Senhor. Ao longo da leitura destes devocionais, você recebeu instrução e sabedoria, o que o conduziu a um relacionamento diário com o Senhor.

Cada devocional foi elaborado debaixo de uma orientação clara do Espírito Santo e, tenho certeza, trouxe um grande impacto positivo em sua vida. Oro a Deus para que a leitura o tenha ajudado a tomar as melhores decisões em face das circunstâncias e dilemas do cotidiano!

Foi ótimo seguir com você ao longo desta jornada!

ANSIEDADE

Caro leitor, a paz do Senhor!

Gostaria de convidá-lo para embarcarmos juntos em uma jornada de conhecimento e autodescoberta por meio de um curso empolgante e transformador!

Jesus Cristo, há cerca de 2 mil anos já abordava esse assunto tão importante. Vejamos Mateus 6.25:

> Por isso vos digo: Não estejais ansiosos quanto à vossa vida, pelo que haveis de comer, ou pelo que haveis de beber; nem, quanto ao vosso corpo, pelo que haveis de vestir. Não é a vida mais do que o alimento, e o corpo mais do que o vestuário?

Ansiedade para muitas pessoas está além da dificuldade de lidar com o futuro, em muitos casos passa a ser um estilo de vida. Pensando nisso, preparamos esse curso especialmente para você, com uma abordagem prática e baseada em evidências. Vamos desbravar os sintomas e as doenças secundárias que a ansiedade pode desencadear, além de aprendermos a prevenir e melhorar essa condição tão comum nos dias atuais. Acredite, nossas estratégias vão muito além do tratamento convencional. Estamos prontos para revolucionar a forma como lidamos com esse desafio!

A ansiedade é um transtorno multifatorial e extremamente prevalente na atualidade. Existem dezenas de sintomas e doenças secundárias que derivam desse mal. Se não houver tratamento precoce, pode-se evoluir para danos severos em nosso organismo.

No curso, você terá acesso a dicas valiosas para uma vida mais equilibrada e plena. Afinal, o combate à ansiedade não é apenas uma tarefa, é uma missão coletiva! Desde evitar o isolamento social até aumentar a conexão com a natureza, passando por práticas de meditação e oração, e envolvendo-se com ações de caridade e apoio social, nossa jornada será intensa, mas repleta de recompensas.

Preparado para essa jornada incrível rumo ao autocontrole e à paz interior? Então, embarque nessa aventura conosco! Vamos juntos conquistar uma mente mais serena e desfrutar de uma vida plena e repleta de significado. Chegou a hora de abraçar essa oportunidade de crescimento pessoal e transformação.

Conto com você para fazer a diferença em sua vida e no mundo ao nosso redor, pela graça e pelo poder de Deus. Vemo-nos em breve!

Acesse o QR code para saber mais

DEPRESSÃO

Caro leitor, a paz do Senhor!

É com imensa alegria que venho compartilhar com você uma viagem transformadora e cheia de esperança. No universo desafiador da saúde mental, será uma honra poder ajudá-lo a ter mais equilíbrio emocional e bem-estar. E é com grande entusiasmo que lhe apresento o nosso curso dedicado a enfrentar e superar a temida depressão.

Hoje, mais do que nunca, a depressão tem se tornado uma condição que atinge muitos corações. Sentimentos de tristeza profunda, alterações de apetite e sono são apenas algumas das maneiras pelas quais ela se manifesta. Contudo, acredite, podemos sim fazer a diferença na vida de quem enfrenta esse desafio. Com apoio e união, juntos podemos enfrentar o diagnóstico e trilhar um caminho de recuperação e cura.

Nosso curso é focado na prática e nas dicas mais eficazes para prevenir e melhorar a depressão. E, acredite, são atitudes simples que farão toda a diferença! Primeiro, a conexão com pessoas que compartilham hábitos em comum é uma poderosa fonte de apoio emocional. Além disso, engajar-se em obras de caridade e ajudar aos mais vulneráveis proporcionam uma sensação única de realização e propósito, tornando-nos mais resilientes.

A leitura e a oração são hábitos que nos conectam ao nosso eu interior e à espiritualidade, trazendo serenidade à mente conturbada.

Redes sociais e dispositivos eletrônicos podem nos sobrecarregar e afetar negativamente nosso bem-estar emocional. Além disso, nossa alimentação também desempenha um papel fundamental em nossa saúde mental. Evitar o consumo excessivo de carboidratos e alimentos ricos em gordura e açúcar pode contribuir para a melhora do nosso humor e energia.

Outra prática que abordaremos é movimentar-se diariamente em caminhadas ao ar livre. A natureza tem uma energia revigorante que nos ajuda a liberar tensões e ansiedades. E não se preocupe, não é preciso ser um atleta, apenas dar um passo de cada vez, literalmente.

Então, embarque conosco nessa jornada de superação e transformação. Ao longo do curso, você descobrirá seu potencial interior, aprenderá estratégias valiosas e se sentirá amparado por uma comunidade acolhedora. Vamos começar essa emocionante jornada juntos? Conto com você!

ESTRESSE

Caro leitor, a paz do Senhor!

Se você é alguém que enfrenta diariamente os desafios de uma rotina agitada ou mesmo já se viu afetado por manifestações patológicas desse mal, esse curso é para você. Nele, mergulharemos em tratamentos e orientações específicas para combater esse inimigo invisível que é o estresse persistente.

Para muitas pessoas o estresse vai além do excesso do presente e infelizmente tem se tornado um estilo de vida.

Prepare-se para conhecer dicas práticas que vão prevenir e reduzir o estresse, trazendo equilíbrio e vitalidade para sua vida. No curso, aprenderemos como evitar essas substâncias e substituí-las por escolhas mais saudáveis para nutrir o corpo e a mente.

A atividade física também desempenha um papel vital em nossa jornada para combater o estresse.

Embarque conosco nessa jornada de transformação, na qual aprenderemos juntos como vencer o estresse e encontrar a paz interior que tanto buscamos! Esse é muito mais do que um curso, é um convite para abraçar uma nova perspectiva de vida, repleta de saúde, equilíbrio e gratidão. Não perca a oportunidade de fazer parte dessa experiência enriquecedora e revolucionar sua forma de lidar com os desafios diários!

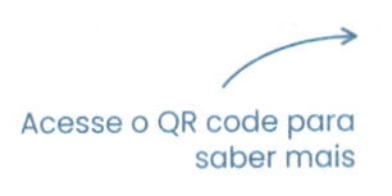

Minhas anotações

Esta obra foi composta em *Adobe Text Pro*
e impressa por Gráfica Expressão e Arte sobre papel
Offset 75g/m² para Editora Vida.